吉川英治歴史時代文庫 38

三国志（六）

講談社

目次

三国志（六）

望蜀の巻（つづき）

酔県令

一

　ここしばらく、孔明は荊州にいなかった。新領治下の民情を視、四郡の産物など視察して歩いていた。

　彼の留守である。龐統が荊州へ来たのは。

「予に会いたいというのか」

「おそらく仕官を求めにきたものと思われますが」

「名は」

「襄陽の龐統なりと申しました」

「さては、鳳雛先生か」

　玄徳は驚いて、取次の家臣へ、すぐ鄭重に案内せよと命じた。

かねて孔明からうわさを聞いていたからである。龐統はやがて導かれてきた。しかし堂に迎えられても、長揖して拝すでもなく、すこぶる無作法に佇立しているので、

「はて、このような男が、名声の高い鳳雛だろうか」と、玄徳は疑いを生じた。のみならず、風態は卑しげだし、容は醜いときているので、玄徳もすっかり興ざめ顔に、

「遠くご辺のこれへ来られたのは、そも、いかなる御用があってのことか」

と、通り一遍の質問をした。

龐統はかねて孔明から貰ってある書状もあるし、魯粛の紹介状を携えていたが、わざとそれを出さなかった。

「されば、劉皇叔が、この地に新政を布いて弘く人材を求めらるる由をはるかに承り、もしご縁あらばと来てみたわけです」

「それはあいにくなことだ。荆州はすでに治安秩序も定まり、官職の椅子も今は欠員がない。――ただここから東北地方の田舎だが、耒陽県の県令の職がひとつ空いておる。もしそこでもと望むならば、赴任して見らるるがよい」

「田舎の県令ですか。それも暢気でいいかも知れませんな」

龐統は辞令を受けると、即日、任地へ立って行った。荆州東北、約百三十里の小都会である。

だが彼はそこの知事として着任しても、ほとんど役所の時務は何も見なかった。地方

時務の多くは民の訴え事であるが、訴訟などはてんでほうりだしておくため、書類は山積して塵に埋まっている。

当然、地方民の怨嗟や糾弾の声が起った。そして中府の荆州にもこの非難が聞えてきたので、温厚な玄徳も、

「憎い腐れ儒者ではある」と、直ちに、張飛と孫乾にいいつけ、耒陽県を巡視して、もし官の不法、怠慢のかどなど発見したら、きびしく実状を糺して来いといった。

「心得ました」

二人は、数十騎の侍をつれ、吏務検察として赴いた。郡民や小吏は聞きつたえて、

「お待ちもうしておりました」とばかり、こぞって出迎えに立ったが、県令の顔は見あたらない。

「役所の者はおらんのか」

張飛がどなると、一役人が、

「これに出ておりますが」

と、恐惶頓首して答えた。

「お前たちじゃない。県令はどうしたか」

「それが、……その何とも」

「明らかにいえ。お前たちを罰しに来たのじゃない」

「何ぶんにも、県令龐統には、ご着任以来、今日のような場合に限らず、すべて公の

事には、見向いたこともありませんので」

「そして、何しておるのだ。毎日……」

「たいがいは、酒ばかり飲んでいらっしゃいます」

「毎日、酒びたりか」

張飛はちょっと、羨しいような顔したが、すぐ、

「怪しからん」と、云い放ちながら、その足で、県庁の官舎へ押しかけ、

「龐統はおらんか」と、どなった。

すると奥から衣冠もととのえぬ酔どれが、赤い蟹みたいな顔してよろよろ出てきた。

そして、

「わしが龐統だが」と、昼から酒くさい息を吐いて云った。

二

「貴様か。県令の龐統とは」

「ふん。わしだよ」

「何だ。その態は」

「まあ、掛けたまえ。耳の穴へ蜂がはいったようじゃないか。君か、張飛とかいう男は」

龐統は驚かない。

自分の眼光に会ってこんなに驚かない男を張飛はあまり知らない。

「一杯参らんか」

「酒どころではない、おれは家兄玄徳の命をうけて、吏道を正しに来たものだ。赴任以来、汝はほとんど官務を見ていないというじゃないか」

「ぼつぼつやろうと思っている」

「怪しからん怠慢だ。公事訴訟も山ほどつかえているというに」

「やる気になれば造作はない。政事は事務ではないよ。簡単なるほどよろしいのだ。民の善性を昂め、邪性を圧える。圧えるではまだまずい。ほとんど、邪悪の性を忘れしめる。どうじゃ、それでよろしいのじゃろう」

「口は達者らしいな」

「飲けるほうだ」

「酒のことではないッ」と、張飛は虎が伸びするように身を起して呶鳴った。

「では、明日中に、その実をおれの眼に見せろ。その上で汝の広言に耳をかそう。しからずんば、引っくくって、汝を白洲にすえるぞ」

「よろしい」

龐統は手酌で飲んでいた。

張飛と孫乾は、わざと民家に泊った。そして翌日、庁へ行ってみると、訴訟役所から往来まで行列がつづいている。

「何事だ、いったい？」

訊いてみると、きょうは未明の頃から、県令龐統が急に裁判を白洲に聴いて、いちいち決裁を与えているのだという。

田地の争い、商品の取引違い、喧嘩、家族騒動、盗難、人事、雑多な問題を、龐統は二つの耳で訊くとすぐ、

「こういたせ」「こう仲直り」「それは甲が悪い、笞を打って放せ」「これでは乙が不愍である、丙はいくらいくらの損害をやれ」――などと、その裁決は水のながれるようで、山と積まれた訴訟も夕方までには一件も余さず片づけてしまった。その上で、

「いかがです。張飛先生」

龐統は笑って晩餐を共にとすすめた。

張飛は、床に伏して、

「まだかつて、大兄の如き名吏を見たことがない」と、先の言を深く謝した。

龐統は、張飛が帰るとき、一書を出して、

「主君に渡してくれ」と頼んだ。

魯粛から貰っていた紹介状である。玄徳は、報告を聞き、またその書簡を見て、非常にびっくりした。

「ああ、あやうく大賢人を失うところだった。人は、風貌ばかりでは分らない……」

そこへ四郡の巡視を終って孔明が帰ってきた。噂を聞いていたとみえ、

「龐統はつつがなくおりますか」

玄徳は間の悪い顔をしながら、実は耒陽県の知事にやってあるというと、孔明は、

「あのような大器を、そんな地方の小県になどやっておいたら、閑に飽いて酒ばかり飲んでおりましょう」と、いった。

「いや、その通りである」と、玄徳が実状を告げると、孔明は、

「わたくしからも君へ推挙の一筆を渡してあるのに、それは出しませんでしたか」

「見せもせぬし、語りもしなかった」

「とにかく、県令には誰か代りをやって、早くお呼び戻しになるがよいでしょう」

やがて、龐統は、荊州へ帰ってきた。

玄徳は、不明を謝し、なお、孔明と龐統のふたりに、酒を賜わって、心からいった。

「——むかし司馬徽徐庶先生が、もし伏龍鳳雛ふたりのうち一人でも味方にすることができたら、天下の事も成ろうと予にいわれたことがある。……こんな不明な玄徳に、その二人までが、ともに自分を扶けてくれようとは、ああ思えば玄徳は果報すぎる。慎まねばならん。慎まねばならん」

馬騰と一族

一

龐統はその日から、副軍師中郎将に任ぜられた。総軍の司令を兼ね、最高参謀府にあって、軍師孔明の片腕にもなるべき重職についたわけである。

建安十六年の初夏の頃。魏の都へ向って、早馬を飛ばした細作（諜報員）は、丞相府へ右の新事実を報告かたがた、つけ加えてこうのべた。

「決してばかにできないのは荊州の勃興勢力です。孔明の下に、関羽、張飛、趙子龍の三傑があるところへ、今度は副軍師龐統を加え、参謀府に龍鳳の双璧が並び、その人的陣容は、完くここに成ったという形です。――ゆえに近頃は、もっぱら兵員拡充と、軍需の蓄積に全力をそそぎ、いまや荆州は毎日、兵馬の調練、軍需の増産や交通、商業などの活潑なこと、実に目ざましいものがあります」

これはやがて、曹操の耳へ届いて、少なからず彼の関心をよび起した。

「果たせる哉。月日を経るほど、玄徳は、魏にとって最大な禍いとなってきた。――荀攸そちに何か考えはないか」

「捨ててはおけず、といって、今すぐに、大軍を催すには、いかんせん、わが魏にはなお、赤壁の痛手の癒えきらないものがありますから、にわかに無理な出兵も考えものです」

さすがに、荀攸は、常に君側にいても、よく軍の内容を観ていた。

曹操もうなずいて、

「それを実は、予も、敵国の勃興以上に、憂えているところだ」と、正直に云った。

「こうなさい――」荀攸は立ちどころに献策した。「西涼州（甘粛省・陝西奥地一帯）の太守馬騰をお召しになり、彼の擁している匈奴の猛兵や、今日まで無傷に持たれている軍需資源をもって、玄徳を討たせるのです。そしてなお大令を発し給えば、各地の諸侯もこぞって参戦しましょう」

「そうだ。辺境の奥地には、まだ人力も資材も無限に埋蔵されている」

曹操はすぐ人を選んで西涼へ早馬を立て、二の使いとして、すぐ後からまた、有力な人物を向けて、軍勢の催促を云いやった。

涼州の地は支那大陸の奥曲輪である。黄河の上流遠く、蒙疆に境する綏遠、寧夏に隣接して、未開の文化は中原のように華やかでないが、多分に蒙古族の血液をまじえ、兵は強猛で弓槍馬技に長じ、しかも北方の民の伝統として、常に南面南出の本能を持っている。

ところで、太守馬騰は、字を寿成といい身長八尺余、面鼻雄異、しかし性格は温良な人だった。

もと、漢帝に仕えた伏波将軍馬援の子孫で、父の馬粛の代に、官を退いて、馬騰を生んだのである。

だから馬騰の血の中には、蒙古人がまじっている。嫡子を超といい次男を休といい、三男を鉄という。

「詔とあれば、行かなければなるまい」

馬騰は一門の者に別れを告げて都へ上った。三人の子息は国に残し、甥の馬岱を連れて行った。

許都に来て、まず曹操に会い、荊州討伐の任をうけ、次の日朝廷に上って、天子を拝した。

命は、曹操から出ても、名は勅命である。曹操の意志は決して、天子の御心ではなかった。

「このたびは老骨に、荊州討伐の大命を仰せつけられて……」と、馬騰が拝命のお礼を伏奏すると、帝は無言のまま彼を伴って、麒麟閣へ登って行かれた。

そして誰もいない所で、帝は初めて口を開かれ、

「汝の祖先馬援は、青史にものこっている程な忠臣であった。汝も、その祖先を辱めることはあるまい。――思え。玄徳は漢室の宗親である。漢朝の逆臣とは、彼にあらず、曹操こそそれだ。曹操こそ朕を苦しめ、漢室を晦うしている大逆である。馬騰！　そちの兵はそのいずれを伐ちにきたのか」

二

帝の御目には、涙があふれかけていた。

恐懼して、ひれ伏したまま、馬騰は御胸のうちを痛察した。

ああ、朝廷のこの式微。

見ずや、許都の府は栄え、曹操の威は振い、かの銅雀台の春の遊びなど、世の耳目を羨ますほどのものは聞くが、ここ漢朝の宮廷はさながら百年の氷室のようだ。楼台は蜘蛛の巣に煤け、珠簾は破れ、欄は朽ち、帝の御衣さえ寒げではないか。

「……馬騰。忘れはおるまいな。むかし国舅の董承と汝へ降した朕の衣帯の密詔を。……あの折は、未然に事やぶれたが、このたびそちが上洛の由を聞いて、いかに朕が心待ちしていたかを察せよ」

「かならず宸襟を安め奉りますれば、何とぞ、御心つよくお待ち遊ばすように」

馬騰は泣いた眼を人に怪しまれまいと気づかいながら宮門を退出した。

邸に帰ると、ひそかに一族を呼んで、帝の内詔を伝え、

「かくとも知らず、いま曹操はこの馬騰に兵馬をあずけて、南方を伐てという。これこそ、実に天の与えた秋ではないか」

と、勤王討曹の旗挙げを密議した。

それから三日目である。

曹操の門下侍郎黄奎というものが、馬騰を訪れて、

「丞相のご内意ですが、なにぶん、南伐の出兵は、急を要します。ご発向はいつに相成ろうか。それがしも行軍参謀として参加するが」と、催促した。

「直ちに立ちます。明後日には」

馬騰は、酒を出して、黄奎をもてなした。

すると黄奎は、大いに酔って、古詩を吟じ、時事を談じたりした挙句、

「将軍はいったい、真に伐つべきものは、天下のどこにいると思うておられるか」

などと云いはじめた。

馬騰は警戒していた。あぶない口車と感じたからである。すると黄奎は、その卑怯を叱るように眦をあげ唇をかんで、

「自分の父の黄琬は、むかし李傕郭汜が乱をなした時、禁門を守護して果てた忠臣です。その忠臣の子がいまは、心にもなく、僭上な奸賊の権門に屈して、その禄を食んでいるとは実になさけない。しかし、将軍のごときは、西涼州の地盤と精猛な兵を多く持っているのに、何だって不忠な奸雄に頤で使われて甘んじておらるるのか」

と、まるで馬騰を責めるような口ぶりになってきた。

　馬騰はいよいよ空とぼけて、

「奸賊の、不忠のと、それはそも、誰のことをいわれるのか」

「もちろん曹操のことだ」

「大きな声を召さるな。丞相は足下の主君ではないか」

「それがしは漢の名将の子、将軍も漢朝の忠臣馬援が後胤ではないか。そのふたりが漢朝の宗室たる劉玄徳を伐(う)ちに向われるか。しかも逆臣の命に頤使(いし)されて」

「いったい、足下はそのような言を本気でいうのか」

「ああ、残念。将軍はそれがしの心底をなお疑っておられるとみえる」

　黄奎は指を咬(か)んで血をそそぎ、天も照覧あれと盟(ちか)いした。

行軍参謀たるこの人物が同心ならば、いよいよ事は成就に近い。馬騰はついに本心を明かした。黄奎は聞くと、膝を打って、

「ほかならぬ将軍のこと。さもあらんと思っていたが、果たせるかな、密々詔(みつみつみことのり)まで賜わっておられたか。――ああ、時節到来」と、狂喜した。

　そこでまず二人は、関西の兵をうながす檄文(げきぶん)を起草し、都下出発の朝、勢揃いと称して、曹操の閲兵(えっぺい)を乞い、急に陣鉦(じんがね)を鳴らすを合図に、曹操を刺し殺してしまおうと、すべての手筈まで諜(しめ)し合わせた。

黄奎(こうけい)は夜おそく家へ帰った。さすがに酒も発せず、すぐ寝房(ねや)へ入った。彼には妻がな

く、李春香（りしゅんこう）という姪（めい）が彼の面倒を見ていた。

李春香には自分から嫁（とつ）ぎたく想っている男があったが、心がらが良くないので叔父の黄奎が承知してくれない。今宵もそれが遊びにきたらしく、彼女はほの暗い廊の蔭で男と何か立ち話をしていた。

三

男は李春香の耳へささやいた。

「今夜にかぎって、黄奎の様子がどことなく変じゃないか」

「そんな事はないでしょう」

「いや、おれの弟が、馬騰の邸に、多年お留守居役をしているが、その弟から妙なことを報らせてきた。――春香、おまえが訊けば、たった一人の可愛い姪だ。黄奎は何か打明けるにちがいない。そっと訊いてごらん」

春香はまだ世間の怖さも複雑さも知らなかった。いわるるままその夜叔父の心をそれとなく訊いてみた。すると黄奎は驚いた顔して、

「わしの様子がどことなく変だということが、おまえみたいな小娘にもわかるかい。ああ争われないものだ」

彼は嘆息して、実は大事を計画しているため、その準備やら万一のことまで案じているせいだろうと、つい相手が身内の者ではあり、世間へも出ない小娘なので、心中の秘

を語ってしまった。

そしてなお、

「このことが成功すれば、わしは一躍、諸侯の列に入るが、もし失敗したらたちまち生きていないだろう。そうしたらおまえは、何もかも捨てて郷里の老人達のところへ逃げて、当分、嫁にもゆかないがいい」と、遺言めいたことまでいった。

室外に立ち聞きしていた男は、春香がそこから出てきたときはもういなかった。彼は深夜の町を風の如く奔っている。そして丞相府の門を叩いた。

「たいへんです。お膝もとに恐ろしいことを計っている謀叛人がおりますっ」

下役から部長へ、部長から中堂司へ、次々に伝申されて、深更ながら曹操の耳にまで入った。

「すぐその者を聴問閣の下へひけ」

曹操はがばと起きた。

ひとたび眠る如く消されていた相府の閣廊廻廊の万燈は、煌々と昼のように眠りをさました。

馬騰の飛檄に依って、関西の兵や近くの軍馬は、続々、許都へさして動きつつあった。馬騰は書をもって曹操に、

「はや発向の準備もなり、近日勢揃い仕りますれば、その節は都門にお馬を立てられ、親しくご閲兵の上、征途に上る将士にたいし、一言のご激励ねがわしゅう存ずる」との

旨を告げてきた。

曹操は、奥歯に苦笑を噛みしめながら、口のうちで罵った。

「たれがそんな罠にかかるか」

そして直ちに、密車二隊を奔らせ、一手は黄奎を捕縛し、一手は馬騰の家を襲って、即座に二人を召捕ってこさせた。

相府の白洲で、黄奎の顔をちらと見ると、馬騰は、口を裂き、牙をむいて、

「この腐れ儒者め！　何とてかかる大事を口外したかっ。ああ、止んぬる哉、天も漢朝を捨て給うと見えたり。二度まで計って二度まで未然にやぶれ去るとは」

曹操は、指をさして、その狂態を笑い、武士に命じて、一刃の下にその首を刎ねた。

黄奎も首を打たれた。――また、馬騰の拉致されたあと、大勢の密軍兵は、捕吏とともに、馬騰の邸を四面から焼きたてて、内から逃げ転び悲しみまどい、阿鼻叫喚をあげて、溢れ出て来る家臣、老幼、下の召使の男女などことごとく捕えて、或いは首を切り、或いは市に曝し、惨状、無残、目をおおわずにいられないほどだった。

その中には、父を慕って本国から着いた馬騰の子二人も殺害されたが、甥の馬岱だけは、どう遁れたか、関外へ逃走していた。

ここに笑止なのは密告して褒美にありつこうとした苗沢という男である。事件後、曹操に願いを出して、李春香を妻に賜わりたいと乞うと、曹操はあざ笑って、

「汝にはべつに与えるものがある」

と城市の辻に立たせ、首を刎ねて、不義佞智の小人もまたかくの如しと、数日、往来の見世物にしておいた。

不倶戴天

一

このとき丞相府には、荊州方面から重大な情報が入っていた。

「荊州の玄徳は、いよいよ蜀に攻め入りそうです。目下、彼の地では活潑な準備が公然と行われている」

曹操はかく聞いて胸をいためた。もし玄徳が蜀に入ったら、淵の龍が雲を獲、江岸の魚が蒼海へ出たようなものである。ふたたび彼を一僻地へ屈伏せしめることはもうできない。魏にとって重大な強国が新たに出現することになろう。彼は数日、庁の奥にとじ籠って対策をねっていた。

ここに丞相府の治書侍御史参軍事で陳群、字を文長というものがあった。彼が曹操に向っていうには、

「玄徳と呉の孫権とは今、心から親睦でないにせよ、形は唇と歯のような関係に結ばれています。ですから、玄徳が蜀へ進んだら、丞相は大軍をもって、反対に呉をお攻めになるがよいでしょう。なぜならば、呉はたちまち玄徳へ向って、協力を求め、援けを強いるにちがいありません」

「ふむ。さすれば玄徳は、進むに進み得ず、退くに退き得ず、両難に陥るというわけか。——いやそうは参るまい。彼にも孔明がついている。軽々しく呉の求めにうごいたり、軍の方向に迷うようなことはせぬ」

「それこそ、わが魏にとって望むところではありませんか。もし玄徳の援助なく、玄徳は入蜀のことに没頭して、呉を顧みるに暇なければ、ここ絶好な機会です。さらに大軍を増派し、一挙に呉国をお手に入れてしまわれては如何です。玄徳なく、ただ魏と呉との対戦なら、ご勝利は歴々です」

「げにも。げにも」

曹操は、眉をひらいた。

「余りむずかしくばかり考えこむものじゃないな。わしはちと重大と思い過ぎて思案が過っておったよ。人間日々大小万事、ここにいつも打開があるな」

即時、三十万の大軍は、南へうごいた。檄は飛んで、合淝城にある張遼に告げ、

——汝、先鋒となって、呉を突くべし。

とあった。

大軍まだそこへ到らぬうち、呉の国界は大きな衝動に打たれ、急はすぐさま呉王孫権に報じられる。

孫権は、急遽（きゅうきょ）、諸員を評定に召集して、それに応ずべき策を諮（はか）った。その結果、

「こういう時こそ、玄徳との好誼（よしみ）を活かし、お使いを派して、彼の協力をお求め遊ばすのがしかるべきでしょう」と、決った。

すなわち魯粛の書簡を持って、使いは荊州へ急いでゆく。

玄徳はそれを披見（ひけん）して、ひとまず使者を客館にもてなしておき、その間に、孔明が帰るのを待っていた。

南郡地方にいた孔明は、召しをうけるや馬を飛ばして帰ってきた。そして、玄徳から、仔細を聞き、また魯粛の書簡を見ると、

「ご返辞は」と、玄徳の面をうかがった。

「まだ答えてない。御身に諮った上で、承諾とも拒絶するとも答えようと思って」

「では、この返書は、わたくしにお任せおき下さいますか」

玄徳はうなずいた。

「よきように」と。

孔明は一書をしたためた。それには、呉へ向ってこう告げてある。

乞う、安んじられよ。呉国の人々は枕を高うして可なり。もし魏軍三十万の来るあらば、孔明これにあり。直ちに彼を撃攘（げきじょう）せん。

呉の使いは、書面を持って帰って行った。しかし玄徳は安からぬここちがした。

「軍師。あのような大言を申しやってよろしいのか」

「大丈夫です」

「許都の魏兵三十万のみでなく、合淝の張遼も合して来るだろう」

「大丈夫です」

「どういう自信があって?」

「西涼の馬騰が、つい先頃、都で殺されたそうです。その子二人も禍いに遭ったようですが、本国には馬氏の嫡男馬超が残っていた筈です。この人へわが君から密使をおやりなさい。いま馬超を語らうことは至極たやすく、しかも馬超ひとりを動かせば、曹操以下三十万の精兵も魏一国に金縛りにしてしまうことができましょう」

二

西涼州の馬超は、ある夜、ふしぎな夢をみた。
「吉夢だろうか。凶夢だろうか」
あくる日、八旗の将に、この夢のことをはなした。
八旗の将とは、彼をめぐる八人の優れた旗本組のことである。
それは、
侯選。程銀。李湛。張横。梁興。成宜。馬玩。楊秋。

などの面々だった。

「さあ。わからんなあ。吉夢やら凶夢やら」

みな武弁ばかりなので、彼の夢に判断を下し得る者もなかった。

馬超のみた夢というのは、千丈もある雪の中に行き暮れて仆れているところへ、多くの猛虎が襲いかかって来て危うく咬みつかれようとしたところで眼がさめたというのである。いい夢らしくもあり、悪夢らしくも考えられた。――するとこの座へ突然、

「いや、それは大悪夢だ」

と云いながら帳を排して入ってきた一人物がある。南安狟道の人で姓名を龐徳、字は令明というものであった。

「むかしから雪中に虎に遭うの夢は不祥の兆としてある。もしや上洛中の大殿騰将軍の君に、何か凶事でも起ったのではなかろうか」

龐徳のことばに、馬騰の嫡男たる馬超は、当然、面を曇らせた。

いや馬超ばかりでなく、この西涼に留守して、遠くにある主君の身を明け暮れ案じている八旗の将もみな浮かない顔をしてしまった。

「しかし、逆夢ということもあれば、若大将には、一途にご心配なさらぬがようござる。なんの、夢などあてになるものですか」

わざと酒宴をすすめて、馬超の心をまぎらわせていた。

けれど、この夢は、やはり正夢であった。――その夜のこと、見る影もない姿となっ

て、許都から逃げ落ちてきた従兄弟の馬岱が、

「叔父の将軍には、曹操の兇刃に害され給い、お子達二人も、ほかご一族、家中の者、老幼のはしにいたるまで八百余人、残らず一つ邸のうちにあって火をかけられ、あらかたは殺され、或いは首斬られ、目もあてられぬ災難でした。それがしはいち早く墻を跳びこえ、この通り身を乞食にやつしてこれまで逃げのびて来た次第。……語るも無念でたまりません」と、涙ながら報じた。

「えっ、父上が殺されたと」

馬超は、愕然とさけんだ。そして蒼白な顔を、うむと呻いて仰向けたと思うと、うしろへ仆れて昏絶してしまった。

もちろん典医や大勢の介抱ですぐ意識はよみがえったが、終夜、寝房のうちから無念そうな泣き声が洩れてきた。

こういう中に玄徳の書簡ははるばると荆州から来た密使によって、馬超の手に渡されたのである。その文章はおそらく孔明が起草したのであろう。まず漢室の式微をいい、馬騰の非業の死を切々と弔い、曹操の悪逆や罪状を説くにきわめて峻烈な筆鋒をもってこれを糺し、そして馬超が嘆きをなぐさめかつ激励して、

――貴君にとっては倶に天を戴かざる父の仇敵、四民にとっては悪政専横の賊、漢朝にとっては国を紊し帝威を冒す姦党、それを討たずして武門の大義名分があろうか。ねがわくは君、涼州より攻め上れ、劉玄徳また北上せん。

と、結んであった。

次の日である。

父馬騰と親友だった鎮西将軍韓遂からそっと迎えがきた。行ってみると、人払いした閑室へ馬超を通して、

「実は、こんな書面が曹操からきているよ」

と、それを見せてくれた。

もし馬超を生捕って檻送してよこせば、汝を封じて、西涼侯にしてやろう、という意味のものだった。

馬超は自ら剣を解いて、

「あなたの手にかかるものなら仕方がない。いざ、都へ差立てて下さい」

と、神妙にいった。

韓遂は、叱って、

「それくらいなら何もわざわざここへ御身を呼びはしない。もし御身に、父の讐たる曹操を討つ気があるなら、義によって、わしも一臂の力を添えたいと思ったからだ。いったい御身の覚悟はどうなのだ」と、かえって、馬超の本心を詰問した。

三

馬超はふかく礼をのべて、

「そのご返辞は、後ほど邸から致します」といって帰った。

彼は直ぐ曹操の使者を斬ってしまい、その首を、韓遂のところへ届けた。

「それでこそ、君は馬騰の子だ。君がその決心ならば」

と、韓遂は即日やって来て、馬超軍に身を投じた。

西涼の精猛数万、殺到して、しここに、潼関(陝西省)へ攻めかかる。

長安(陝西省・西安)の守将鍾繇は、驚死せんばかりに仰天して、曹操のほうへ、早馬をもって、急を告げる一方、防ぎにかかったが、西涼軍の先鋒馬岱に蹴ちらされて、早くも、長安城へ逃げ籠る。

長安は、いま廃府となっていたが、むかし漢の皇祖が業を定めた王城の地。さすがに、要害と地の利は得ている。

「この土地の長く栄えない原因は、二つの欠点があるからです。土質粗く硬く、水はしおからくて飲むにたえません。もう一つの欠所は山野木に乏しく、常に燃料不足なことです。……ですからこういう謀計を用いれば、難なく陥るにちがいありません」

龐徳の言であった。

そのことばを容れたものか、馬超は急に包囲をといて、数十里、陣を退いた。

守将の鍾繇は、

「寄手が囲みを解いたからといって、みだりに城外へ出てはならん。敵にどんな計があろうも知れない」と、軍民を戒めていた。

しかし三日たち四日経つうちに、無事に馴れて、一つの城門が開くと、西も東も、各所の門で、城外との往来が始まった。みな水を汲みに行き、薪を採りに行く。その他の食糧なども、この間にと、争って運び入れた。

「何事もありませんね」

「敵はあんな遠くですからな」

「さよう。もしもの時は、敵を見てから城内へ逃げこんでも、結構、間に合いますよ」

うららかなものだった。

果ては、旅芸人や雑多な商人まで、自由に出入りし始めた。ところへ急に、西涼軍がまた攻めてきた。軍民は夕立に出会ったように城内へかくれこむ。馬超は、西門の下まで、馬を寄せて、

「ここを開けなければ、城内の士卒人民、ことごとく焼き殺すぞ」と罵った。

鍾繇の弟、鍾進がここを守っていたが、からからと笑って、

「馬超。口先で城は陥るものじゃないよ」

と、矢倉から嘲った。

すると、日没頃、城西の山から怪しい火が燃えだした。鍾進が先に立って消火に努めていると、夕闇の一角から、

「西涼の龐徳、すでに数日前より、城内に在って、今宵を待てり」

という大音が聞え、敵やら味方やら知れない混雑の中に、鍾進は一刀両断に斬りすてられた。

早くも、龐徳の部下は、西門を内から開いて、味方を招き入れた。馬超、韓遂の大軍はいちどに流れこみ、夜のうちに長安全城を占領してしまった。

鍾繇は、東門から逃げ出し、次の潼関に拠って、急を早馬に託し、

「至急、大軍のご来援なくば、長くは支えきれない」

と、許都へ向って悲鳴をあげた。

曹操の驚愕は、いうまでもない。——急に、方針を変えて、

「ひとまず、征呉南伐の出兵は見合わせる」

と、参謀府から宣言を発し、また直ちに、曹洪と徐晃を招いて、

「すぐ潼関へ行け」と、兵一万をさずけた。

曹仁がそのとき、

「曹洪も徐晃も、若過ぎますから、血気の功に焦心って、大局を過るおそれはありませんか」

と、注意した。そして自分も彼らとともに先駆けせんと願ったが、

「そちは、予に従って、兵糧運輸のほうを司れ」

と、ほかの役目を命じられてしまった。

曹操は約十日の後、充分な軍備をととのえて出発した。彼も西涼の兵には、よほど大

事を取っていることがこれを見ても分る。

四

潼関に着いた曹洪と徐晃は、一万の新手をもって鍾繇に代り、堅く守って、
「われわれが参ったからには、これから先、尺地も敵に踏みこませることではない」
と、曹操の来着を待っていた。
西涼の軍勢は、力攻めをやめてしまった。毎日、壕の彼方に立ち現れて、大あくびをしてみせる。手洟をかむ。尻を叩く、大声たてて悪たれをいう。
挙句の果てには、草の上に寝ころんだり、頬杖ついて、
敵はどこかね
潼関の関中だそうだ
櫓にいたのは鴉じゃないのか
なあに曹洪と徐晃さ
そんなら大して変りはない
腰抜け対手の戦争は退屈だ
いまに曹操が来るだろう
昼寝でもして待つとするか
乞う戦友、耳くそでも取ってくれ

などと悪罵にふしをつけて唄っている。

「待っていろ。目にもの見せてやるから」

歯がみをした曹洪が、城門から押し出そうとするのを見て、徐晃がいさめた。

「丞相のおことばを忘れたか。十日の間は固く守れ。手だしはすなと仰せられた」

しかし、若い曹洪は振り切って、駈け出した。

関中の大軍は、いちどに溢れでて、鬱憤をはらした。あわてふためく西涼軍を追いまくって、

「思い知ったか」と、四角八面に分れ討った。

徐晃の手勢も、ぜひなく後から続いて出たが、

「長追いすな、長追いすな」と、大声で止めてばかりいた。

すると、長い堤の蔭から、突忽として鼓の声、銅鑼のひびき、天地を震わせ、

「西涼の馬岱これにあり」と、一彪の軍馬が衝いてくる。

いささかたじろいで、陣容をかため直そうとする間もなく、

「たいへんだ、敵の龐徳が、退路を断った」と、いう伝令。

「まずい！　引揚げろ」

踵をめぐらしたときは機すでに遅しである。どう迂回して出たか、西涼の馬超と韓遂が関門を攻めたてている。いや徐晃、曹洪が出払ったあとなので、守りは手薄だし、油断のあったところだし、精悍西涼兵は、芋虫のように、ぞろぞろ城壁へよじ登っている

ではないか。

留守の鍾繇はもう逃げ出している始末、罵り合ってみたものの追いつかない。曹洪、徐晃も支え得ず、関の守りを捨てて走った。

馬超、龐徳、韓遂、馬岱、万余の大軍は関中を突破すると、潼関の占領などは目もくれず、ひたすら潰走する敵を急追して、「殲滅を加えん」と、夜も日も、息をつかせず、後から追った。

曹洪も徐晃も、途中多くの味方を失い、わずかに身ひとつのがれ得た有様である。

――が、許都へさして落ちる途中まで来ると、許都を立ってきた本軍曹操の先鋒に出会い、からくもその中に助けられた。

曹操は、聞くと、

「すぐ連れて来い」と、中軍へ二人を呼び、そして軍法にかけて、敗戦の原因を糾問した。

「十日の間は、かならず守備して、うかつに戦うなと命じておいたに、なぜ軽忽な動きをして、敵に乗ぜられたか。曹洪は若手だからぜひもないが、徐晃もおりながら、何たる不覚か」

叱られて、徐晃は、ついこう自己弁護してしまった。

「おことばの如く、切にお止めしたのですが、洪将軍には、血気にまかせて、頑としてきかないのでした」

曹操は、怒って、

「軍法を正さん」と、自身、剣を抜いて、従弟の曹洪に、剣を加えようとした。

「――いや、それがしも同罪ですから、罪せられるなら手前も共に剣をいただきます」

徐晃も、身をすすめて、神妙にそういうし、諸人も皆、曹洪のために命乞いしたので、曹操もわずかに気色を直し、

「功を立てたら宥してやろう」

と、しばらく斬罪を猶予した。

渭水を挟んで

一

曹操の本軍と、西涼の大兵とは、次の日、潼関の東方で、堂々対戦した。

曹軍は、三軍団にわかれ、曹操はその中央にあった。

彼が馬をすすめると、右翼の夏侯淵、左翼の曹仁は、共に早鉦を打ち鼓を鳴らして、その威風にさらに気勢を加えた。

「胡夷の子、朝威を怖れず、どこへ赴こうとするか。あらば出でよ、人間の道を説いてやろう」

曹操の言が、風に送られて、彼方の陣へ届いたかと思うと、

「おう、馬騰の子、馬超字は孟起。親の讐をいま見るうれしさ。曹操、そこをうごくなよ」

とどろく答えとともに、陣鼓一声、白斑な悍馬に乗って、身に銀甲をいただき鮮紅の袍を着、細腰青面の弱冠な人が、さっと、野を斜めに駈けだして来た。

「若大将を討たすな」と案じてか、それにつづく左右の将には龐徳、馬岱。また八旗の旗本、鏘々とくつわを並べて駈け進んでくる。

「あれか。馬超とは」

近づかぬうちから、曹操は内心一驚を喫した様子である。文化に遠い北辺の胡夷勢と侮っていたが、決して、彼は未開の夷蛮ではない。

「やよ。馬超」

「おうっ。曹操か」

「汝は、国あって、国々のうえに、漢の天子あるを知らぬな」

「だまれ、天子あるは知るが、天子を冒して、事ごとに、朝廷をかさに着、暴威をふるう賊あることも知る」

「中央の兵馬は、即ち、朝廷の兵馬。求めて、乱賊の名を受けたいか」

「盗人猛々しいとは、その方のこと。上を犯すの罪。天人倶にゆるさざる所。あまつさえ、罪もなきわが父を害す。誰か、馬超の旗を不義の乱といおうぞ」

いうことも、しっかりしている。これは口先でもいかんと思ったか、曹操は馬を退いて、

「あの童を生捕れ」と、左右の将にまかせた。

于禁と張部が、同時に、馬超へおどりかかった。馬超は、左右の雄敵を、あざやかにかわしながら、一転、馬の腹を高く覗かせて、うしろへ廻った敵の李通を槍で突き落した。

そして、悠々、槍をあげて、

「おおうい……」と一声さしまねくと、雲霞のようにじっとしていた西涼の大軍が、いちどに、野を掃いて押し襲せてきた。

その重厚な陣、ねばり強い戦闘力、到底、許都の軍勢の比ではない。

たちまち駈け押されて、曹軍は散乱した。馬超、馬岱、龐徳は、

「この手に、曹操の襟がみを、引っつかんでみせる」

と、乱軍をくぐり、敵の中軍へ割りこみ、血まなこになって、その姿を捜し求めた。

そのとき、西涼の兵が、口々に、

「紅の戦袍を着ているのが、敵の大将曹操だぞ」

と、呼ばわり合っているのを聞いて、当の曹操は逃げはしりながら、

「これは目印になる」と、あわてて戦袍を脱ぎ捨ててしまった。

するとなお執拗に追いかけて来る西涼兵が、

「髯の長いのが曹操だ。曹操の髯には特長がある」と、叫んでいた。

曹操は、自分の剣で、自分の髯を切って捨てた。

今日こそは——と期して、味方の馬岱、龐徳よりも先んじて曹操を捜していたのはもちろん馬超で、父の讐たる彼の首を見ぬうちは退かじと馬を駈け廻していたが、ひとりの部下が、彼に告げて、

「髯の長いのを目あてに捜してもだめです。曹操は髯を切って逃げました」と、教えた。

そのとき、曹操は、乱軍の中にまじって、すぐそばを駈けていたので、そのことばを小耳に挟むと、

「これはいかん」と、あわてたものとみえ、旗を取って面を包み、無二、無三、鞭を打った。

「首を包んだものが曹操だぞ」

また、四方で声がする。曹操はいよいよ魂をとばして林間へ駈けこんだ。すると誰か、槍を伸ばして突いた者がある。運よく槍は樹木の肌を突いて、容易に抜けない。曹操はその間髪にからくも遠く逃げのびた。

二

「きょうの乱軍に、絶えず予の後ろを守って、よく馬超の追撃を喰い止めていたのは誰だ」

曹操は、味方の内へ帰ると、すぐこう訊ねた。

夏侯淵が答えて
「曹洪です」

というと、曹操はさもありなんという顔して、うれし気に、

「そうか。たぶん彼だろうとは思ったが……。先日の罪は、今日の功をもって宥しおくぞ」

やがてその曹洪は夏侯淵に伴われて恩を謝しに出た。曹操は、今日の危急を思い出して、幾度か死を覚悟したことなど語りだし、

「自分も幾度となく、戦場にのぞみ、また惨敗をこうむったこともあるが、およそ今日のような烈しい戦いに出合ったことはない。馬超という者は敵ながら存外見上げたものだ。決して汝らも軽んじてはならぬ」と戒めた。

敗軍をひきまとめた曹操は、河を隔てて岸一帯に逆茂木を結いまわし、高札を立てて、

「みだりに行動する者は斬る」と、軍令した。

建安の秋十六年、その八月も暮れかけていたが、曹軍は、秋風の下に寂と陣して固く守ったまま、一戦も交えなかった。

「胡夷の兵め。また対岸で悪口を放っているな。いまいましい奴らだ」

業を煮やした曹軍の諸将が、ある時、曹操をかこんで、

「いったい北夷の兵は、長槍の術に長け、また馬の良いのを持っているので、接戦となると、剽悍無比ですが、弓、石火箭などの技術は、彼らのよくするところでありません。ひとつ、もっぱら弩をもって一戦仕掛けては如何でしょう」と、進言した。

すると、曹操は苦りきって、

「戦うも、戦わぬも、みなその腹一つにあることで、何も敵の心にあるわけじゃない」

と、云い、そしてまた、

「下知に反くものは、軍罰に処すぞ。ただ部署について、守りを固うし、一歩も陣外へ出てはならん」と、再度の布令を出した。

曹操の肚をふかく察しない部将たちは、ささやき合って、首を傾げた。

「どうしたんだろう。いくら馬超に追いまくられて、お懲りになったからといえ、今度に限って、ひどく消極戦法の一点張りじゃないか」

「そろそろ、お年齢のせいかも知れんよ、銅雀の大宴を境として、お髪にもすこし白いものが見えてきたしな。……花にも人間にも、盛衰はある、春秋は拒まれぬ」

果たして、曹操には、もうそのような老いが訪れだしたのだろうか。

凡人の客観と、英雄自身の主観とにはおのずから隔たりもあり、信念のちがいもある。

われ老いたり、などとは曹操自身、まだ、夢にも思っていないらしい。いやその肉体や精神のつかれ方などに、若い頃の自身とくらべて、多分な相違が自覚されても、おそらく、彼自身そんな気持がふとでも湧くときは、強いてそれを抑圧して、

我なお若し！

という血色をみなぎらそうと努めているのにちがいなかった。

数日の後、味方の斥候がこう告げた。

「潼関(どうかん)の馬超軍に、またまた、新手の敵兵が、約二万も増強されたようです。しかも今度の新手もことごとく北の精猛な胡夷(えびす)ばかりです」

聞くと、曹操は、なぜか独り大いに笑った。

「丞相何でお笑いなさるのですか。敵が強力になったと聞かれて」

ひとりが問うと、

「まず、酒宴して、祝おうか」と、のみで、その夕べ、大いに慶賀して、共に盃を傾けた。

しかし、今度は、幕将たちのほうがくすくす笑った。

曹操は酔眼を向けて、

「卿(けい)らは、予が、馬超を討つ計(はかりごと)がないのを笑うのであろう」

みな恐れて口をつぐんでしまった。曹操は追及して、

「ひとを笑うほどな計策のある者は、大いにここで薀蓄を語れ。予も聞くであろう」

と、いった。

三

みな顔を見あわせた。

ひとり徐晃は進んで、忌憚なく答えた。

「このまま、潼関の敵と睨みあいしていたら、一年たっても勝敗は決しますまい。それがしが考えるには、渭水の上流下流は、さしもの敵も手薄でしょうから、一手は西の蒲浦を渡り、また丞相は河の北から大挙して越えられれば、敵は前後を顧みるにいとまなく、陣を乱して潰滅を早めるにちがいないと思いますが……」

「徐晃の説は大いに良い」

曹操は賞めて、

「では今、汝に四千の兵を与えるから、朱霊を大将とし、それを扶けて、先に河の西を渡り、対岸の谷間にひそんで予の合図を待て。――予も直ちに、渭水の北を渡って、呼応の機を計るであろう」

と、即座に手筈をきめた。

それから間もなく、西涼の陣営馬超の手もとへ、すぐ早耳迅眼の者が、

「曹操のほうでは、船筏を作ってしきりと渡河の準備をしています」という情報をもたらした。

韓遂は手を打って、

「若将軍、敵は遂に、自ら絶好な機会を作ってきましたぞ。兵法にいう。——兵半バヲ渉ラバ撃ツベシ——と」

「ぬかるな、諸将」

八方に間者を放って、曹軍が河を渡る地点を監視していた。

とも知らず、曹操は、大軍を三分して、渭水のながれに添い、まず一手を上流の北から渡して、その成功を見とどけ、

「まず、首尾はよさそうだ」

と、水ぎわに床几をすえながら、刻々と報らせて来る戦況を聞いていた。

「上陸したお味方は、すでに対岸の要所要所、陣屋を組み、土塁を構築しにかかっています」

すると、第二第三とつづいてくる伝令が云った。

「今、南の方から、敵ともお味方とも分らぬ一隊が、馬煙をあげて、これへ来ます」

第五番目の伝令は、

「ご油断はなりません。ご用意あれっ」と呶鳴って、

「白銀の甲、白の戦袍を着た大将を先頭にし、約二千ばかりの敵が、どこを渡ってきた

か、逆襲してきます。——いや、うしろのほうからです」と狼狽していう。

その時、大軍は河を渡りつくして、曹操のまわりには、たった百余人しかいなかった。

「馬超ではないか」

愕然と、人々は騒ぎ立ったが、剛愎な曹操は、

「騒ぐな」と、のみで床几から起とうともしない。

ところへ、許褚が船を引返してきて、その態を見るやいな、

「丞相、丞相。敵は早くも、味方の裏をかいて、背後に廻っていますっ。早くお船へお移り下さい」と、呼ばわった。

曹操はなお、

「馬超が来たとて、何ほどのことがあろう。一戦を決するまで」

と、自若としていたが、もうそのとき彼方の馬煙は辺り間近に、土砂を降らせて、馬超、龐徳をはじめ、西涼の八旗など、猛然、百歩のところまで迫っていた。

「すわ。一大事」と、許褚は躍り上がって、曹操のそばへ駆けつけ早く早くと促したが、事の急に、いきなり曹操の体を背中へ負ってしまった。

そして岸辺まで、一気に馳け出したが、船は漂い出して渚から一丈を離れていた。それを許褚は、曹操を背に負ったまま、

「おうっ」

と叫んで、一跳びに身を躍らせ、危うくも舟の中へ乗り移った。

百余人の近侍、旗本たちは、ざぶざぶと水につかって、溺れるもあり、泳ぎだすもあり、そこらの小舟や筏へすがりつき、或いは見境なく、曹操の舟へしがみついて来るのもある。

「たかるな。舟が傾く」

許褚は、それらの味方を、棹で払い退けながら、逃げ出したが、水勢は急で、見るまに下流へ押しながされて行く。

「のがすな」

「あれこそ、曹操」

西涼の兵は、弓を揃えて、雨の如く乱箭を送った。許褚は、片手に馬の鞍を持ち、片手に鎧の袖をかざして、曹操の身をかばっていた。

四

曹操ですら九死に一生を得たほどであるから、このほか、いたる所で、曹軍の損害はおびただしいものがあった。

渭水の流れがたちまち赤く変じたのでも分る。浮きつ沈みつ流れてくる人馬はほとんど魏の兵であった。

それでも、この損害は、まだ半分で済んでいたといってよい。なぜならば、曹軍の敗滅急なりと見て、ここに渭南の県令丁斐という者が、南山の上から牧場の牛馬を解放して、一散に山から追い出したのである。奔牛悍馬は、止まる所を知らず、西涼軍の中へ駈けこんで暴れまわった。

いや、暴れただけなら、何も戦闘力を失うほどでもなかったろうが、根が北狄の夷兵であるから、

「良い馬だ。もったいない」と、奪いあい、牛を見ては、なおさらのこと、

「あの肉はうまい」と、食慾をふるい起して、思いがけない利得に夢中になってしまったものだった。

そのために西涼軍は、せっかくの戦を半ばにして、角笛吹いて退いてしまった。

その頃、曹操は北岸へ上がって、一息ついているというので、魏の諸将もおいおい集まってきた。許褚は満身に矢を負うこと、簑を着たようであったが、人々の介抱を拒んで、

「丞相はおつつがないか」と、それぱかり口走っていた。

「貴体には何のご異状もない」と、人々は慰めて、ようやく彼を陣屋の中に寝かしつけた。

曹操は、部下の見舞をうけながら、甚だしく快活に、終始きょうの危難を笑いばなしに語っていたが、

「そうそう、渭南の県令を呼んでくれ」と、丁斐を召し寄せ、

「今日、南山の牧を開いて、官の牛馬をみな追い出したのはおまえか」と、質した。

丁斐は、当然、罪をこうむるものと思って、

「私です。ご処罰を仰ぎます」

と、悪びれずにいった。

「処分してやる」

と、曹操は祐筆をかえりみて何かいった。祐筆はすぐ一通の文をしたためて来て、丁斐に授けた。

「丁斐、披見してみろ」

丁斐が畏る畏る開いてみると、今日ヨリ汝ヲ典軍校尉ニ命ズ、という辞令であった。

校尉丁斐は、感泣して、

「長くこの渭南に県令としておりましたので、いささか地理には精通しています。鈍智の一策をお用い賜わらば、光栄これに過ぎるものはありません」

と、恩に感じるのあまり、自分の考えている一計略を進言した。

一方、西涼の馬超は、

「きょうばかりは、残念だった」と、韓遂に向って、無念そうに語っていた。

「もう一歩で、曹操を、手捕りにできた所を、何という男か、曹操を背なかに負って、船へ跳び移ってしまった。今でも目に見える心地がするが、敵ながらあの男の働きは、凡夫の業でない」

韓遂は何度もうなずいて、

「それは道理です。あれは有名な魏の一将、許褚ですからね」

「許褚というか」

「お味方に、八旗の旗本ある如く、曹操もその旗本の精鋭中の精鋭を選び、これを虎衛軍と名づけて、常に親衛隊としていました。その大将に二名の壮将を置き、ひとりは陳国の人、典韋と申し、よく鉄の重さ八十斤もある戟を使って、勇猛四隣を震わせていましたが、この人はすでに戦歿して今はおりません。その残るひとりが譙国の人、すなわち許褚です。強いわけですよ」

「なるほど、それでは――」

「その力は、猛る牛の尾を引いてひきもどしたという程ですからな。――で世間のものは、彼を綽名して、虎痴といっています。また、虎侯ともいうそうです」

そしてまた、韓遂は、かたく馬超に忠告した。

「以後は、あの男を陣頭に見ても、一騎討ちはなさらないほうがよろしい」

斥候の報告によると、曹操の軍は、それから後しきりと河を越えて、西涼の背後を衝こうとする態勢にあるとあった。

韓遂は重ねて云った。

五

「味方にとって、ここに一つの悩みがあります。それはこの戦いが延引すると、曹操が今の陣地に塁壕を構築して、不落の堅城としてしまうことで、そうなると、容易に渭水を抜くことはできません」

馬超も同感だった。

「いかにも、攻めるなら今のうちだが」

「軽兵を率いて、この韓遂が、曹操の中軍へ突撃しましょう。あなたは、北岸を防いで、敵兵が河を越えてこないように、よくこの本陣を固めていてください」

「よし。防ぐには、自分一手で足りる。御身ひとりでは心もとない。龐徳をも連れて行かれるがよかろう」

韓遂と龐徳とは、直ちに、西涼の壮兵千余騎を選んで深夜から暁にかけて、曹操の陣を奇襲した。

けれど、この計画は、まんまと曹操の思うつぼに落ちたものであった。かねてこの事あるべしと、曹操は、渭南の県令から登用した校尉丁斐の策を用いて、河畔の堤の蔭に沿うて仮陣屋を築かせ、擬兵偽旗を植えならべて、実際の本陣は、すでにほかへ移していたのである。

のみならず、附近一帯に、塹をめぐらし、それへ柵をかけて、また上から土をかぶせ、陥し穽を作っておいたのを、西涼勢はそうとも知らず、

「わあっ」

と喊声をあげながら殺到したのだった。

当然、大地は一時に陥没し、人馬の落ちた上へ、また人馬が落ち重なった。

阿鼻、叫喚、救けを呼ぶ声、さながら桶の泥鰌を見るようだった。

「しまった」

龐徳は、手足にからむ味方を踏みつぶして、ようやく坑から這い出して、坑口から槍の雨を降らしている敵兵十人余りを一気に突き伏せ、

「韓遂っ。韓遂っ」

と、呼びながら、主将のすがたを捜していた。

そのうちに、敵の曹仁の一家曹永というものに出合った。

龐徳は、渡り合って、一刀のもとに、曹永を斬り伏せ、その馬を奪って、さらに、敵の中へ、猛走して行った。

韓遂も、坑に墜ちて、すでに危なかったが、龐徳が一時敵を追いちらしてくれたので、その間に、土中から躍り出し、これも拾い馬に跳び乗って、辛くも死地をのがれることができた。

何にしても、この奇襲は、大惨敗に終ってしまった。

敗軍を収めてから、馬超が損害を調べてみると、千余騎のうち三分の一を失っていた。

数としては、少なかったともいえるが、馬超の心をひどく挫いたものは、かの旗本八

旗のうちの程銀と張横のふたりが敢ない死をとげたことだった。

しかし壮気さかんな馬超は、

「こうなれば、なおさら、曹操が野陣しているうちに撃破してしまわねば、永久に味方の勝ち目はない」

と、その日のうちに、第二次襲撃を企てて、今度は身みずから先手に進み、馬岱、龐徳をうしろに備えて、ふたたび魏の野陣を夜襲した。

ところが、さすがに曹操は、百錬の総帥だけあって、

「今夜、また来るぞ」と、それを予察していた。

馬超の性格と、初度の敵の損害の少なかった点から観て、早くも、そう覚っていたから、馬超の第二次強襲も、なんの意味もなさなかった。

六里の道を迂回して、西涼の夜襲隊が、曹操の中軍めがけて、不意に突喊してみたところ、そこは四方に立ち並ぶ旗や幟ばかりで、幕舎のうちには、一兵もいなかったのである。

「やや。空陣だ」

「さては」

と、空を搏ってうろたえた悍馬や猛兵が、むなしく退き戻ろうとするとき、一発の轟音を合図に、四面の伏勢がいちどに起って、

「馬超を生かして還すな」と、ひしめいた。

西涼軍の一将成宜はこのとき魏の夏侯淵に討たれ、そのほかの将士もおびただしく傷つけられた。馬超、龐徳、馬岱など、火花をちらして善戦したが、結局、敗退のほかなかった。

かくて、西涼軍と中央軍とは、渭水を挟んで一勝一敗を繰り返し、勝敗は容易につかなかった。

火水木金土

一

渭水は大河だが、水は浅く、流れは無数にわかれ、河原が多く、瀬は早い。所によって、深い淵もあるが、浅瀬は馬でも渡れるし、徒渉もできる。

ここを挟んで、曹操は、北の平野に、野陣を布いて、西涼軍と対していたが、夜襲朝討ちの不安は絶え間がない。

「曹仁、早くせい」

曹操は常に急き立てていた。

半永久的な寨の構築をである。曹仁は、築造奉行となって、渭水の淵に船橋を架け、二万人の人夫に石材木を運搬させ、沿岸三ヵ所に仮城を建つべく、日夜、急いでいた。

西涼の馬超は、知っていたが、

「まあ、造らせておけ」

そして工事が八、九分ぐらいまでできたかと見えたところで、

「それ、焼討ちにかかれ」と、河の南北からわたって、焔硝、枯れ柴、油弾などを仮城へ投げかけ、河には油を流して火をかけた。

船筏も浮橋も、見事に炎上してしまった。何で製したものか、梨子か桃の実ぐらいな鞠をぽんぽんほうる。踏みつぶしても消えない。ぱっと割れると油煙が立ち、大火傷をする。そしてなお燃えさかる。

こういう厄介な武器を持つ西涼軍に対して、さすがの曹操も、ほとんど頭を悩ましてしまった。

智者荀攸がいう。

「渭水の堤を利用し、土塁を高く築いて、蜿蜒、数里のあいだを、壕と土壁との地下城としてしまうに限りましょう」

「地下城。なるほど。土の地下城では、焼討ちも計れまい」

さらに、人夫三万を加え、孜々として、地を掘らせた。

坑から上げた土は、厚い土壁とし、数条の堤となし、壇となし、ここに蟻地獄のよう

な土工業が約一ヵ月も続いた。

　さながら埃及のピラミッドを見るような土城が竣工しつつある。西涼軍のほうからも眺められていたにちがいない。しかし、手を下しかねているものか、しばらく夜襲も焼討ちもなかった。

　すると、渭水の水が一日増しに涸れて来た。かなり雨が降り続いても水が増えない。変だと思っていると、一夜、豪雨が降りそそいだ。その翌朝である。

「津浪だっ」

「洪水だっ」

　物見が絶叫した。

　人馬を高い所へ移すいとまもなく、遥か上流のほうから、真っ黒な水煙をあげて、奔々の激浪が押してきた。

　遠い上流のほうで、もう半月も前から、西涼軍が、堰を作って、河水を溜めていたものである。

　なんで堪ろう。小石まじりの河原土なので、土城は一朝にして崩れてしまった。壕も坑も埋まって跡形もない。

　九月に入った。

　北国のならいで、もう雪が降りだしてくる。灰色の密雲がふかく天をおおって、ここ幾日も雪ばかりなので、両軍とも、兵馬をひそめたまま睨み合っていた。

「西涼の胡夷どもは、寒さに強いし、また潼関へも引き籠れるが、味方はこの野陣のまでは、冬中吹雪にさらされておらねばならぬ。何とか、よい工夫はないか」

曹操とその幕将が、その日もしきりに討議しているところへ、飄然、名を告げて、この陣営へ訪れて来たものがある。

「これは、終南山の隠居、道号を夢梅という翁でござる」

容も凡ではない。

曹操が、見て、

「何しに来たか」

と、問うと、夢梅は、

「この夏頃から、丞相には、渭水の北に城寨を築こうとなされているらしいが、なぜ火水に潰えぬ城をお造りにならぬかと、愚案を申しあげに来ましたのじゃ」と、いう。

なお、夢梅道人がいうには、

「これから必ず北風が吹きましょう。小石まじりの河原土でも、急に、それを構築し、築地した後へすぐ水をかけておけば、一夜にして凍りつき、いちど凍った堅さは、これから春までは解けません。要するに、氷の城ですから、火に焼かれるおそれもなく、河水に流される心配もありますまい」

告げ終ると、老翁はすぐ、飄乎として、どこかへ立ち去った。

二

一日、北風が吹き出した。曹操は、夢梅居士の教えを行う日と、昼から三、四万の人夫を動員しておいた。

日が暮るるとすぐ、

「夜明けまでに、もう一度、土城を築け」と、命じた。

この夜は、将士もすべて、総がかりに、それへかかった。

基礎のあった上であるから、夜明け近くにはほぼ構築された。

「水を注（そそ）げ。全城へ水をかけろ」

数万の縑（かとり）の嚢（ふくろ）や革（かわ）の嚢が用意されてあった。河水を汲んでは手渡しから手渡しに運び、土門、土楼、土壁、土塁、土孔、土房、土窓、築くに従って水をかけ、また水をかけた。

西涼の軍勢は、夜明けの光に、対岸をながめ、驚き合っていた。

「やあ、城ができている」

「いつの間に」

「たった一夜のうちだ」

「見ろ。あれは、この前の土城ではない。氷の城郭だ。氷城だ」

馬超、韓遂（かんすい）なども出て、大いに怪しみながら、小手をかざしていたが、

「また何か、曹操の小策に違いあるまい。馳け破って、城郭の正体を見届けてくれん」

と、にわかに、鼓を打ち、大兵を集結して、河をわたった。

「来たか、北夷の子」

曹操は馬を進めて、待っていた。

馬超は、例によって、

「おのれっ」と、牙を咬み、一躍して、曹操を突き殺そうとしたが、その側に、朱面虎髯、光は百錬の鏡にも似た眼を、じっとこちらへ向けている武将が身構えていて油断もない。

（これだな、虎痴の綽名のある例の男は？）

直感したので、馬超は、いつになく自重して、わざと試しにいってみた。

「西涼の大将たるものは、いえば必ず行い、行えば必ず徹底して実を示す。聞き及ぶ、曹操は、口頭の雄で、逃げ上手だというが、汝そこを動かず、必ず馬超と一戦するの勇気があるか」

すると、曹操は、

「知らないか、田舎漢、予の側には常に、虎痴許褚という猛将がおることを。――なんで天下の鼠をはばかろうや」

云いもあえず、曹操のかたわらから馬を乗り出したその虎痴が、

「すなわち、譙郡の許褚とはおれのこと。汝、そこを動かず、一戦するの勇気があるの

か」

と、いった。

その声は人臭いが、猛気が百獣の王に似ている。

いつぞや韓遂にいわれたことばを思い出して、馬超も、心に怕れを生じたか、

「また、会おう」と云い捨てたまま馬をかえし、軍を退いてしまった。

これを見ていた両軍の兵は、駭然として、

(馬超すら恐れる許褚というものはいったいどれほど強いのか)

と、身の毛をよだてぬ者はなかったという。

曹操は、氷城の陣営にかくれると諸将をあつめて、

「どうだ、きょうの虎侯、皆見たか。真にわが股肱というべしである」と、賞め称えた。

許褚は、大面目をほどこしたので、

「明日はかならず、馬超を生捕ってご覧に入れん」と、高言した。

すなわち、その日彼は、敵へ宛てて決戦状を送り、

「明日、出馬しなかったら、天下に嗤ってやるぞ」

と、云い送った。

馬超は怒って、

「確かに、出会わん」

と返書して、夜が白むや、龐徳、馬岱、韓遂など、陣容物々しく、押し寄せてきた。

「待っていた」とばかり、許褚は馬を躍らせて、馬超へ呼びかけた。おうっと、一言、馬超もきょうは敢然と出て戦った。

戦うこと百余合、双方とも、馬を疲らせてしまったので、各〻陣中に引き分れ、ふたたび馬をかえて人まぜもせず戦い直した。

三

勝負は果てない。

火華をちらし、槍を砕き、また戟をかえて、鏘々、戛々、斬り結ぶこと実に百余合。

「ああ……」

と、両軍の陣は、ただ手に汗を握り、うつろにひそまり返って見ているだけだった。

(——虎痴許褚を相手に、あれほど戦い得る馬超も馬超なり、また西涼の馬超を敵にまわして、これ程に戦う者も、許褚をおいてはあるまい。実に、虎痴も虎痴なり)

と、ことばに出す余裕もないが、誰とて、感嘆しないものはなかった。

そのうちに、許褚は、

「ああ暑い。この大汗では眼をあいて戦えぬ。馬超、待っておれ」

斬り合っているうち、ふいに、こう吐き捨てると、またまた、ぷいと味方の陣中へ引っ込んでしまった。

（どうしたのか？）

怪しんでいると、許褚は、甲盔も戦袍も脱ぎ捨てて、赤裸になるやいな、

「さあ、来い」

ふたたび大刀をひっさげて現れてきた。

その間に、馬超も、汗を押しぬぐい、新しい槍を持ちかえて、一息入れていた様子。

――たちまち、砂塵を捲いて、霹靂に似た喚きに狂う龍虎両雄の、三度目の一騎討ちが始まった。

「おうっッ」

威震八荒の許褚、
と、吠えて、馬上、相手へ迫ると、馬超もまた、壮年悍勇、さながら火焔を噴くような烈槍を、りゅうりゅう眼にもとまらぬ早業で突き捲くってくる。

一刀、かつんと、槍の柄に鳴った。――馬超、さッと引く。許褚ふたたび振りかぶる。

「やおうッ」

身をかわしざま、馬超は、敵の心板を狙って、猛烈に突いた。

「くそっ」と牙を咬んで、許褚はそれを横に払い、刀を地に投げるや否、退く槍の柄をつかんで、ぐいと、小脇に挟んでしまった。

奪られじ。

ふたりの阿吽は、雷と雷が黒雲を捲いて吠え合っているようだった。——奪られたほうがすぐその槍で突かれるのだ。渡せない。離せない。

ばきッと、槍が折れた。だだだだっと、双方の駒がうしろへよろめく。いなないて竿立ちになる。すでにまた、ふたりは槍の半分ずつを持って猛烈な激闘を交えていた。

「退鉦、退鉦打て」

曹操はさけんでいた。大事な虎痴に万一があっては、全軍の士気にも関わると見たからである。

が、この微妙な戦機に、龐徳、馬岱の勢は、いちどに、曹軍の陣角へ、わっと強襲してかかった。

その手の敵、夏侯淵、曹洪など、面もふらず戦ったが、全体的には西涼軍の士気強く、ひた押しに圧され、乱軍中、許褚も肘へ二本の矢をうけた程だった。

「守って出るな」

曹操は、氷城をとざした。氷の城郭も、こうなるとものをいう。この日馬超も、軍を収めてから、

「自分も幼少からずいぶん手ごわい人間にも遭ったが、まだ許褚の如きものは見ない。真に彼は虎痴だ」と、舌を巻いていた。

その後、曹操のほうにも、何ら、良計はなく、徐晃と朱霊のふたりに四千騎をさずけて、渭水の西に伏せ、自身、河をわたって、正面を衝こうとしたが、事前に、馬超のほうから軽兵数百騎をひきい、氷城の前に迫り、人もなげに、諸所を蹂躙して去った。

土楼の窓から、それを眺めていた曹操は、かぶっていた盔をほうって、

「実に馬超という敵は尋常な敵ではない。彼の生きてあらん限りはこの曹操の生は安んじられない」といった。

それを聞いていた夏侯淵は、

「これほどお味方に人もあるものを、ただ一人の馬超のため、それまで御心を傷ましむるとは、何たることか。われ誓って、馬超と共に刺しちがえん」

と、その夜、曹操が止めるもきかず、部下千騎をひきいて討って出た。

四

案のじょう、それから程なく夏侯淵の手勢、苦戦に陥つ、と報らせが来た。

捨ててもおけず、曹操はすぐ自身救援におもむいたが、敵勢は、

「曹操が出てきたぞ」と伝えあうや、かえって、意気を旺にした。

のみならず、馬超は、曹操の中軍を割って、

「天下の賊。逃げるな」と、彼を追い馳け追い廻した。

所詮、力ずくではかなわぬと思ったか、曹操はまた氷の城塞へ逃げこんでしまった。

しかし、その間に、苦戦をしのんで、一方の兵力を割き、渭水の西から、大兵を渡していた。

「出よ、曹操。——汝は蓑虫の性か、穴熊の生れ変りか」

馬超は氷城の下まで迫って、罵っていた。

ところへ、後陣の韓遂から伝令があって、

「後方に異状が見える」

と、いう急報。

暁早く、馬超は総勢を収めて、陣地へ帰った。その日、情報によると、

「昨夜、渭水の西をわたった大軍は早くもお味方の背後へまわって、陣地の構築を始めています」

「うしろへ廻ったか。……遂にうしろへ？」

掌から水が漏れたように、韓遂は、駭然とさけんだ。

そこで韓遂は、万事は休すと思ったか、方針一転を馬超に献言した。如かず、これまで斬り取った地を一時曹操に返し、和睦をして、この冬を休戦し、春とともにべつな計をお立てなさい、というのである。戦機を観ること、さすが慧眼だった。

楊秋、侯選などの幕将も、

「もっともなお説」

と、みな馬超を諫めた。

数日の後、楊秋は一書をたずさえて、曹操の陣へ使いした。和睦の申入れである。

曹操は内心、渡りに舟と思ったが、まず使者を返して後、謀将の賈詡にこれを計った。

賈詡はいう。

「明らかに偽降です。が、突き放す策もよくありません。和睦をゆるし、こちらはこちらで、手を打てばよい」

「手を打つとは」

「馬超の強さは、韓遂の戦略があればこそです。韓遂の作戦は、馬超の勇があってこそ、生きてきます。ふたりを相疑わせて疎隔してしまえば、西涼勢とて、枯れ葉を掃くようなものじゃありませんか」

次の日。

馬超の手もとへ、曹操から返簡が来た。色よい返事である。しかし、馬超はなお数日疑っていた。

「曹軍は、この二、三日、後方の支流に浮橋を架けて、都へ引き揚げる通路を作っているが、いかにもわざとらしい。曹操の部下徐晃と朱霊の軍は、なお渭水の西にあってうごかないじゃないか」

「奇、正。こう二態は、軍隊の性格で怪しむに足りません。しかし要心は必要でしょう」

と、韓遂も油断せず、一陣は西に備え、一陣は曹操の正面に向け、厳として気をゆるめなかった。

敵方の警戒ぶりを聞くと、曹操は、賈詡をかえりみて笑った。

「まず、成就だな」

やがて約束の日、曹操は盛装をこらして、おびただしい諸大将や武者をひきつれ、自身条約のため、場所へ出向いた。

まだこのような豪壮絢爛な軍隊を見たこともなく、曹操の顔も知らない西涼の兵隊は、途々に堵列して、

「あれは何だろ？」

「あれが曹操か」

などと、物珍しげに、指さし合う。

曹操は、駿馬にまたがり、錦袍金冠のまばゆき姿を、すこし左右にうごかして、

「やよ、西涼の兵ども、予を見て、珍しと思うか。見よ、予にも、眼は四つはなく、口は二つないぞ。ただ異なるのは智謀の深さだけだ」と、戯れをいった。

戯れにはちがいないが、西涼の軍勢は、その笑い顔に震い怖れて、みな口を結んでしまった。

敵中作敵(てきちゅうさくてき)

一

韓遂(かんすい)の幕舎へ、ふいに、曹操の使いが来た。

「はて。何か？」

使いのもたらした書面をひらいてみると曹操の直筆にちがいなく、こうしたためてある。

君ト予トハ元ヨリ仇(アダ)デハナク、君ノ厳父ハ、予ノ先輩デアリ、長ジテハ、君ト知ッテ、史ヲ語リ、兵ヲ談ジ、天下ノ為、大イニ成スアランコトヲ、誓イアッタ友ダッタ。

端(ハシ)ナクモ、過グル頃ヨリ敵味方トワカレ、矢石(シセキ)ノアイダニ別ルルモ、旧情ハ一日トテ、忘レタコトハナイ。

イマ幸イニ、和議成ッテ、予ナオ数日、渭水(イスイ)ノ陣ニアリ。

乞ウ、一日、旧友韓遂(カンスイ)トシテ来リ給エ。

「ああ、彼も、忘れずにいるか」

韓遂は、旧情をうごかされて、翌日、甲も着ず、武者も連れず、ぶらりと、曹操を訪れた。

「やあ、ようこそ」

曹操はなぜか、内へ導かない。自分のほうから陣外へ出てきて、いとも親しげに、平常の疎遠を詫びた。

そしてなお、いうには、

「お忘れではあるまい。あなたの厳父とは、共に*孝廉に挙げられ、少壮の頃には、いろいろお世話になったものだ。後あなたも都の大学を出、共に官途へ進んでからは、いつともなく疎遠に過ぎたが、今は、お幾歳になられるか」

「それがしも、すでに四十です」

「むかし、都にあって、共に、青春の少年であった時代は、よく書を論じ、家を出ては、白馬金鞍、花を尋ねて遊んだこともあったが、そのあなたも、はや、中老になられたか」

「丞相も、変りましたな。少し鬢にお白いものが見える」

「ははは。いつか、ふたたび太平の時を得て、むかしの童心に返ろうではないか。――おう今日は、折角、此方から書面しながら失礼ですが、幕中、折わるく諸将を会して要談中なので」

「いや、また会いましょう」

韓遂は、気軽に戻った。

この態を、見ていたものが、すぐ馬超へ、ありのままを話した。

安からぬ顔色をしていたが、翌る日、馬超はほかの用事にことよせて、韓遂を呼び、

「時に、貴公は昨日、渭水のほとりで、曹操と、何か親しげに、密談をしておられた由だが……」

「密談を」――韓遂は、眼をまろくしながら、顔の前で手を振った。

「青空の下の立ち話。密談などした覚えはない。また軍事については、爪の垢ほども、語りはしません」

「いや、貴公が云いださなくとも、曹操のほうから何か」

「少年時代、共に都にあった事どもを、二、三話して別れただけです」

「そうか。そんなに古くから、彼とは、親しい仲であられたのか」

馬超は、嫉ましげな眸をした。が、韓遂は、まったく、何の後ろ暗いこともないので、笑い話をして帰った。

ひそやかな、陣中の一房へ、曹操はその晩、賈詡を呼びよせていた。

「どう見えた。きょうの計は」

「妙趣、ご奇想天外です」

「西涼兵の眼に、映ったろうな」

「もちろん、もう馬超の耳へ入っておりましょう。が、もう一つ足りません。あれでは、まだ韓遂を、心から疑わせるまでには行きますまい」

「それには、どうしたらよいか」

「丞相からもう一度、親書を韓遂にあててお書きなさい」

「そうそう、用もないのに、書簡をやるのもおかしかろう」

「かまいません。文章をもって、相手を動かすのが目的ではありませんから。——文字などもわざと朧にしたため、肝要らしい所は、思わせぶりに、失筆で塗りつぶし、また削り改めたりなどして、一見、おそろしく複雑で重要そうに見えさえすればよろしいのです」

「むずかしいのう」

「兵馬を費うことを考えれば、そのくらいな労は、何ほどでもありますまい。必定、受取った韓遂も、一体、何だろうと、おどろき怪しんで、きっとそれを、馬超の所へ見せに行くに違いありません。ここまで来れば、はや計略は、成就したも同じことです」

二

その後、馬超は、腹心の男をして、ひそかに、韓遂の陣門に立たせ、出入りを見張らせていた。

「今夕、またも、曹操の使いらしい男が、韓遂の営内へ、書簡を届けて立ち去りましたが？」

腹心の者から、こう報らせがあったので、馬超は、

「果たして！」と、自分の猜疑を裏書きされたものの如く、夜食もとらぬまに、ぷいと出て、韓遂の陣門を叩いた。

「何事ですか、おひとりで」

韓遂は、驚いて迎えた。休戦中ではあるし、幾分の寛ぎもあって、晩餐に向っていたところだった。

「いや、急に戦いもやんで、何やら手持ち不沙汰だから、一盞、馳走になろうかと思って」

「それならば、前もって、お使いでも下されば、何ぞ、陣中料理でもしつらえて、盞を洗ってお待ち申しておりましたのに」

「なに、こういうことは、不意のほうが興味がある。ひとつ貰おうか」

「恐縮です。このままの杯盤では」

「いやいや、構わん」と、一杯うけて、

「ときに、その後は、曹操から何か云ってきたかね」

「あれきり会いませんが、たった今、妙な書簡をよこしたので、飲みながら独りここへ置いて、判じ悩んでいるところです」と、卓の上にひろげてある書面へ眼を落して答えた。

馬超は、初めて、それへ気がついたような顔して、

「どれ、……」と、すぐ手を伸ばして取った。

「なんの意味やら、読解がおつきになりますまい。それがしにも分らないのですから」

馬超は返事も忘れてただ見入っていた。

辞句も不明だし、諸所に、克明な筆で、塗りつぶしたり、書入れがしてある。いかにも怪しげな書簡だ。馬超は袂へ入れて、

「借りて行くぞ」

「どうぞ……」とは答えたものの韓遂は妙な顔をしていた。——そんな物を何にする気かと。

すると翌日、使者が来た。馬超からの召出しである。もちろん、彼はすぐ出向いたが、馬超はすこし血相を変えていた。

「ゆうべ、立ち帰ってから、曹操の書簡を灯に透かしてみると、どうも不穏な文字が見える。御身は、まさかこの馬超を、曹操へ売る気ではあるまいな」

「怪しからぬお疑い」と、韓遂も、色をなしたが、

「それで先頃からの、変なご様子の原因が解けました。言い訳もお耳には入りますまい」

「いや、申し開きがあるならばいってみたがいい」

「それよりは、事実をもって、君に対する信を明らかにします。明日、それがしが、わ

ざと曹操の城寨を訪ね、過日のように、陣外で曹操と談笑に時を過しますから、あなたは附近に隠れて、不意に、曹操を討ち止めて下さい。曹操の首を挙げれば、それがしのお疑いなど、おのずから釈然と氷解して下さるでしょう」

「御身はきっと、それをしてみせるか」

「ご念には及びません」

即ち、韓遂は翌る日、幕下の李湛、馬玩、楊秋、侯選などを連れて、ぶらりと、曹操の城寨を訪ねた。

曹操は先頃から、例の氷城にもどっている。取次ぎのことばを聞くと、

「曹仁。代りに出ろ」

と、居合わせた曹仁の耳へ、何かささやいた。

曹仁は、衆将を従えて、うやうやしく陣門を出てくると、馬上のまま韓遂のそばへ寄り添って、

「いや、昨夜は、お手紙を有難う。丞相もたいへんよろこんでおられる。しかし、事前に発覚しては一大事、ずいぶんご油断なく、馬超の眼にご注意を」

云いすてると、さっと立ち去って、何いうまもなく、陣門を閉めてしまった。

物陰にいた馬超は激怒して、韓遂が帰るや否、彼を成敗すると猛ったが、旗本たちに抱き止められて、悶々と一時剣をおさめた。

三

悄然と、韓遂は自分の営へ、戻ってきた。

八旗の中の五人の侍大将たちが、早速やって来て慰めた。

「われわれは将軍の二心なき忠誠を知っています。それだけに心外でたまりません。馬超は勇あれど智謀たらず、所詮は曹操に敵しますまい。いっそのこと、今のうちに、将軍も曹操に降って、安身長栄の工夫をなすっては如何です」

「慎め、卿らは何をいうか。この韓遂が起ったのは、馬超の父馬騰に対して、生前の好誼に酬う義心一片。何で今さら、彼を捨てて、曹操に降ろうぞ」

「いやいや、それは将軍の片思いというもの。馬超のほうでは、かえって、あなたを邪視しているのに、そんな節義を一体たれに尽すつもりですか」

楊秋、李湛、侯選など、かわるがわる離反をすすめた。かの五旗の侍大将は、すでに馬超を見限っているもののようであった。

ここに至って、遂に、韓遂も変心を生じてしまった。楊秋を密使に立て、その晩、ひそかに曹操に款を通じた。

「成就、成就」

曹操は手を打ってよろこんだにちがいない。懇篤な返書とともに極めて綿密な一計をさずけて来た。すなわち曰う。

明夕、馬超ヲ招イテ、宴ヲナスベシ。油幕（ユマク）ノ四囲ニ枯柴（カレシバ）ヲ積ミ、火ヲ以テマズ巨鼠（キョソ）ヲ窒息（チッソク）セシメヨ。火ヲ見ナバ曹操自ラ迅兵（ジンペイ）ヲ率シテ協力シ、鼓声喊呼（コセイカンコ）ニツツンデ馬超ヲ生捕リニセン。

韓遂は翌日、五旗の腹心をあつめて、協議していた。曹操からいってよこした策は必ずしも万全と思えないからであった。

「いま招いても、馬超のほうでこれへ参るまい」

韓遂の心配はそこにある。

「いや、案外来るかもしれませんよ。将軍が、謝罪すると仰っしゃれば」

楊秋がいうと、侯選も、

「何といっても、若いところのある大将だから、口次第ではやって来ましょう」と、いう。

李湛もまた、

「弁舌をもって、きっと、馬超を案内して来ます。その点はわれわれにお任せ下さい」

と自負して云った。

では、時刻を待つとて、油幕（ゆまく）を張り、枯柴を隠し、宴席の準備をした。そして韓遂を中心に、まず前祝いに一献（こん）酌み交わして、手筈をささやいていると、そこへ突然、

「反逆人どもっ。うごくな」と、罵りながら入ってきた者がある。

見ると、馬超ではないか。

「あっ。……これは」

不意をつかれて、狼狽しているまに、馬超は剣を抜くや否、韓遂に飛びかかり、

「おのれっ、昨夜から、何を密議していたか」と、斬りつけた。

韓遂は、戟をとるまもなかったので、左の肘をあげて、身を防いだ。馬超の剣は、その左手を腕のつけ根から斬り落し、なおも、

「どこへ逃げる」

追い廻していると、五旗の侍大将が、左右から馬超へ打ってかかって来た。

油幕の外は火になった。馬超は血刀をひっさげて、

「韓遂は、韓遂は」

血まなこに捜している。

彼の前をさまたげた馬玩は立ちどころに殺されたし、彼に従ってきた龐徳、馬岱なども、韓遂の部下を手当り次第に誅殺していた。ところがたちまち渭水を渡ってきた一陣、二陣、三陣の騎兵部隊が、ものもいわず、焔の中へ駈けこんで来て、

「馬超を生捕れっ」

「雑兵に眼をくれず、ただ、馬超を討て」

と、励まし合った。

その中には、虎痴許褚をはじめとして、夏侯淵、徐晃、曹洪などの曹軍中の驍将はことごとく出揃っている。馬超は、ぎょッとして、

「さてはすでに、手筈はととのっていたか」

と、急に陣外へ駈け出したが、はや龐徳は見えず、馬岱も見あたらない。

彼ですらそれ程あわてたくらいだから、西涼勢の混乱はいうまでもなく、各所の陣営からは濛々と黒煙があがっていた。

日は暮れたが、焔は天を焦し、渭水のながれは真っ赤だった。

兵学談義

一

戒めなければならないのは味方同士の猜疑である。味方の中に知らず知らず敵を作ってしまう心なき業である。

が、その反間苦肉をほどこした曹操のほうからみれば、いまや彼の軍は、西涼の馬超軍に対して、完全なる、

敵中作敵

の計に成功したものといえる。

味方割れ、同時に、和睦の決裂だ。――馬超は、自らつけた火と、自ら招いた禍いの兵におわれて、辛くも、渭水の仮橋まで逃げのびて来た。

かえりみると、龐徳、馬岱ともちりぢりになり、つき従う兵といえば、わずか百騎に足らなかった。

「やあ、あれに来るは、李湛ではないか」

西涼を出るときは、八旗の一人とたのんでいた旗本。もちろん味方と信じていると、その李湛は、手勢をひいてこれへ近づくや否、

「や、あれにおる。討ち洩らすな」

と、自身も真っ先に、鎗をひねって、馬超へ撃ってかかった。

馬超は驚いて、

「貴様も謀反人の片割れか」

赫怒して、これに当ると、李湛は、その勢いに恐れて、馬をかえしかけた。

すると、一方からまた、曹操の部下于禁の人数が、わっと迫り、于禁は軍勢の中にもまれながら、弓をつがえて、馬超を遠くから狙っていた。

弦音とともに、馬超は馬の背に屈みこんだので、矢はぴゅんと、それていった。

皮肉にも、そのそれ矢は、李湛の背にあたって、李湛は馬から落ちて死んだ。

馬超は、わき目もふらず、于禁の人数へ馳け入った。そしてさんざんに敵を蹴ちらし、渭水の橋の上に立って、ほっと大息をついていた。

夜は更け、やがて夜が明けそめる。

馬超は橋上に陣取って、味方の集合を待っていたが、やがて集まって来たのは、ことごとく敵兵の声と敵の射る箭ばかりだった。

橋畔の敵勢は、刻々と水嵩を増す大河のように、囲みを厚くするばかりである。かくてはと、馬超は幾度も橋上から奮迅して、敵の大軍へ突撃を試みたが、そのたびに、五体の手傷をふやして、空しくまた、橋上に引っ返すほかなかった。

のみならず、左右の部下は、ふたたび橋の上に帰らず、或る者は矢にあたって、ばたばた目の前に仆れてゆくので、

「ここで立往生を遂げるくらいなら、もう一度、最後の猛突破を試み、首尾よく重囲を斬り破れば、一方へ拠って再挙を計ろう。またもしそれも成らずに斃れるまでも、ここで満身に矢をうけて空しく死ぬよりまだ増しだぞ」

残る面々をうち励まして、わうっと、猛牛が火を負って狂い奔るように、馬超はふたたび橋上を馳け出した。

「つづけ」

「離れるな」

と、馬超の将士四、五十人も死物狂いに突貫した。人、人を踏み、馬、馬を踏み、曹軍の一角は、血を煙らせて、わっと分れる。

けれど、馬超に従う面々は、随処にその姿を没し、彼はいつか、ただ一騎となってい

た。

「近づいてみろ。この命のあらん限りは」

鎗は折れたので、とうに投げ捨てている。敵の矛を奪って薙ぎ、敵の弩弓を取って、擲りつけ、馬も人も、さながら朱で描いた鬼神そのものだった。

――が、いくら馬超でも、その精力には限度がある。もうだめだと、ふと思った。

（もう駄目）

それをふと、自分の心に出した時が、人生の難関は、いつもそこが最後となる。

「くそっ、まだ、息はある」

馬超は気づいて、自分の弱音を叱咤した。そしてまた、目にも見あまる敵軍に押しもまれながら、小半刻も奮戦していた。

折しも西北の方から一手の軍勢がこれへ馳けてきた。思いもよらず味方の馬岱、龐徳だった。曹軍の側面を衝いてたちまち遠く馳けちらし、

「それっ、いまの間に」とばかり、馬超の身を龐徳が鞍わきに抱きかかえると、雲か霞かのように、遠く落ちて行った。

二

敵中作敵の計が見事成功したのを望んで、曹操は馬を前線へ進めてきた。そして、馬超を逸したと聞くと、

「＊画龍点睛を欠く」

と、つぶやいて、すぐ馬前の人々へいった。

「馬超に従いて落ちて行った兵力はどのくらいだったか」

ひとりの大将が答えていう。

「龐徳、馬岱などの、約千騎ばかりです」

「なに、千騎。――それならもう無力化したも同じものだ。汝ら、日夜をわかたず、彼を追いかけて、殊勲を競え。もし馬超の首をたずさえて来たら、その者には、千金を賞するであろう。また馬超を生捕ってきた者には、身分を問わず、万戸侯に封じて、いちやく、諸侯の列に加えてやろう」

これは大きな懸賞である。いでやとばかり、下は一卒一夫まで、奮い立って、馬超追撃を争いあった。

こういう慾望と情勢の目標にされては、いかに馬超でもたまるものではない。追い詰められ追い詰められ、また、取って返しては敵に当り、踏み止まっては追手と戦い、果ては、わずか三十騎に討ちへらされ、夜も寝ず、昼も喰わず、ひたすら西涼へさして逃げ落ちた。

龐徳と馬岱とは、途中、馬超とも別れ別れになってしまい、遠く隴西地方を望んで敗走したが、それと知って、曹操は自身、

「いま彼らを地方へ潜伏させては」

と、禍いの根を刈るつもりで、あくまでも追撃を加えていた。

そして、長安郊外まで来ると、都から荀彧の使いが、早馬に乗って、一書をもたらして来た。

「北雲急なりと見て、南江の水しきりに堤をきらんとす。すこしも早く、兵を収めて、許都に還り給わんことを」と、ある。

そこで曹操は、全軍をまとめ、

「ひとまず引揚げよう」と、軍令を一下した。

左の手を斬り落された韓遂を西涼侯に封じ、また彼と共に降参した楊秋、侯選なども、列侯に加えて、それには、

「渭水の口を守れ」と、命じた。

ときに元、涼州の参軍で、楊阜という者、すすんで彼にこう意見をのべた。

「馬超の勇は、いにしえの韓信、英布にも劣らないものです。今日、彼を討ち洩らしてのお引揚げは、山火事を消しに行って、また山中に火だねを残して去るようなもので、危険この上もありません」

「いうまでもなく、それは案じている。せめて彼の首を見、予自身半年もいて、戦後の経略までして還れば万全だが、何せい、都の事情と南方の形勢は、それをゆるさぬ」

「以前、それがしと共に、涼州の刺史をつとめていた者で、韋康という人物があります。よく涼州の事情に通じ民心を得ていますから、この者に、冀城を守らせ、一軍を領

せしめておいたら、大きな抑えともなり、たとい馬超が再起を計っても、やがて自滅して行くものと考えられますが」

「では、その任を、其方に命じよう。汝と、その韋康と、よく心を協せて、ふたたび馬超が勢いの根をはびこらせぬように努めるがいい」

「それには、一部のお味方をとどめて、長安の要害だけは、充分お守り下さるように」

「もちろんだ。長安の堺には、充分な兵力と、誰かしかるべき良将を残して行こう」

すなわち夏侯淵に対して、命は下った。

「旧都長安には、韓遂をとどめておくが、彼は、左腕を失って、身のうごきもままになるまい。汝は、予が腹心、予になり代ってよく堺を守れよ」

すると、夏侯淵が、

「張既、字を徳容という者がいます。高陵の生れです。これを京兆の尹にお用い下さい。張既と力を協せて、必ず、丞相をして二度と西涼の憂をなからしめてみせます」

「よろしい。張既ものこれ」

曹操は、乞いをゆるした。

三

あすは都へ還るという前夜、曹操は諸大将と一夕の歓を共にした。

その席上で、一人の将が、曹操に訊いた。

「後学のため、伺いますが。――合戦の初めに、馬超の軍勢は、潼関に拠っていましたから、渭水の北は遮断された形でした」

「ムム」

「で当然、河の東を攻めて、お進みかと思いのほか、さはなくて、いたずらに野陣の危険にさらされたり、後また北岸に陣屋を作り、いつになく、戦法に惑いがあるように見えましたが……」

「それは、難きを攻めず、易きを衝く、兵法の当然を行ったまでだ」

「それなら分りますが、今度はその反対のように動いたとしか思われませんでしたが」

「その条件を、敵方に作らせるよう、初めには、わざと敵の充実している正面に当ると見せ、敵兵力をことごとく味方の前に充実させておいてから、徐晃、朱霊などの別働隊を以て、敵兵力の薄い河の西からたやすく越えさせたわけじゃ」

「なるほど、では丞相の主目的は、むしろ別働隊のほうにあったわけですな」

「まず、そんなものか」

「後、わが主力は北へ渡り、堤にそって寨を構築し、しばしば失敗したあげく、氷の城まで築かれましたが、丞相も初めには、こう早く戦が終ろうとはお思いなさらなかったものでしたか」

「いやいや、あれはわざと、味方の弱味を過大に見せ、敵を驕り誇らせるためと、もう一つは、西涼の兵は悍馬の如く気短だから、その鋭角をにぶらすため、ことさらに、悠長と見せて彼を焦立たせたまでのこと」

「敵中作敵の計は、疾く前から考えのあったことですか」

「戦機は勘だ。また天来の声だ。常道ではいえない。戦前の作戦は、大事をとるから、ただ敗けない主義になりやすい。それがいざ戦に入ると疾風迅雷を要してくる。また序戦では、参謀の智嚢と智嚢とは敵味方とも、いずれ劣らぬ常識線で対峙する。だがそのうちに、天来の声、いわゆるカンをつかみ、いずれかが敵の常道を覆すのだ。ここが勝敗のわかれ目になる。すべて兵を用いるの神変妙機は一概にはいい難い」

かれの解説は、子弟に講義しているように、懇切であった。諸将はまた、口々に訊ねた。

「出陣の初め、丞相には、西涼軍の兵力が刻々と増し、その中には八旗の旗本、猛将なども多いと聞かれたとき、手を打ってお歓びになりましたが、あれは如何なるお気持であったのですか」

「西涼は、国遠く、地は険に、中央から隔てられている。その王化*の届かぬ暴軍が、いちどに集まって来てくれれば、これは労せず招かず猟場に出てくれた鹿や猪と同じではないか」

「はは あ、なるほど」

「もし、彼らが、西涼を出ず、王威にも服せず、ただ辺境にいて、威を逞しゅうしているのを、遠征しようとするならば、莫大な軍費と兵力と年月を必要とする。おそらく一年や二年くらいでは、今度ほどな戦果を収めることはできなかったろう。……で思わず、西涼軍が大挙して来ると聞いたとき、嬉しさのあまり、歓びを発したが、それに不審を抱いたことは、そち達もようやく兵を語る眼がすこしあいてきたというものである。この上とも実戦のたびには、日頃の小智にとらわれず、よく大智を磨くがよい」

語り終って、曹操は、杯をあげた。諸大将もみな嘆服して、

「丞相いまだ老いず」

と、心から賀した。

都に還ると、献帝はいよいよ彼を怖れ給うて、自身、鑾輿に召して、凱旋軍を迎え、曹操を重んじて、漢の相国蕭何の如くせよと仰せられた。すなわち彼は、履のまま殿上に昇り、剣を佩いて朝廷に出入りするのも許される身となったのである。

蜀人・張松

一

近年、漢中（陝西省・漢中）の土民のあいだを、一種の道教*が風靡していた。

仮にこう称んでおこう。その宗教へ入るには、信徒になるしるしとして、米五斗を持てゆくことが掟になっているからである。

「わしの家はなぜか病人がたえない」とか、

「こう災難つづきなのは、何かのたたりに違いない」とか、それと反対に、

「うちの甍が立った」などというのもあるし、

「五斗米教のお札を門に貼ってから、奇妙に盗賊が押しかけて来ない」

などと、迷信、浮説、嘘、ほんと、雑多な声に醸されながら、いつのまにか漢中におけるこの妖教の勢力とその殿堂は、国主を凌ぐばかりであった。

教主は、師君と称している。その素姓を洗えば、蜀の鵠鳴山にいてやはり道教をひろめていた張衡という道士の子で、張魯、字を公棋という人物だった。

これが、漢中に来て、いわゆる五斗米教を案出し、

「あわれな者よ。みなわれにすがれ。汝らの苦患はみな張魯がのぞいてやる」

と、愚民へ呼びかけた。

民衆の逆境は、このときほど甚だしい時代はない。どこを捜したって満足に家内揃ってその日を楽しんでいるなどという家はない。しかも教養なく、あしたの希望もない民衆は、

「これこそ天来の道士様」

と、たちまち五斗米をかついで礼拝に来る者が、廟門に市をなした。師君の張魯をめぐって、治頭、大祭酒などという道者がひかえ、その下に鬼卒とよぶ祭官が何百人とある。

不具、病人などが、祈禱をたのむと、

「懺悔せよ」と、暗室に入れ、七日の後、名を書いたお札を、一通は山の上に埋けて、天神に奏するものだといい、一通は平地に埋けて地神に詫をするといい、もう一通は水底に沈めて、

「おまえの罪業は、水神にねがって、流してもらった」と、云い聞かせる。

愚民は信ずるのだった。その妄信から時々、奇蹟が生ずる。すると、大祭を行う。漢中の街は、邪宗門のあくどい彩で塗りつぶされ、廟門には豚、鶏、織物、砂金、茶、あらゆる奉納品が山と積まれ、五斗入り袋は、十倉の棟にいっぱいになる。

こうして、邪教の猖獗は、年ごとに甚だしくなり、今年でもう三十年にもなるが、いかにせん、その悪弊は聞えてきても、中央に遠い巴蜀の地である。令を以て禁止することも、兵を向けて一掃することもできない。

そこでかえって、教主張魯に対しては、卑屈な懐柔策を取ってきた。彼に鎮南中郎将という官職を与え、漢寧の太守に封じて、そのかわりに、

「年々の貢ぎを怠るなかれ」と誓わせて来たのである。

従って、五斗米教は、中央政府の認めている官許の道教として、いよいよ毒を庶民に

植えつけて、今や巴蜀地方は、一種の教門国と化していた。

すると、ついこの頃のこと。

漢中の一百姓が、自分の畑から、黄金の玉璽を掘り出し、びっくりして庁へ届けてきた。

張魯の群臣は、みな口をそろえて、

「これこそ、天が、漢寧王の位につくべし、と師君へ授け給うたもの」

と、彼に、王位につくことをすすめた。

すると、閻圃という者が、思慮ありげに、こう進言した。

「なるほど今は、中央の曹操、西涼の馬超を討って、気いよいよ驕り、人民としては、いわゆる天井をついた象。たしかに撃つべきときに違いないが、まず我らは、蜀四十一州を内に併合統一して、しかる後、彼に当るのが、正しくないかと考えられますが。

――師君のご賢慮はいかがでしょうか」

二

師君張魯の弟に、張衛という大将がいる。

いま、閻圃の言を聞くと、その張衛は、

「然り、然り。閻圃の説こそ、大計というものである」

と云いながら前へ進んで、彼の献策をさらに裏書して、こう大言した。

「先ごろ来、西涼の馬超が破れたことから、領内混乱に陥り、西涼州の百姓たちの逃散して、漢中に移り来るもの、すでに数万戸にのぼると聞く。――加うるに、従来、漢川の民、戸数十万に余り、財ゆたかに糧はみち足り、四山谿流、道は嶮岨にして、一夫これを守れば万卒も通るを得ず、と古来からいわれておる。もしこれに蜀を加えて、統治を施し、よく武甲と仁政を以て固め、上に帝王を定むるならば、これこそ千年の基業を開くことができるに相違ない。――家兄、願わくは不肖張衛に、入蜀の兵馬を授けたまえ。誓って、この大理想を顕現してお目にかけん」

両者の言に、張魯も意をうごかされて、

「よろしかろう。疾く準備にかかれ」と、聴許した。

かくて、漢中の兵馬が、ひそかに、蜀をうかがっているとき、その蜀は今、どんな状態にあったろうか。

巴蜀。すなわち四川省。

長江千里の上流、揚子江の水も三峡の嶮にせばめられて、天遠く、碧水いよいよ急に、風光明媚な地底の舟行を数日続けてゆくと、豁然、目のまえに一大高原地帯が展ける。

アジアの屋根、パミール高原に発する崑崙山系の起伏する地脈が支那西部に入っては岷山山脈となり、それらの諸嶺をめぐり流れる水は、岷江、金沱江、涪江、嘉陵江などにわかれては、またひとつ揚子江の大動脈へ注いでくる。

四川の名は、それに起因る。河川流域の盆地は、米、麦、桐油、木材などの天産豊かであり、気候温暖、人種は漢代初期からすでに多くの漢民族が入って、いわゆる巴蜀文化の殷賑を招来していた。その都府、中心地は、成都である。

ただこの地方の交通の不便は言語に絶するものがある。北方、陝西省へ出るには有名な剣閣の嶮路を越えねばならず、南は巴山山脈にさえぎられ、関中に出る四道、巴蜀へ通ずる三道も嶮峻巍峨たる谷あいに、橋梁をかけ蔦葛の岩根を攀じ、わずかに人馬の通れる程度なので、世にこれを、

「蜀の桟道」と呼ばれている。

さて、こういう蜀も、遂に、時代の外の別天地ではあり得なかった。

蜀の劉璋は漢の魯恭王が後胤といわれ、父劉焉が封を継いでいたが、その家門と国の無事に馴れて、いわゆる遊惰脆弱な暗君だった。

「漢中の張魯が攻めてくるとか。いかがすべきぞ。ああ、どうしたらいいか」

彼は、生れて初めて、敵というものが、すぐ隣にいたのを知ったのである。

蜀の諸大将も、みな怯えた。するとひとり、評議の席を立って、

「不肖ですが、それがし、三寸の舌をうごかして、よく張魯が軍勢を退けてご覧にいれる。乞う、お案じあるな」と、いった者がある。

見れば、その人は、背丈五尺そこそこしかなく、短身長臂、おまけに、鼻はひしげ、歯は出ッ歯で、額は青龍刀みたいに広くて生えぎわがてらてらしている。

ただ大きいのは声だけだ。声は鐘を撞くように余韻と幅がある。

「やあ、張松か。いかなる自信があって、さような大言を吐くか」

劉璋以下、諸大将が半ば危ぶみながら問うと、

「百万の兵も、一心に動く。一心の所有者に、それがしの一舌を以て説く。なんで、動かし得ぬことがありましょうか」と、許都に上って、曹操に会見し、将来の利害大計を述べて、この禍いを変じて、蜀の大幸として見せん——と、諄々、腹中の大方策を披瀝した。

張松の考えているその内容とはどんなものか、とにかく、彼の献策は用いられることとなり、彼は早速、遠く都へ使いして行くことになった。

その旅行の準備にかかる旁ら、彼は自分の家に、画工を雇って、西蜀四十一州の大鳥瞰図を、一巻の絵巻にすべく、精密に写させていた。

三

画工は五十日ほどかかってようやくそれを描き上げた。四十一州にわたる蜀の山川谿谷、都市村落、七道三道の通路、舟帆、駄馬の便、産物集散の模様まで、一巻数十尺の絵巻のうちに写されていた。

「これを開けば、いながらにして、蜀に遊ぶようなものだ。よしよし。上出来」

張松は、画工をねぎらった。

彼は直ちに、劉璋に謁して、出発の準備も調いましたればと、暇を告げた。

劉璋は、かねて用意しておいた金珠錦繍の贈物を、白馬七頭に積んで、彼に託した。

もちろん曹操への礼物である。

千山万峡、嶮岨を越えて、使者の張松は都へ向った。

時、曹操は銅雀台へ遊びに行って、都へ還ったばかりであった。

江南の風雲は、なお測り難いものがあるが、西涼の猛威を、一撃に粉砕し、彼の意はいよいよ驕り、彼の臣下は益〻慢じ、いまや、曹操一門でなければ人でないような、我が世の春を、謳歌していた。

「さすがは、花の都」

張松も、眼を驚かされた。魏の文化の眩さに、白馬七頭に積んできた礼物も、曹操の前に出すには気恥ずかしいような気がした。

ひとまず旅館に落着き、相府に入国の届を出し、また迎使部の吏を通じて、拝謁簿に姓氏官職などを記録し、

「やがて丞相からお沙汰のあるまで相待つように」

という吏員のことばに従って、その日の通知を待っていた。

ところが、幾日たっても、相府からの召しがないので怪しんでいると旅亭の館主が、

「それは、姓氏を簿に書き上すとき、賄賂を吏員に贈らなかったからでしょう」

と、注意してくれた。

そこで、客舎の主人から莫大な賄賂を相府の吏員に贈ると、ようやく五日目ごろに、沙汰があって、張松は、曹操に目通りすることができた。

曹操は、一眄をくれて、

「蜀はなぜ毎年の貢ぎ物を献じないか」

と、罪を責めた。

張松は、答えて、

「蜀道は、嶮岨な上に、途中盗賊の害多く、とうてい、貢ぎを送る術もありません」

と、いった。

曹操は、甚だしく、自分の威厳を損ぜられたような顔をして、

「中国の威は、四方に遍く、諸州の害を掃って、予は今やいながらに天下を治めておる。なんで、交通の要路に野盗乱賊が出没しようか」

「いやいや。決してまだ天下は平定していません。漢中に張魯あり、荊州に玄徳あり、江南に孫権の存在あり。加うるに、緑林山野、なお無頼の巣窟に適する地方は、どれほどあるかわからない」

曹操は急に座を起って、ぷいと後閣へ入ってしまった。激怒した容子である。張松は、ぽかんと、見送っていた。

階下に整列していた近臣も、興を醒して、張松の愚を嗤った。

「外国の使臣として、はるばる参りながら、あえて丞相の御心に逆らうとは、いやは

や、不束千万。再度のお怒りが降らぬうち、疾く、疾く蜀へ帰り給え」

　すると張松は、その低い鼻の穴から、ふふふと、嘲笑をもらした。

「さてさて、魏の国の人は嘘で固めているとみえる。わが蜀には、そんな媚言やへつらいをいう佞人はいない」

「だまれ。しからば、魏人は諂佞だというか」

「おや、誰だ？」

　声に驚いて、張松が振り向くと、侍立の諸臣のうちから、一人の文化的な感じのする青年が、つかつかと進んで、張松の前へ立った。

　年の頃まだ二十四、五歳。神貌清白、眉ほそく、眼すずやかである。これなん弘農の人で、一門から六相三公を出している名家楊震の孫で、楊修、字は徳祖という。いま曹操に仕えて、楊郎中といわれ、内外倉庫の主簿を勤めていた。

「外国の使臣といえ、黙って聞いておれば、怪しからんことをいう。すこし君に談じつける儀があるから、僕に従ってこっちへ来給え」

　楊修はそういって、張松を閣の書院へひっぱって行った。張松は、この青年の魅力に何か心をひかれたので、黙って彼のあとに従いて行った。

孟徳新書

一

「ここは奥書院、俗吏は出入りしませんから、しばし静談しましょう。さあ、お着席ください」

　楊修は、張松へ座をすすめ、自ら茶を煮て、遠来の労を慰めた。

「蜀道は天下の嶮岨とうけたまわる。都まで来るには、ひとかたならぬご辛苦だったでしょう」

　張松は頭を振って、

「君命をうけて使いするに、なんの万里も遠しとしましょう。火を踏み、剣を渡るも、厭うことではありません」と、答えた。

　楊修はかさねて訊いた。

「蜀の国情や地理は、老人のはなしとか、書物とかで知るのみで、直接蜀の人から伺ったことがない。ねがわくは、ご本国の概要を聞かせ給え」

「されば、蜀はわが大陸の西部に位し、路に錦江の嶮をひかえ、地勢は剣閣の万峰に囲まれ、周囲二百八程、縦横三万余里、鶏鳴狗吠白日も聞え、市井点綴、土はよく肥え、地は茂り、水旱の心配は少なく、国富み、民栄え、家に管絃あり、社交に和楽あり、人情は密に、文をこのみ、武を尚び、百年乱を知らずという国がらです」

「おはなしを承っただけでも、一度遊びに行ってみたくなりますね。して、あなたはその蜀で、どんな役目を勤めておられますか」

「お恥かしい微賎です、劉璋の家中において、別駕の職についております。失礼ながら其許は？」

「丞相府の主簿です」

「名門楊家は、数代＊簪纓の誉れ高くご父祖はみな宰相や大臣の職にあられたのではないか。その子たる者が、何故、丞相府の一官吏となって、賤しき曹操の頤使に甘んじておらるるか、なぜ、廟堂に立って、天子を佐け、四海の政事に身命をささげようとはなさらぬか」

「…………」

楊修は、身を辱ずるかの如く、顔あからめたまま、しばしうつ向いていたが、

「いや、丞相の門下にあって、軍中兵粮の実務を学び、また平時にはご書庫を預かって、庫中万巻の書を見る自由をゆるされているのは、自分にとって大きな勉強になりますからね」

「ははは、曹操について学ぶことなどがありますかな。聞説、曹丞相は、文を読んでは、孔孟の道も明らかにし得ず、武を以ては、孫呉の域にいたらず、要するに、文武のどちらも中途半端で、ただ取得は、覇道強権を徹底的にやりきる信念だけであると。――こうわれわれは聞いておるが」

「松君。それは君の認識がちがう。蜀の辺隅にいるため、如何せん、君の社会観も人物観も、ちと狭い。丞相の大才は、とうていおわかりになるまい」

「いやいや、僕の偏見よりは、かえって、中央の都府文化に心酔し、それを万能として、天下を見ている人の主観には、往々、病的な独善がある。曹操の大才とは、一体どれ程なものか、何か端的にお示しあるなら、伺いたいものだが」

「よろしい、たとえば、これをご覧なさい」

楊修は起って、書庫の棚から、一巻の書を取出し張松の手に渡した。

*題簽には、孟徳新書とある。

張松は、ざっと内容へ目を通した。全巻十三篇、すべて兵法の要諦を説いたものらしい。

「これは、誰の著ですか」

「曹丞相がご自身、軍務の余暇に筆をとられて、後世兵家のために著された書物です」

「ははあ、器用なものだな」

「古学を酌んで、近代の戦術を説き、孫子十三篇に擬えて、孟徳新書と題せらる。この一書を見ても丞相の蘊蓄のほどがうかがえましょう」

張松はわらって、楊修の手へ、書物を返しながら、

「わが蜀の国では、これくらいな内容は、三尺の童子も知り、寺小屋でも読んでおる。それを孟徳新書などとは……あははは、新書とは、人をばかにしたものだ」

「聞き捨てにならぬおことば、然らばこの書の前に類書があるといわるるか」

「戦国春秋の頃、すでにこれとそっくりな著書が出ておる。著者が誰とも知れぬものゆえ、丞相はそのまま、書き写して、自分の頭から出たもののように、無学の子弟に自慢しているものでござろう。いやはや、とんだ新書もあるものだ」

哄笑また哄笑して、張松はわらいを止めなかった。

二

多少、張松に好意をもっていたらしい楊修も、彼の無遠慮なわらい方と、その大言に、反感をおぼえたらしく、眼に蔑みをあらわして云った。

「いくら何でも、まさか三尺の童子が、このような難解な書を、暗誦じているなどということはありますまい。法螺もおよそにおふきにならんと、ただ人に片腹痛い気持を起させるだけですよ」

「嘘だとお思いなさるのか」

「たれも真にうける者はないでしょう。試みに、御身がまず自分で暗誦してごらんなさ

い。できますか」

「三尺の童子でもなすことを、なんでそれがしにお試しあるか」

「まあまあ、事実を示してから、お説は聞くとしようではありませんか」

「よろしい。お聞きなさい」

張松は、胸を正し、膝へ手をおくと、童子が書物を声読するように、孟徳新書の初めから終りまで、一行一字もまちがいなく誦んだ。

楊修はびっくりした。

急に、席を下って、うやうやしく、張松を拝し、

「まったく、お見それ申しました。私もずいぶん著名な学者や賢者にも会いましたが、あなたのような人物に会ったのは初めてです。……しばらくこれにお待ちください。曹丞相に申しあげて、もう一度、改めて、ご辺と対面なさるように、お勧め申して来ますから」

楊修は青年らしい興奮を面にもって、すぐ曹操のところへ行った。そして、なぜ蜀の使いにあんな冷淡な態度をお示しになったのか、とその理由をなじった。

曹操がいうには、

「一見して分るではないか。あの矮短長臂な体つきは、まるで手長猿だ。予は歓ばん」

「容や貌をもって、人物を選りわけていたら、偽者ばかりつかんで、真人を逸しましょう。そうそう、むかし禰衡という畸人がいましたが、丞相は、あの人間さえ用いたでは

ありませんか」

「それは、禰衡には、一代の文才と、その文の力を以て、民心をつかんでいた能があったからだ。いったい張松などになんの能があるか」

「どうして、どうして、決して端倪（たんげい）するわけにゆきません。海を倒（さかしま）にし、江を翻す弁才があります。丞相の著（あらわ）されたかの孟徳新書をたった一度見ただけで、経をよむごとく、暗誦（そらん）じてしまいました。のみならず、博覧強記、底が知れません。あの書は、戦国時代の無名の著書で、おそらく丞相の新著ではない。蜀の国では、三尺の童子も知っているなどともいっていました」

楊修はやや賞めすぎた。青年だから是非もないが、曹操がどんな顔して最後のほうのことばを聞いていたか、気もつかずに、賞めちぎってしまった。

「中国の文化にうとい遠国の使者だ。わが大国の気象も真の武威も知らんのでそんな囈言（たわごと）を申すとみえる。――楊修」

「はい」

「明日、衛府の西教場で、大兵調練の閲兵（えっぺい）をなすことになっておるから、汝は、張松を連れて、見物に来い。あれに、魏の軍隊のどんなものかを見せてやれ」

畏（かしこ）まって、楊修は次の日、張松をつれて、練兵場に赴いた。

この日、曹操は、五万の軍隊を、衛府の練兵場に統率し、甲鎧燦爛（こうがいさんらん）、龍爪（りゅうそう）の名馬にまたがって、閲兵していた。

虎衛軍五万、槍騎隊三千、儀仗一千、戦車、石砲、弩弓手、鼓手、螺手、干戈隊、鉄弓隊など四団八列から鶴翼にひらき、五行に列し、また分散して鳥雲の陣にあらたまるなど、雄大壮絶な調練があった後、曹操は、桟敷の下へ馬を返してきた。

そして、少し汗ばんだ面には紅を呈し、さも得意そうに、張松を見つけて呼びかけた。

「どうだな、蜀客。蜀にはこういう軍隊があるか」

張松はさっきから眼を斜めにして見物していたが、にこと笑って、

「ありません。――が蜀はよく文治と道義によって治まり、今日までのところ、兵革の必要はなかったのです。貴国の如くには」

と、答えた。

またしても、曹操の心を損じはしないかと、楊修はそばで気をもんでいた。

西蜀四十一州図

一

覇者は己れを凌ぐ者を忌む。

張松の眼つきも態度も、曹操は初めから虫が好かない。

しかも、彼の誇る、虎衛軍五万の教練を陪観するに、いかにも冷笑している風がある。曹操たる者、怒気を発せずにはいられなかった。

「張松とやら。いま汝は、蜀は仁政を以て治めるゆえ、兵馬の強大は要らんとか申したが、もし曹操が西蜀を望み、この士馬精鋭をもって押しよせたときは如何。蜀人みな鼠の如く、逃げ潜む術でも自慢するか」

「はははは。何を仰せられる」

張松は口を曲げて答えた。

「聞説。魏の丞相曹操は、むかし濮陽に呂布を攻めて呂布にもてあそばれ、宛城に張繍と戦うて敗走し、また赤壁に周瑜を恐れ、華容に関羽に遭って泣訴して命を助かり、なおなお、近くは渭水潼関の合戦に、髯を切り、戦袍を捨てて辛くも逃げのがれ給いしとか。さるご名誉を持つ幕下の将士とあれば、たとい百万、二百万、挙げて西蜀に攻め来ろうとも、蜀の天嶮、蜀兵の勇、これをことごとく屠るに、なんの手間暇が要りましょうや。丞相もし蜀の山川風光の美もまだ見給わずば、いつでもお遊びにおいでください。おそらくふたたび銅雀台にお還りの日はないでしょう」

どっちが威圧されているのか分らない。ずいぶん他国の使臣には会ったが、曹操のまえでこれほど思いきったことをいった男はかつて一人もない。

当然、曹操は赫怒(かくど)した。楊修に向って、

「言語道断な曲者(しれもの)。その首を、塩桶(しおおけ)に詰めて、蜀へ送り返せ」と、身をふるわせて罵った。

楊修は極力弁護した。不遜(ふそん)な言は吐くが、張松の奇才は実に測り知れない。どうか寛大なご処置を垂れてください。私の身に代えてもと嘆願した。

「いかん。断じてならん」

曹操はきかない。しかし、荀彧(じゅんいく)まで出て、かかる奇能の才を殺すことは、やがて天下に聞えると、必ず丞相の不徳を鳴らす素因の一つに数えられましょう。殺すことだけはお止めになったほうがよろしい。そういってともども諫(いさ)めた。

「しからば、百棒を加えて、場外へ叩き出せ」

こんどは、兵に命じた。

張松はたちまち大勢の兵に囲まれて遮二無二、練兵場の外に引きずり出された。そして鉄拳を浴び、足蹴(あしげ)をうけ、半死半生にされて突き出された。

「無念」

張松はすぐに本国へ帰ろうと思った。しかし、つらつら思うに、自分が魏(ぎ)に来た心の底には、蜀はとうてい、いまの暗愚な劉璋(りゅうしょう)では治まらない。いずれ漢中に侵略される運命にある。で、こんどの使命を幸いに、もし曹操の人物さえよかったら、魏の国に蜀を合併させるか、属国となすか、いずれにせよ、蜀は曹操に取らしてもよい考えでいた

のである。

「よしっ。この報復には、きっと彼に後悔をさせてみせるぞ。自分も、国を出るとき、諸人の前で大言を放って来たてまえ、空しくこんな辱を土産にしては帰れない」

彼は、腫れあがった顔に、療治を加えると、すぐ翌る日、相府にも断わらず、従者を連れて許都を去ってしまった。

「蜀の小男が、よけい小さくなって、蜀へ帰って行った」

都の者は、笑っていたが、なんぞ知らん、彼は途中から道をかえて、荊州のほうへ急いでいたのだった。そして、郢州の近くまで来ると、彼方から一隊の軍馬が、整然と来て、

「そこへ参られたは、蜀の別駕張松どのではなきや」

と、先なるひとりの大将がいう。張松が、然り、と答えると、その武将はひらりと馬を降りて、礼をほどこし、

「それがしは、荊州の臣、趙雲子龍。主人玄徳の命をうけ、これまでお出迎えに参りました。遠路、難所を越えられ、さだめしお疲れでしょう。いざあれにてご休息を」

導いた一亭には、酒を整え、茶を煮、洗浴の設けまでしてあった。

二

魏に使いして、使いを果たさず、失意と辱を抱いて落ちてきた客が、かくばかり鄭重

な出迎えをうけようとは、張松も、意外であったらしい。

「どうして、劉皇叔には、このように張松を篤くお迎え下さるのか」

訊くと、趙雲は、

「いや、ご辺のみに、こうなされるのではありません。総じて、わが主君は客を愛すお方ですから」と、答えた。

そこからは趙雲の案内で、途中の不自由も不安もなく進んだ。

日をかさねて、荊州の境に入る。そして黄昏れごろ、駅館へ着いた。

すると、門外に、百余人の兵が、二行にわかれて整列していた。

張松のすがたを見ると、一斉に鼓を打ち鉦を鳴らして歓迎したので、張松が、びっくりして立ち止まると、たちまち、長髯長軀の大将が、彼の馬前に来て、

「賓客、ようこそご無事で」

と、にこやかに、出迎えの礼をなし、自身、馬の口輪をとって導いた。

張松はあわてて馬を降り、

「あなたは、関羽将軍ではありませんか」と、たずねた。

「さよう。此方は羽です。どうぞお見知りおきを」

「恐縮恐縮。知らぬこととは申せ、つい馬上にて受礼。おゆるし下さい」

「なんの、此方はあなたの出迎えを命ぜられた皇叔の一臣に過ぎません。国賓たるご辺に、さようなご遠慮を抱かせては此方の役目不つつかに相成る。どうか、何なりと御用

あれば仰せ下さるように」

館中に入ると、関羽は、客のために、夜もすがらもてなし、その接待は懇切を極めた。

次の日はいよいよ荊州城市へ入った。見ると、城市の門まで、道は塵もとめず掃き清められ、たちまち、彼方から錦幡五色旗をひるがえして、一簇の人馬がすすんで来る。嚠喨として喇笛が吹奏され、まっ先にくる鞍上の人を見れば、これなん劉玄徳。左右なるは、伏龍孔明、鳳雛龐統の二重臣と思われた。

張松は驚いて、馬を降り、あわてて路上に拝跪の礼をとろうとすると、すでに玄徳も馬を降りて、その手を取り、

「かねて、大夫のご高名は、雷のごとく承っていましたが、雲山はるかに隔てて、教えを仰ぐこともできなかった。しかるに今日、お国へ還りたもうと聞き、慈母を待つごとく、お待ちしていました。しばしなと、渇仰の情をのべさせて下さい。私の城へ来て」

「垢じみたこの貧客に、ご家中まで遣わされ、かつ今日は、過分なお出迎え。張松ただただ恐縮のほかございません」

曹操のまえでは、あのように不遜を極めた張松も、玄徳のまえには、実に、謙虚な人だった。

人と人との応接は、要するに鏡のようなものである。驕慢は驕慢を映し、謙遜は謙遜を映す。人の無礼に怒るのは、自分の反映へ怒っているようなものといえよう。

城中の歓迎は、豪奢ではないが、雲山万里の旅客にとっては、温か味を抱かせた。

その際玄徳は、世上一般の四方山ばなしに興じているだけで、蜀の事情などは少しも訊ねなかった。

かえって、張松のほうから、話題に飽いて、こんな質問をし出した。

「いま、皇叔の領せられる土地は、荊州を中心に、何十州ありますか」

孔明がそばから答えた。

「州都もすべて借り物です。われわれはご主君に、これを奪って領有することが、何の不義でもないことを力説していますが、わがご主君は物堅く、呉の孫権の妹君を夫人にしておられる関係に義を立てて、いまなお真にご自身の国というものをお持ちになっておりません」

龐統も、口をそろえて、

「わが主玄徳は、人みな知るとおり、漢朝の宗親でありながら、少しも自分というものを強く主張しようとなさらんのです。……今、その漢朝にあって、位人臣を極め、専政をほしいままにしている者のごときは、もともと、匹夫下郎にもひとしいのですが」

と、いかにも歯がゆそうに云って、張松へ杯をさした。

三

「そうです。そうです」と何度もうなずいて、張松は杯を受けながら、共鳴を誇張した。

「ただ徳ある人に依ってのみ、天下はよく保たれる。すなわちまた、諸民の安心楽土もそこにしかない。不肖思うに劉皇叔(りゅうこうしゅく)は、漢室の宗親。仁徳すでに備わり、おのずから四民もその高風を知っていますから、一荊州を領し給うにとどまらず、正統を受け継いで、帝位につかれたところで、誰も非難することはできないでしょう」

玄徳は、耳なきごとく、あるごとく、ただ、手を交叉(こうさ)したまま、穏やかに顔を横に振っていた。そして、

「先生のご過賞は、ちと当りません。なんで玄徳にそのような天資と徳望がありましょう」

とのみいって笑った。

逗留(とうりゅう)三日、張松はこの城中にもてなされて、しかも一日でも一刻でも、不愉快なことは覚えなかった。

四日目、張松は別れを告げて、蜀へ立った。玄徳は名残りを惜しみ、十里亭まで、自身送ってきた。

ここに少憩してささやかな別宴をひらき、共に杯を挙げて、前途の無事を祈りながら、玄徳は眼に涙をふくんで、

「先生と交わりをむすぶこと、わずか三日、またいつの日か、お教えを仰ぐことができましょう。人生多事、蜀へ帰られてはお忙しいでしょうが、折にふれ、荊州に玄徳あり

と思い出して下さい。鴻雁西へ行くときには、仰いで玄徳も、西蜀に先生あることを胸に呼びかえしているでしょう」

と、いった。

張松はこのとき胸に誓った。蜀に迎えて、蜀の新天地を創造する人は、正にこの人以外にはないと。

「いや、この度は、三日の間、朝暮ご恩に甘え、何らのお報いもなさず、今お別れに際して慚愧にたえません。ただ、皇叔のために、ここで一言申しのこすならば、荊州の地は決してあなたの永住に適する領土でありますまい。南に孫権があって、常に鯨呑の気を示し、北に曹操があって、虎踞の象を現しています」

「先生。玄徳もそれを知らぬのではありませんが、如何にせん、他に身を安んずる所がないのです」

「乞う。眼を転じて、西蜀の地を望み給え。そこは、四方みな嶮岨といえ、ひとたび峡水をこゆれば、沃野千里、民は辛抱づよく国は富む。いまもし荊州の兵をひきい、ここを占むれば、大事を興さんこと目前にありといえましょう」

「いうをやめよ先生。それも知らないではないが、蜀の劉璋は、これもまた、漢室のながれを汲む家。血すじにおいて、わが同族。なんでその国家を犯してよいものぞ」

「いやいや。そのお考えは、小義を知って大義に晦いものと申さねばならん。元来、劉璋は暗弱の太守、無能の善人、いかにこの時代の大きな変革期を乗りきれましょうや。

現状のままでは、明日にも漢中の張魯に侵されて五斗米の邪教軍に蹂躙されてしまうしかありません。——如かず、魏の曹操に蜀を取らせ、張魯の侵略を防いで、蜀の民を守らんにはと——このたび張松が上洛の心中には、そうした決意があったのです。いわば蜀の国をわざわざ彼に献じに出向いたものなのでした」

「……………」

「しかるにです。ひとたび、許都の府に足を入れるや、私は眉をひそめました。そこの都市文化はあまりに早、爛熟を呈し、人は驕り、役人は賄賂を好み、総じて唯物的風潮がみなぎっている。果たせる哉。曹操の人物を見るに及んでも、その軍隊の教練を見ても、事大主義で恫喝的で、私はいたずらに、反感をそそられるばかりでした。——思うに、将来久しからずして、彼曹操かならず漢朝に大きな禍いをするでしょう。……皇叔、決して、おだてるのではありません。媚るのでもありません。どうかご自重、また大志を抱き、かつ天下万民のため、小義にとらわれないで下さい」

張松は従者を呼んだ。

そして馬の背の荷物のうちから一箇の筥を取寄せた。

蓋を開いて、これを展じれば、千山万水、峨々たる山道、沃野都市部落、一望のうちに観ることができる。すなわち、彼が蜀を立つときから携え歩いていた「西蜀四十一州図」の一巻だった。

四

「ごらんなさい。蜀の図です」

「ああ。これは精密なもの。行程の遠近、地形の高低、山川の険要、府庫、銭粮、戸数にいたるまで……まるでいながら観るようである」

玄徳は眸を離さなかった。

「皇叔。速やかに思し召をここに立て給え」と張松はそばから熱心に彼の意をふるい促した。

「――私に深く交わる心友がふたりいます。法正、字は孝直。もう一名は孟達、字を子慶といいます。他日、そのふたりが訪ねて参ったときは、諸事わたくし同様に、ご相談あっても、たしかな人物ですから、どうかご記憶にとめておいて下さい」

「青山老イズ緑水長ク存ス。いつか先生の芳志に報うことができるかも知れない」

「この西蜀四十一州図の一巻は、他日、入蜀の道しるべ。また、今日のお礼として、お手許に献上します。どうかお納めおき下さるように――」

かくて、彼は、先へ立った。

玄徳は十里亭から戻ったが、関羽、趙雲などは、なお数十里先まで張松を送って行った。

×　　×　　×

ていた。

益州。それは巴蜀地方の総称である。漢代から蜀は益州、或いは巴蜀とひろく呼ばれていた。

実に遠い旅行だった。張松は日を経て、ようやく故国益州へ帰ってきた。

すでに首都の成都（四川省・成都）へ近づいてきた頃、道のかたわらから、

「やあ、ようこそ」

「ご無事で何よりだった」

と、二人の友が早くも迎えに出ていて、その姿を見るなり近づいてきた。

「おお、孟達か。法正も来てくれたのか」

張松は馬を降りて、こもごも、手を握り合った。

「久しく、蜀の茶の味に渇いていたろう。そう思って、彼方の松下に、小さい炉をおいて、二人で茶を煮て待っていた。すこし休息して行き給え」

友は彼をさそって、松の下へ来た。茶を喫し、道中の話などにふけったが、そのうちに、張松は、

「君たちも、現状のままでは、必然、蜀が亡ぶしかないことは知っているだろうが、もしそうとしたら、この蜀に、たれを起死回生の主君と仰ぎたいかね」と、ふたりに訊ねた。

法正は、怪訝な顔して、

「そのために君は、遠く使いして、魏の曹操に会ってきたのじゃないか。曹操との交渉

に、何かまずいことでもあったのかね」

「まずい。甚だまずい結果になった。で、実は、君達だけに打明けるが、おれは途中から気持が変った。蜀へ曹操などを入れたら、蜀の破滅を意味するだけで、蜀の民の幸福にはならん」

「では、誰を迎えるのか」

「だから今、君たちに、そっと意中を訊いてみたわけさ。忌憚（きたん）ないところをいってくれ給え」

「それはほんとか」

「たれが君らを欺（あざむ）こう」

「ふーむ……」と、法正はうめいて、「わしならば、荊州の劉玄徳とむすびたいと思うが」

孟達の顔を見ると、孟達も、ひとみをかがやかして、

「そうだ、曹操へ蜀を献じるくらいなら、玄徳を主と仰いだほうがはるかにいい。本来、初めから玄徳へ使いすべきであったよ」

聞くと、張松は、莞爾（かんじ）として「実は……」と、あたりを見まわした。そして二人の顔へ、顔を寄せて、許都を去ってから荊州へ立ち寄った事情やら、玄徳とある黙契（もっけい）をむすんで来た事実を打明けた。

「そうか。では偶然、三人の考えが、一致したわけだ。よし、そうなれば大いに張合い

もある。張兄、抜かるな」

「万事は胸にある。もし、この儀について、劉璋から君たちに召出しがあったら、君らこそ抜からずに頼むぞ」

「よいとも」

三人は、血盟して別れた。

次の日張松は、成都に入り、劉璋に謁して、使いの結果をつぶさに復命した。

もちろん、曹操のことは、極力悪ざまにいった。彼には早くから蜀を奪う下心があったので、こちらの交渉など耳にもかけないばかりか、かえって張魯の先を越して、蜀へ攻め入ってくるような気配すら見えたと告げた。

進軍

一

劉璋は面に狼狽のいろを隠せなかった。

「曹操にそんな野心があってはどうもならん。張魯も蜀を狙う狼。曹操も蜀をうかがう虎。いったいどうしたらいいのじゃ」

気が弱い、策がない。劉璋はただ不安に駆られるばかりな眼をして云った。

「お案じには及びませぬ」

張松は語を強めた。そしていうには、

「この上は、荊州の玄徳をおたのみなさい。ご当家とは漢朝の同流同族。のみならず、こんどの旅行中、諸州のうわさを聞いても、彼は仁慈、寛厚、まれに見る長者であると、一世の人望を得ています」

「だが、その劉玄徳とは、今日までなんの交渉も持っていない。彼も漢の景帝の流れを汲む同族とはかねて聞いていたが」

「ですから、この際、鄭重なる書簡をいたせば、玄徳としても、欣然友交国の誼みを結ぶにちがいありません」

「では、その使いには、誰をつかわしたらよいと思う」

「孟達、法正。この二人に超えるものはないでしょう」

するとこの時、帳の外から大声して呼ばわった者がある。

「ご主君っ、耳に蓋し給え。張松の申すことなどに引かされたら、この国四十一州は他人の物になりますぞ」

驚いて振り向くと黄権、字は公衡という者、額に汗しながら入ってきた。

劉璋は眉をしかめて、

「なぜ、そんなことを云う。たしなめ」

と、一喝した。

黄権は屈せず、面を冒してなお云った。

「君、知り給わずや。当時玄徳といえば、曹操だも恐るる人物。寛仁よく人を馴ずけ、左右に鳳龍二軍師あり、幕下に関羽、張飛、趙雲の輩あり、もしこれを蜀に迎え入れたら、人心たちまち彼にあらんも知らず。国に二人の主なし。累卵の危機を招くは必然でしょう。——それに張松は魏に使いしながら、帰途は荊州をまわって来たという取沙汰もある。旁〻、ご賢慮をめぐらし給え」

こうなると、張松も黙っていられない。国家の危機とは、これからのことではない、今やすでにその危機にある蜀である。もし漢中の張魯と魏の曹操が結んで今にも国内へ進撃してきたらどうするか。ただ強がるばかりが愛国ではないぞ、ほかに良策があるならここで聞かせよ、と詰問り寄った。

と、ふたたび帳外から、

「無用無用。わが君。張松の弁舌にうごかされ給うな」

云いつつ大歩して君前にまかり出てきた人物がある。従事官王累であった。

王累は、頓首して、

「たとえ漢中の張魯が、わが国に仇をなすとも、それは疥癬（皮膚病）の疾にすぎぬ。けれど玄徳を引き入れるのは、これ心腹の大患です。不治の病を求めるも同じことです。断じて、その儀は、お見合わせあるように」

——だが、劉璋の頭には、もう先に聞いた張松のことばが、頑として、先入主になっている。張松は実地に諸州の情勢を見てきた者だし、王累や黄権は、国外の実情にうとい。そう単純に区別してでもいるのか、おそろしく感情を損ねて叱りだした。

「うるさくいうな。人望もなく実力もないような玄徳なら、なにも求めて提携する必要もないではないか。わが家とは血縁もあり、旁〻曹操すら一目も二目もおく者と聞けばこそ、予も頼もしく思うて彼の力を借るのじゃ。汝らこそ二度と要らざる舌をうごかすまい」

かくて遂に、張松のすすめは劉璋の容れるところとなってしまった。使いを命じられた法正は、前日の諜し合わせもあり、張松とはどこまでも主義を同じくしているので、劉璋の書簡を持つと、道を早めて荊州へ赴いた。

「なに、蜀の法正とな？」

玄徳は、使者の名を聞いて、すぐ張松と別れた日のことばを胸に想いうかべた。

直ちに、法正を見、かつ書簡をうけて、その場でひらいた。

族弟劉璋、再拝。一書ヲ
宗兄タル将軍ノ麾下ニ致ス

書面の冒頭にはこう書き出してあった。

二

その夜、玄徳は独りで、一室に考えこんでいた。

龐統が来ていった。

「孔明はどうしましたか」

「蜀の使者法正を、客館まで送って行ってまだ戻らぬ」

「そうですか。して、君より法正へは、すでにご返辞をお与えになりましたか」

「なお考え中である」

「張松が去るとき、あれほど申しのこして行ったのに、まだお疑いとは」

「疑いはせぬが」

「では、なにをそのように、無用にお心を煩うておられるのですか」

「思うてもみい。いま予と水火の争いをなす者は誰か」

「曹操こそ最大の敵です」

「その曹操を敵として戦うに、これまではすべて彼の反対をとって我が方略としていた。彼が急を以てすれば、われは緩を以てし、彼が暴を行えば、我は仁を行い、彼が詐りをなせば、我は誠を以てして来た。それを自ら破るのがつらい」

「はて。意を得ませぬが」

「張松、法正、孟達たちのすすめにまかせて、蜀に伐り入らんか、当然、劉璋は亡び去ろう。彼は、いつもいうように、わが族弟。玄徳、同族の者をあざむいて蜀を取れりといわれては、予が今日まで守ってきた仁義はなくなる。小利のため、大義を天下に失うはつらいというのだ」

龐統は一笑に附していう。

「火事場の中で、日頃の礼法をしていたら、寸歩もあるけますまい。あなたのおことばは天理人倫にかなっていますが、世はいま乱国、いわば火事場です。晦きを攻め、弱きを併せ、乱るるは鎮め、逆は取って順に従わす、これ兵家の任です。また民の安息を守るものです。蜀の状態はいまやそれに当っている。天に代って事を定め、事定まった上、報ゆるに義を以てしてもよいでしょう。今日もしわが君が蜀に入るを避けても、明日は他人が奪っているかも知れません——。族弟の縁をたいへん気にかけておられるようですが、劉璋には今申したとおり、ほかに方法を以て、仁愛を示されれば、あえて信義に背くことにはなりますまい。むしろそうした小義にとらわれておらるるこそ、兵家の卑屈と申さねばなりません」

諄々として、彼は説いた。道をあきらかにする、これは大きな行動のまえに大切なことにはちがいない。

玄徳もようやくうなずいた。蜀へ入りたいのは彼とて山々のところである。何せい荊州は戦禍に疲弊している。地理的には東南に孫権、北方に曹操があって、たえず恟々と守備にばかり気をつかわなければならない。ただ一方、門戸のあるのが西蜀であった。しかも張松が置き残して行った図巻を見れば、その国の富強、地理の要害、とうていこの荊州の比ではない。

「よう分った。先生の啓示は、まさに金玉の教えと思う。それに張松たちが、かくまで手を尽して、予を迎えようとするのも、いわゆる天意というものであろう」

「では、ご決心なさいますか」

「孔明が帰って見えたら、早速それについて評議いたそう」

程なくその孔明も姿をあらわした。三名は鳩首(きゅうしゅ)して、軍議にふけった。

翌日、法正にも、この旨をつたえ、同時に陣触れを発して、いよいよ入蜀軍の勢揃いをした。

玄徳はもちろんその中軍にある。

龐統を軍中の相談役とし、関平劉封(かんぺいりゅうほう)も中軍にとどめ、黄忠と魏延とは、一を先鋒に、一を後備に分け、遠征軍の総数は精鋭五万とかぞえられた。

しかし、何より大事なのは、荊州の守りである。万一にも、この遠征軍がやぶれた時、あるいは、南に孫権がうごくか、北の曹操が留守の間隙をうかがうなど不測な事態が生じたとき、万全な備えがなくてはならない——。また征旅に上る玄徳にしても、その安心がなくては、腰をすえて蜀へ入れない。

で、荊州には、孔明が残ることになった。

その配備は。

鉄壁の固めかたであった。

といったように、名だたる者を要所要所にすえ、孔明がその中央荊州に留守し、四境

江辺四郡には張飛。

江陵城に趙雲子龍。

襄陽の堺に関羽。

鴻門の会に非ず

一

建安十六年冬十二月。ようやくにして玄徳は蜀へ入った。国境にかかると、

「主人の命によって、これまでお迎えに出た者です」

と、道のかたわらに四千余騎が出迎えていた。将の名を問えば、

「孟達です」

と、ことば短かにいう。

玄徳はにことして孟達の眼を見た。孟達も、眼をもって意中の会釈をした。

さきに法正がもたらした返辞によって、玄徳が来援を承諾したと聞き、太守劉璋は無性に歓んでいたらしく、道々の地頭や守護人に布令て、あらゆる歓待をさせた。

そのうえ彼自身、成都を出て、涪城（四川省・重慶の東方）まで出迎えると、車馬、武具、幔幕など、ここを晴と準備していた。

黄権がまた諫めた。

「危険です。見ず知らずな国から来た五万の軍中へ、自らお出であるなどとは」

侍側にいた張松は、劉璋が口をあかないうちに、

「黄権。足下は何をもって、みだりに盟国の兵を疑い、主君の宗族を離間しようとするのか」

と、詰問った。

劉璋もともに、

「そうだとも。玄徳はわが宗族だ。故にはるばる、蜀の国難を扶けんと来てくれたのだ。ばか、ばかを申せっ」

黄権はかなしんで、

「平常、恩禄を喰みながら、今日君のご恩に報いることができないとは何事か」

と、頭を地にぶつけ、面に血をながして、なお諫言した。

「うるさいっ」

劉璋は、袂を振り払った。黄権は離さじと、主人の袂を噛んでいたので、前歯が二本

へし折れた。

城門から出ようとすると、また声をあげて、彼の車にとりすがった家臣がある。李恢(りかい)という者で、泣かんばかり訴えた。

「むかしから、天子を諫(いさ)める良臣七人あれば、天下失われず、諸侯に諫める善臣五人あれば、国みだるるも国失われず、大夫に諫(いさ)める忠僕三人あれば、その主無道なりとも家失われずとか聞き及びます。いま黄権の諫めをお用いなく、玄徳を国にお入れあるは、求めて御身を滅ぼすようなものですっ」

劉璋は耳をふさいだ。

「車を進めい。車の輪を離さぬならば、轢(ひ)き殺してゆけ」

そこへまた、一人の下僕が、狂わしげに訴えてきた。泣き喚(わめ)いていうのを聞けば、

「わたくしの主人王累(おうるい)が、どうかしてわが君のお心をひるがえそうと、自分の身を縄でくくり、楡橋門(ゆきょうもん)の上から身をさかさまにして吊り下がりました。お願いです。どうか助けて下さいっ」

張松は、車を護る前後の人々にむかい、

「なにを猶予あるか、はやはや進まれよ」

と叱咤し、また車の側へ行って、劉璋にささやいた。

「彼らはみな、忠義ぶったり、狂態を見せて、君を脅かさんなど企(たく)らんでいますが、要するに本心は、漢中との戦端を避けて、一日でも安逸を偸(ぬす)んでいたい輩(やから)なんです。妻子

愛妾の私情にもひかれているに違いありません」

そのうち楡橋門へかかった。仰ぐと、驚くべき決意を示した人間がひとり宙にぶら下がっている。さきに下僕が泣き狂って訴えていた王累だ。その王累にちがいない。右手に剣を持ち左の手には諫めの文をつかんでいる。縄に吊られて、両足を天にし、首を地に垂れて、睨んでいた。

驚いて、車が停まると、王累はくわっと口を開いていった。

「わが君、お待ち下さい」

そして、諫言の文を、哭くが如く、訴うるが如く、また怒るが如く読みだした。もしお聞き入れなければ、この剣を以て、自らこの縄を切り、地に頭を砕いて死なんと怒鳴った。

劉璋は、さっき張松から、卑怯な家臣がみな自分を脅迫するのだと聞いていたので、

「だまれっ。汝らのさしずはうけん」

と、一喝すると、王累は、

「惜しい哉、蜀や！」

と一声叫んで、右手の剣を宙に振り、自ら縄を切って、地上の車の前に脳骨を打砕いてしまった。

扈従の人数三万、金銀兵糧を積んだ車千余輛、ついに成都を距ること三百六十里、涪城まで迎えに出た。

二

一方の玄徳は、みちみち沿道の官民のさかんな歓迎をうけながら、すでに百里の近くまで来ていた。

と。その案内に立っている法正のところへ、張松から早馬で密書が来た。法正はそれをそっと龐統に見せて、

「この時をはずすなと、張松のほうから云ってよこしました。お抜かりないように」

と、諜しあわせた。

龐統も、大事を成すは、今にありと云って、

「その機に臨むまで、足下も部下のものに気取られるな」と注意した。

かくて、涪城城内、劉璋と玄徳との対面の日は来た。

両者の会見は、和気藹々たるものであった。

「世は遷り変るとも、おたがい宗族の血はこうして世に存し、また巡り会って、今日をよろこぶことができる。力を協せて、ふたたび漢朝の栄えを見ることに兄弟ひとつになろうではありませんか」

情を叙べるに玄徳は涙し、劉璋も力を得て、彼の手を押し戴き、

「これで蜀も外から侵される心配はない」と、かぎりなく歓んだ。

歓宴歓語、数刻に移って、玄徳はあっさり帰った。彼のつれて来た五万の軍勢は、城外の涪江江畔においてあるからである。

玄徳が帰ると、劉璋は左右のものへすぐ云った。

「どうだ。聞きしにも優る立派な人物ではないか。王累、黄権などは、人を見る明がなく、世の毀誉褒貶を信じて予を諫め、自ら死んだからいいようなものの、生きていたら予にあわせる顔もあるまい」

蜀中の文武の大将は、これを聞いて、なおさら案じた。鄧賢、張任、冷苞などこもごもに出てはそれとなく、

「人は見かけに依らぬというたとえもあること。まして外柔なのは内剛なり。万一の変あるときは取返しがつきません」と、用心を促したが、劉璋は笑って、

「そういちいち人を疑っていたら、人の中には住めまいが」

彼は自身いうが如き好人物であった。もし庶民のあいだに生れていたら、少くも家産はつぶし、人にものべつ欺されていたろうが、その代りに、

（彼はよい男だよ）と、愛されもしたろう。

けれど、蜀の主権者であり万民に臨む太守としては、ほとんど、その資格なきものといっていい。

「どうでした。劉璋とお会いになってみた感じは」

玄徳が帰るとすぐ龐統(ほうとう)がたずねた。玄徳は一言、

「真実のある人だ」

といった。しかし、龐統はそのことばの裏を読んで、

「愚誠の人物ともいえましょう」と、答えた。

玄徳はだまって眼をしばたたいた。劉璋に対して愍然(びんぜん)たるものを抱いているような眸である。

「ああ。お気の弱い」――龐統は彼の胸をすぐ看破した。そして、

「君。何のために、この山川の嶮(けわ)しきをこえ、万里の遠くへ、将士をつれて来ました」

と、直言し、さらに、

「明日、答礼の酒宴にことよせて劉璋をお招きなさい。決断が大事です。小さい情にとらわれているときではありません」と、切々説いた。

そこへ法正も来て、

「成都に留守している張松も、疾(と)く書簡をよこして、この期を失わず、事を計れと、内応の諜しあわせを云いよこしています。……あなたが蜀をお取りにならなければ、結局、この蜀は、漢中の張魯(ちょうろ)か、魏(ぎ)の曹操に奪られるものです。なにを今さら、お迷いになることがありましょうぞ」

と、口を極めて励ました。

もとより入蜀の目的はそれにある。玄徳とてここに来て思い止ったわけではない。彼

はただ自己の心の中の情念と闘っているだけだ。すなわち建安十七年の春正月、こんどは彼が主人になって、劉璋を招待することにきめた。

三

「長夜の宴」とか「酒国長春」とかいうことばは、みな支那のものである。この民族の歴史ほど宴楽に始まって宴楽に終る歴史を編んできた民族は少ない。平時はもちろん戦争の中でも実に宴会する。別離歓迎、式典葬祭、権謀術策（けんぼうじゅつさく）、生活兵法、ことごとく宴会の間（ま）と卓（たく）とによって行われる。

ことし壬辰（みずのえたつ）の初春、さきに招かれた答礼として、こんどは玄徳が席をもうけて太守劉璋を招待した宴会は、けだし西蜀開闢（かいびゃく）以来といってもよい盛大なものだった。はるばる、荊州から携えてきた南壺（なんこ）の酒、襄陽の美肴（びこう）に、蜀中の珍膳（ちんぜん）をととのえ、旗幡林立（きばんりんりつ）の中に、会場をいろどって、やがて臨席した劉璋以下、蜀の将軍文官たちに、心からなるもてなしを尽した。

やがて宴もたけなわに入った頃、龐統（ほうとう）はちらと法正に眼くばせして外へ出た。人なきところへ行って、ふたりは声をひそめ合っていた。

「うまく運んだ。大事はすでに掌（たなごころ）にありだ。面倒な手段はいらん。ただ席上に於て一気に斬殺せばいい」

「かねてのおさしずは、魏延（ぎえん）どのにとくと申し含めてあります。きっとうまくやるでしょう」

「場内に血を見ると同時に、劉璋の兵が、外で騒ぎだすにちがいない。その方も手抜かりないようにたのむ」

「心得ております」

ふたりはさり気ない顔して、元の席へ返っていた。

宴席は歓語笑声にみち、主賓劉璋の面にも満足そうな酔が赤くのぼっていた。

ときに、荊州の大将たちの席から、突如、魏延が立ち上がって、酔歩蹌踉と、宴の中ほどへ進み出で、

「せっかくの台臨を仰ぎながら、われわれ長途の軍旅にて、今日のもてなしに、恨むらくは音楽の饗応を欠いておる。依ってそれがし、剣の舞をなして、太守の一笑に供え奉る。――」

いうかと思えば、はや腰なる長剣を抜いて、舞いだしていた。

「あ、あぶない」

こはただ事の馳走に非ずと、劉璋の左右にあった文武の大将は、みな顔色を変えたが、咎める術もなかった。

すると、従事官張任という蜀の一将、やにわにまた、剣を抜いて、魏延のまえに躍り出で、

「古来、剣を舞わすには、かならず相手が立つと承る。武骨、不風流者ながら、君にな

らって、お相手をいたさん」と、魏延の舞に縺れて、共に舞い始めた。閃々、たがいに白虹を描き、鏘々、共に鍔を震き鳴らす。――そして魏延の足が劉璋へ近づこうとすれば張任の眼と剣は、きっと、玄徳へ向って、殺気をはしらせた。

(剣の舞の相手よ。汝がもしわが主人に危害を加えるならば、われは直ちに汝の主人玄徳を刺すぞ)

無言のうちに張任は舞いつつ魏延を牽制していた。

龐統は、それを眺めて、「ちいっ」と、この測らざる邪魔者に舌打ち鳴らしながら、かたわらにいた劉封へきっと眼くばせした。

心得たりと、劉封もすぐ身を起し、剣を抜いて、ふたりの間へ。

「あら、おもしろや」と、舞うて入る。

とたんに、ざわざわと、劉璋の周囲が一斉に立った。冷苞、劉璝、鄧賢などという幕将たち、手に手に剣を抜きつれて、

「いざ、舞わんか」

「それ舞わんか」

「舞わんか、舞わんか」

「いざ来れ」

と、満座ことごとく剣に満つるかと思われた。

玄徳は愕いて、自分も、剣を抜いて、高く掲げ、

「無礼なり、魏延、劉封、ここは鴻門の会ではない。われら宗親の会同に、なんたる殺伐を演ずるか。退がれっ、退がれっ」と叱った。

劉璋も、家臣の非礼を叱って、玄徳と自分とは、同宗の骨肉、無用な猜疑をなすは、汝らこそ、兄弟の仲を裂くものであると、たしなめた。

しかし、この夜の宴は、失敗に似て、かえって成功だった。劉璋はいよいよ玄徳に信頼の念を深めた。

珠

一

その後も、蜀の文武官は、劉璋に諌めること度々であった。

「玄徳に二心はないかもしれません。しかし玄徳の幕下は皆、この蜀に虎視眈々です。何とか口実を設けて今のうちに荆州軍を引き揚げさせるご工夫をなされては如何ですか」

劉璋は依然、うなずかない。

「さのみ疑うことはない。強ってのことばは、宗族の間に、強いて波瀾を起させようとする気か」

そういわれてはもう衆臣も二の句がない。唯ひたすら家臣結束して、荆州軍のうごきに警戒の眼を払っているだけだった。

かかるうちに国境の葭萌関から飛報が来た。

「漢中の張魯が、ついに大兵をあげて攻めよせて来た！」とある。

「それみよ、禍いはそこだ」

劉璋はむしろ得意を感じたらしい。早速にこの由を玄徳へ伝え、協力を乞うと、玄徳はすこしも辞すところなく、直ちに、兵を率いて国境へ馳せ向った。

蜀の諸将はほっとした。

「いざ、この間に、蜀は自国の守りを鉄壁になし給え。内外、万全のご用意を」

と、劉璋へ再三再四、献言した。

劉璋も、あまりに諸臣が憂えるので、さらばと彼らの意にしたがい、即ち、蜀の名将白水之都督楊懐、高沛のふたりに涪水関の守備を命じて、自分は成都へ立ちかえった。

×　　×　　×

蜀境の戦乱は、まもなく、長江千里の南、呉へ聞えてきた。

「玄徳の野心は、ついに鋒鋩をあらわした。汝ら何と思うか」

孫権は、呉の重臣を一堂に集めて、こう穏やかでない顔して云った。

顧雍が答えていう。

「彼はついに、火中の栗を拾いに出たものです。自ら手を焼くにちがいありません。情報なおつまびらかでありませんが、荊州の兵力を二分して、その一をもって蜀に入り、長途のつかれを持つ兵をして、強いて国境の嶮岨に拠らしめ、今や漢中の張魯と、血みどろの戦をなしていると聞えまする。思うに、呉の無事なる兵をもって、荊州の留守を突かば、一鼓して、彼の地盤はくつがえりましょう」

「予もそう考えていたところだ。諸卿よろしく出師の準備にかかれ」

すると、議堂の屏風の蔭から、誰かひとり進み出て、甲高い声していった。

「誰じゃ、わが女に、危害を加えようとするものは」

おどろいて、その人を見れば、これは孫権の母公、呉夫人であった。

母公は猛りたって、

「そちたちは、江東八十一州の遺領を、いながらにうけて、父祖の恩に、今日を豊かに送りながら、なお荊州を望んで、どうするというのじゃ。荊州には、可愛い娘を嫁がせてある。玄徳はこの老母が婿ではないか」

孫権は沈黙して、ただ老母のまえに、叱りをうけているだけだったために、評議は、一決せずに終ってしまった。

──今、荊州を収めなければまたいつの日機会があろうと、孫権は爪をかみながら、一室に沈吟していた。

張昭が、そっと来て彼の前にささやいた。

「べつに計をおたてになればよいでしょう。母公のお叱りは、ただただ、遠国におわすあなたの妹君をいじらしき者、可愛いものと、情にひかれておいでになるだけのことですから」

「では、どうして母をなだめるか」

「一人の大将に五百騎ほどをさずけ、急遽、荊州へさし向けられ、玄徳の御内方たる妹君へ、そっと密書を送って、母公の病篤し、命旦夕にあり、すぐかえり給えとうながすのです」

「む、む」

「その折、玄徳の一子、阿斗をも連れて、呉へ下ってこられたなら、あとはもう此方のものです。それを人質に、荊州を返せと迫れば」

「その策は実に妙計だ。して誰をやろうか」

「周善なれば、仕損じますまい。彼は、力鼎をあげ、胆斗の如き大将で、しかも忠烈ならびなき大将です」

「すぐ、ここへ呼べ」

孫権ははや、筆墨をよせて、妹に送る密書をしたため出した。

二

その日、孫権に召された周善は、張昭にも会って、審さに密計を授けられ、勇躍して、夜のうちに揚子江を出帆した。

五百の兵はみな商人に仕立て、上流へ交易に行く商船に偽装し、船底には武具をかくしていた。

やがて目的地の荊州に着く。

周善は伝手を求めて、首尾よく荊州城の大奥へ入りこんだ。そして多くの賄賂をつかい、ようやく玄徳の夫人に会うことができた。

夫人は、寝耳に水の愕きに打たれ、

「えっ。母公には、明日も知れぬご危篤ですって？」

兄孫権の手紙を読むうちに、もう紅涙潸々、手もわななかせ、顔も象牙彫のように血の色を失ってしまった。

「一刻もお早く、呉へお下りください。せめて息のあるうちに、ひと目なと、お姿を見たいと、御母公におかせられては、苦しき御息のひまにも、夜となく昼となく、うわ言にまで御名を呼んでおられまする」

周善のことばを聞くと、玄徳夫人は、いよいよ身をもんで、

「会いたい、行きたい、周善、どうしようぞ……」と、泣き沈んだ。

ここぞと、周善は、

「翼ある御身なれば、すぐにもご対面はかないましょうが、いかにせん長江の水速しといえども、船旅では幾日もかかります。すぐご用意あって、それへお召し遊ばさねば、ついにご臨終には間にあいますまい」

「……というて、いまは良人玄徳は蜀へ入って、この城においで遊ばさず」

「それは御兄上の孫将軍から後にお詫をして貰えばよいでしょう。親への大孝。よもお叱りはありますまい」

「でも、孔明が何というかしれない。留守の出入りは孔明がきびしく守っているのですから」

「あの人に告げたら、断じて、呉へ下ることなど、許すはずはありません。自身の責任のみ大事に思いましょうから」

「飛んでも行きたい思いがする……。周善、よい智慧をかして賜も」

「されば、いずれこのことは尋常ではかなわじと考え、張昭のさしずにより帆足速き一艘を江岸へ着けておきました。ご決意だにあらば、すぐご案内いたしましょう」

なにものも要らない気になった。ついに彼女は身支度した。周善は諸方の口を見張りながら、その間に早口に告げた。

「そうそう、和子様もお連れ遊ばせよ。御母公には、日頃から劉皇叔の家には、愛らしい一子ありとお聞きになって、一目見たいと口癖に仰っしゃっておられました。和子様は懐にでもお抱きになって――ようございますか和子様も」

　彼女の心はもう呉の空へ飛んでいる。なにをいわれても唯々としていわれるままにうごいていた。嬋娟にして男まさりな呉妹君といわれ、その窈窕たる武技も有名な夫人であったが、国外遠く嫁いで、母の危篤と聞いては、やはり弱い女に過ぎなかった。

　黄昏れごろ。

　ことし五歳の阿斗をふところに、夫人は、車にかくれて、城中から忍び出た。呉以来、側近くかしずいている三十余人の侍女は、みな小剣を腰に佩き、弓をたずさえて夜道をいそいだ。

　沙頭鎮の埠頭に、車はつく。船の燈は暗く波間にゆれていた。帆車がきしる。怪鳥のつばさのようにざわめく蘆荻のあいだから船は早くも離れかけた。

「待てっ。その船待てっ」

　岸の暗がりに、馬のいななきやら剣槍のひびきが聞えた。

　周善は艫に立って、

「いそげ、振り向くな」

と、水夫たちを叱咤した。

　江頭の人影は、刻々、多くなって、騒ぎ立っている。中にひとり目立っているのは、常山の趙子龍、即ち江辺守備の大将であった。

三

「おういッ。待て」

船の影を追いながら、趙雲は岸に沿って馬を飛ばした。部下の兵も口々に、

「のがすな。あの船を」と、十里も駆けた。

一漁村へかかった。

趙雲は駒をすてて、漁夫の一舟へ飛び乗り、

「あの船へ漕ぎ寄せろ」と、先に廻っていた。

呉の船は帆うなりをあげながら下ってきた。趙雲の小舟がそれへ近づこうとすると、
船上の周善は、長い戈を持って、

「射殺せ、突き殺せ」

と、必死の下知に声をからした。

舷に並んだ呉の兵は、弓を引きしぼり、戟を伸ばして、小舟を寄せつけまいと防ぎながら、その船脚はなお颯々と大江の水を切って走ってゆく。

「やわか。通すべき」

趙雲は、槍をなげすてた。

腰なる青釭の剣は、たちまち雨と降る矢を切り払う。そして小舟のへさきが、敵船の横へ勢いよくぶつかった瞬間に、

「おおうッ。おのれ」

喚きながら、身をもって、舷へ飛びつき、無二無三、よじのぼって、ついに船中へ躍りこんで来た。

呉の兵は、彼の形相に怖れて、わっと逃げかくれる。趙雲はあたりを睥睨しながら、大股に船屋形の内へ入って、

「夫人っ、何処へおいでになるのですっ」

と、鏡のような眼をいからせて咎めた。

その声に、夫人のふところに眠っていた幼君の阿斗が泣きだした。侍女たちは怖れてみな片隅に打ち慄えている。しかし、さすがに夫人は気位が高い。

「無礼でしょう趙雲。なんですかその血相は」

「お留守をあずかる孔明にも何のお断りすらなく、城中を出られるのみか、呉船に召されて江を下るなど、あなたこそ劉皇叔のご夫人として穏やかならぬご行動ではありますまいか」

「呉にいます母公が、あすも知れぬご重態との知らせに、軍師へ相談している暇もなく、急いで便船に乗ったのです。わが母の危篤に駈けつけるのがなぜいけないか」

「しからば、何故、阿斗の君をおつれ遊ばすか。皇叔にとっても、わが国にとっても、たったお一方の大事な珠玉。かつて当陽の戦には、趙雲が、命にかけて、長坂にむらがる敵大軍の中より救いまいらせたこともある。――さ、お返しなさい、阿斗の君を」

「おだまりなさい」

夫人は、蘭花の眦をあげて、

「そちは唯これ陣中の一武士。劉家の家事に立入るなど僭越であろう」

「いやいや、あなたが呉へお還りあるのを止めはいたさぬ。ただ幼君の御身は、誰がなんといおうが、国外へやるわけには参りませぬ」

「国外とは何事ぞ。呉と荊州とは境こそあれ、この身と皇叔とによって契られている間ではないか」

「なんと仰せあろうと、幼君はおあずけできません。お渡しなさい」

「あ。何をしますかっ」

夫人は、悲鳴をあげながら、侍女たちを振り向いて、

「この無礼者を、追い出して賜も」

と、さけんだ。

だが、趙雲は苦もなく、夫人の膝から、阿斗を取返して、自分の腕に抱えてしまった。

そしてさっと、船上を走って、艫まで出たが、小舟はすでに流されているし、夫人や侍女は、船中の兵を呼びたてながら悲鳴を浴びせて、すぐ後ろへ迫っている。

かかる間も、大船の帆はいっぱいな風をうけて風の速さと速力を競っている。

「近づく者は、一刀両断にするぞ。生命の要らぬ者は寄ってこい」

青釭の剣を片手にふりかぶり、片手に阿斗の身を抱えたまま趙雲はそこに立往生して

いた。

弓と槍と戈と、あらゆる武器はみな彼の身一つに向って、遠巻きに取囲んでいたが、そのすさまじい姿には敢て誰ひとり近づく者もなかった。

するといつのまにか近づいていた田舎町の河港の口から、十数艘の早舟の群れが扇なりに展開しながら近づいてきた。

四

近づくに従って、その早舟の群れからは、鼓の音や喊の声が聞えた。

「さては、呉の水軍」

趙雲は愕然、色を失った。

この上は、幼君を抱きまいらせたまま、水中に身を投ぜんか。斬って斬って斬り死せんかと、さいごの肚をきめていた。

ところが、水中から声があって、

「呉の船待てっ。わが君の留守をうかがって、幼君阿斗をいずこへ伴い参らすぞ。燕人張飛これにあり、船を止めろっ」と、龍神が吼えるかと疑われるばかり聞えた。

「おお、張飛か」

呼びかけると、一舟の中から、

「趙雲そこにいたか」

と、下からも呼び返しながら、はやその張飛をはじめ、荊州の味方は、たちまち、八方から鈎縄を飛ばして、呉船のまわりに手繰りついた。

張飛が船上へとび上がると、出合い頭に、周善が戈をもって斬りかけてきた。龍車に向う蟷螂の斧にひとしい。張飛が、

「くわっ」

と云ったとたんに、彼の一振した一丈八尺の蛇矛は、周善の首を遠くへ飛ばしていた。

「虫けらどもが」

張飛の眼にふれたらさいご、その者の命はない。呉の兵は人の跫音を聞いた蝗のように船じゅうを逃げまわった。

「一匹も生かすな」

殺伐するに仮借のない張飛は、歩むところに朱をのこしながら胴の間を濶歩した。

すると一隅に、侍女たちに囲まれたまま、立ちすくんでいた玄徳夫人のすがたがあった。

「…………」

「…………」

夫人は必死な気位を持って彼を見下ろそうとした。

しかし張飛のらんらんと燃える眼は、決して、夫人の眸を避けなかった。

やがて、彼がいう。

「夫人たる御方は、良人の留守を守るのが道であるのに、いま荊州を去るとは何事か。それが呉の婦道か」

「……家臣たるものが、主にたいして、そのようなことばを吐いてよいものか。それがそち達の士道か」

「……君家を護るは、いうまでもなく、士道のひとつ。たとえ主君の夫人であろうと、それがしはあえていう。お帰んなさい。帰らなければ、引っ吊るしても、荊州城の奥へほうりこみますぞ」

　夫人は白くわなないた。

「……ゆ、ゆるしておくれ。ゆえなく城を出たのではない。母公のご危篤に前後もなくお枕もとへゆくのですから。……もしそち達が、強ってわたくしを荊州へ連れもどるというならば、長江へ身を投げて、この悲しみからのがれるばかりです」

「なに、入水する？」

　これには張飛も脅かされた。

「おうい、趙雲、ちょっと来てくれ」

「なんだ」

「こういう次第だが、どう処置したらいいか。もし夫人が入水して死んだら、やはりわれらは、臣道にそむくだろうか」

「もちろん、かりそめにも、主君の夫人、また皇叔のお嘆きを考えてもむざむざ、夫人の死を見ているわけにもゆくまい」

「では、幼君だけ取りかえして、夫人はこのまま呉へやるとするか」

「そうするしかあるまい」

「よし、もう一言、いい分をいっておこう」

張飛は、夫人の前へ戻って、

「あなたの良人は、いやしくも大漢の皇叔。ゆえに、われわれは、臣節を尊んで、あえてあなたを辱めず、ここでお別れ申すとする。しかし、御用がおすみになったら、早々、ふたたび良人の国へお立ち帰りあれよ」

告げ終ると、

「おい、趙雲。行こうか」

と、早舟へ跳び移った。

趙雲も阿斗を抱いて、一艘のうちへ跳び下りる。

そしてその余の早舟十数艘を漕ぎ連れて、近くの油江口へ上陸し、馬に乗って荊州へ帰った。

「よかった。――実によかった。阿斗の君の無事を得たのは、真に二人の働きである」

孔明は、仔細の報告を、そのまま詳しく書簡にしたため、すぐ蜀の葭萌関にある玄徳のもとへ早馬をたてて報告しておいた。

図南(となん)の巻(まき)

日(にち)輪(りん)

一

呉侯の妹、玄徳の夫人は、やがて呉の都へ帰った。

孫権はすぐ妹に質(ただ)した。

「周善はどうしたか」

「途中、江の上で、張飛や趙雲に阻(はば)められ、斬殺されました」

「なぜ、そなたは、阿斗(あと)を抱いてこなかったのだ」

「その阿斗も、奪(と)り上げられてしまったのです……それよりは、母君のご病気はどうなんです。すぐ母君へ会わせて下さい」

「会うがよい、母公の後宮(こうきゅう)へ行って」

「ではまだ……ご容体は」

「至極、お達者だ」

「えっ。お達者ですって」

「女は女同士で語れ」

いぶかる妹を、膠もなく後宮へ追い立て、孫権はすぐ政閣へ歩を移して、群臣に宣言した。

「予の妹は、玄徳の留守に、その家臣どもから追われ、今日、呉へ立ち帰った。かくなる上は、呉と荊州とは、事実上、なんらの縁故もないことになった。即時、大軍を起して、荊州を収め、多年の懸案を一挙に解決してしまおうと思う。それについて、策あらば申し立てよ」

すると、議事の半ばに、江北の諜報がとどいて、

「曹操四十万の大軍を催し、赤壁の仇を報ぜんと、刻々、南下して参る由」と、あった。

俄然、軍議は緊張を呈した。

ところへまた、内務吏から、

「重臣の張紘、先頃から病中にありましたが、今朝、息をひきとるにあたり、遺言の一書を、わが君へと、認め終って果てました」

「なに、張紘が死んだ」

折も折である。呉の建業以来の功臣。孫権は涙しながらその遺書を見た。

張紘の遺書には縷々として、生涯の君恩の大を謝してあった。そして、自分は日頃から、呉の都府は、もっと中央に地の利を占めなければならぬと考え、諸州にわたって地理を按じていたが、秣陵（南京附近）の山川こそ実にそれに適している。万世の業礎を固められようとするなら、ぜひ遷都を実現されるように。これこそいま終りに臨んでなす最後のご恩報じの一言であると結んであった。

「忠義なものである。この忠良な臣の遺言をなんで反古にしてよいものではない」

孫権は、一方には、刻々迫る戦機を見ながら、一面直ちに、その居府を、建業（江蘇省・南京）へ遷した。

かくてその地には、白頭城が築かれ、旧府の市民もみな移ってきた。

また、呂蒙の意見を容れて、濡須（安徽省・巣湖と長江の中間）の水流の口から一帯にかけて、堤を築いた。これに使役される人夫は日々数万人、呉の国力の旺なることは、こうした土木建築にも遺憾なくあらわれた。

もちろんこれは、やがて来るべきものに対する国防の一端である。来るべきもの、それは曹操の南下だ。

曹操はそれよりもずっと早くから宿望の南征と呉への報復にもっぱら軍備の拡充を計っていた。

すでに四十万の大編制は、

「いつでも」と、いう態勢を整えたので、いよいよ許都を発しようとすると、長史董昭が諂ねって彼にこうすすめた。

「およそ古来から、臣として、丞相のような大功をあげられた御方は、これを歴史に見ても、求めることはできません。周公も呂望も、比較にはならないでしょう。乱世に立って、群盗乱臣を平らげ、風に梳り雨に浴みし給うなど、三十余年、万民のために、また漢朝のために、身をくだかれて来たことは、ひとしく天人ともに知るところです。今はよろしく、魏公の位に登って、九錫を加え、その威容功徳を、天下に見せ示すべきでありましょう」

二

どんな英傑でも、年齢と境遇の推移とともに、人間のもつ平凡な弱点へひとしく落ちてしまうのは是非ないものとみえる。

むかし青年時代、まだ宮門の一警手にすぎなかった頃の曹操は、胸いっぱいの志は燃えていても、地位は低く、身は貧しく、たまたま、同輩の者が、上官に媚びたり甘言につとめて、立身を計るのを見ると、（何たるさもしい男だろう）と、その心事を愍み、また部下の甘言をうけて、人の媚びを喜ぶ上官にはなおさら、侮蔑を感じ、その愚をわらい、その弊に唾棄したものであった。

実に、かつての曹操は、そういう颯爽たる気概をもった青年だった。

ところが、近来の彼はどうだろう。赤壁の役の前、観月の船上でも、うたた自己の老齢をかぞえていたが、老来まったく青春時代の逆境に嘯いた姿はなく、ともすれば、耳に甘い近側のことばにうごく傾向がある。

彼もいつか、むかしは侮蔑し、唾棄し、またその愚を笑った上官の地位になっていた。しかも、今の彼たるや人臣の栄爵を極め、その最高にある身だけに、その＊巧言令色にたいする歓びも受けいれかたも、とうてい、宮門警手の一上官などの比ではない。

いま重臣董昭から、

（この際、魏公の位に登って九錫を加えられては如何ですか）

と、すすめられると、曹操はなにをはばかる考えもなくすぐに、

（そうだ、なぜ自分は、今まで九錫を持たなかったろう）

と、すぐその気になって、朝廷にそのゆるしを求めた。もちろんその意のままになる。彼は以後、魏公と称し、出るも入るも、九錫の儀仗に護られる身となった。

九錫の礼というのは、

一　車馬　大輅、戎輅。大輅ハ金車、戎輅ハ兵車ノ事。黄馬八匹。
二　衣服　王者ノ服。衮冕赤舄。朱ノ履タル事。
三　楽県　軒県の楽、堂下ノ楽。昇降必ズ楽ヲ奏ス。
四　朱戸　門戸ハ紅門ヲ以テ彩ル。
五　納陛　朝陛ヲ登ル自由。
六　虎賁　常時門ヲ衛ル軍三百人、虎賁軍トイウ。

七　鈇鉞（フエツ）　鈇鉞各〻一、鈇ハスナワチ金斧（キンプ）、銀斧ナリ。
八　弓矢　彤弓（トウキユウ）一、彤矢（トウシ）百、玈弓（ロキユウ）十、玈矢（ロシ）一千、朱弓、黒弓（コツキユウ）ナリ。
九　秬鬯（キヨチヨウ）　祭祀（サイシ）ヲ行ウタメノ酒。

これをみた荀彧はかなしんだ。以前の曹操とは次第に変ってくるのを冷静に彼のそばで眺めていたのは、彼よりは年下のこの荀彧という忠良な一忠臣だった。

「丞相。すこしあなたも、お年をお召しになり過ぎはしませんか」

「なぜだ」

「愚に返ったところがお見うけされます」

「予が九錫の礼を持ったことをいうのか」

勃然（ぼつぜん）と、曹操は、色をうごかした。荀彧は、静かに、

「そうです。功いよいよ高きほど、ご自身は、退謙（たいけん）をお示しあるべきです。しからずんば、せっかく、三十余年、旗に漢室への忠誠をかざし、口に万民のためと称しながら、結局、あなたご自身の慾望に過ぎなかったということになりましょう。弱冠、生死の迷妄（めいもう）を捨て、百戦苦闘、今日を築いてきながら、その精神と節操を、門の飾りや往来の見得などと取替えるなどは、実につまらぬ人生の落ちではありませんか」

涙をふくんで諫（いさ）めると、曹操はぷいと席を去って、

「おいおい、董昭（とうしよう）をよべ」と、近侍へいいつけながら、大歩して去ってしまった。

以来、荀彧は、病と称して、自邸にひき籠ってしまった。建安十七年冬十月、いよい

よ南下の大軍は都を出ることになったが、彼はなお、曹操から呼びに来ても、

「このたびはお供できません」

と、参加を辞した。

ついに、使者が来た。

「魏公(ぎこう)からのお見舞いである」

と、使者は、食物の入っている一器を彼の前に贈った。

見ると、器の上には、「曹操親(ミズカ)ラ之ヲ封(フウ)ス」という紙がかけてある。あとで開いてみると、器の中には何も入っていなかった。

「お気持は分った。……ああ」

荀彧(じゅんいく)は、その夜、自ら毒をのんで死んだ。

三

すでに南征の大軍は、水陸から続々と呉へ下っていた。

途中、曹操へ、都から知らせがあった。

「荀彧が毒をのみました」

「……自害したか」

曹操は瞼をとじた。ほろ苦い眉をひそめて。

しばらく黙っていたが、やがて、

「荀彧は、ちょうど五十歳だったな。不愍なことをした。敬侯と諡してやれ」

それきり何もいわなかった。多少、悔ゆる色がないでもない。

日をかさねて、行軍は安徽省に入り、濡須の堤を前にして、二百余里にわたる陣を布いた。

「まず、敵の大勢を見よう」

曹操は、山へ登った。そして遥かに、呉の陣を見わたすと、長江の支流は百腸のように曠野を縦横にうねり、その一つの大きな江には数百艘の兵船が望まれる。

敵はその辺りを中枢として水陸に充満していた。船櫓の鳴るところ旗ひらめき、剣槍のかがやくところ士馬の声震い、草木もこぞって、国を防ぐために戦いているかと思われた。

「ああさすがに呉は南方の強国だ。この士気では油断はできぬ。汝らも努めてふたたび赤壁の不覚をくりかえすなよ」

左右の大将を戒めながら彼が山を降りかけた時である。轟然、どこかで一発の石砲がとどろいた。その砲声からしてすでに北国にはない強力な硝薬の威力を示している。

「すわ」

と、さわぎたつ間もない。山の麓近くの江から忽然と喊声が起った。いつのまにか附近の蘆荻の陰から無数の小艇があらわれ、呉の精猛が煙のように堤をこえて突貫して来る。まさに、魏の中軍へいきなり楔を打ちこんできたかたちだ。

「退くな。奇襲の敵は少数ときまっている」

曹操は、山を降りると、敢然、陣頭に出て乱れ立つ味方をととのえた。

すると彼方の堤の上に、青羅の傘蓋をかざし、星の如き群将に守られていた呉侯孫権が曹操を認めると、馬をとばして馳けてきた。

「赤壁の亡将、まだ生命をぬすんでいたか」

その声に、曹操は振り向いた。

碧眼、紫髯、胴長く、脚短く、しかも南人特有な精悍の気満々たる孫権。槍をふるって、石弾の如く突いてきた。

「何者だっ」

わざと曹操は大喝した。自分よりはるかに若い孫権と、剣槍をもって闘う気はない。威だけを示して逃げようとした。

「逃ぐるなかれ。魏賊」

と、その気を察して、孫権の左右から、韓当、周泰のふたりが分れて、曹操のうしろへ迫った。

危地に陥ったかと曹操の身が困難に見えたとき、彼の味方もまた、鼓を鳴らして、孫権のうしろを突きくずし、乱軍の相を呈しかけた機に、魏の許褚は、刀を舞わして周泰、韓当を退け、辛くも曹操を救い出して、中軍へ帰った。

この晩、いちど退いたかとみえた呉軍が夜半にまた、四面の野や小屋に火をはなって、夜襲して来た。

遠征の疲労にあった魏の兵は、不覚にも不意をくって、呉の勢に馳け破られ、おびただしい死者をすてて総軍五十里ほど陣を退くのやむなきに立ち至った。

「われながら、まずい戦」

曹操は悶々、自己を責めた。幾日かを空しく守りながら陣小屋の内にかくれて、じっと軍書にばかり眼をさらしていた。

なにか、天来の妙計を、それから求めようとしている悶えがわかる。跫音をしのばせて、そっと入ってきた程昱が、

「丞相。おつかれではありませぬか」と、声ひくく慰めた。

「……おお、程昱か。呉の堅陣に対して打つ手がない。初手の戦も、彼の攻勢に、味方はようやく防いだのみだ」

「そもそも。このたびのご出陣は遷延また遷延をかさね、ちと遅すぎました。ゆえに呉は国防に全力を賭し、その期間に濡須の堤まで築いてしまった程です。如かず、一応引揚げて、ふたたびご出征を図られてはどうですか」

その晩、曹操は、ふしぎな夢を見た。焰々たる日輪が雲を捲いて、空中から大江の波間に落ちたとみて眼がさめたのである。

四

あくる日。
五、六十騎をつれて、彼は陣中を見まわり、何気なく江の畔を歩いてきた。
ちょうど真っ赤な夕陽が、江の上流の山に沈みかけていたので、曹操はゆうべの夢を憶い出して、

「昨夜ふしぎな夢を見たが、吉夢だろうか、凶夢だろうか」

と、左右の将に語っていた。

すると、夕陽の光線と、江の波光とが相映じて、まばゆいばかりぎらぎら燃えている彼方の赤い靄の中から、一旗、二旗、三旗、無数の旗が見え始めた。

「や。敵?」

いうまもない。

黄金の盔に、紅の戦袍を着、真っ先に進んできた大将が、鞭をあげて、曹操をさしまねきながら揶揄していう。

「国を侵す賊は何者だ」

「孫権か。予は、曹操である。王室の順に従わぬ者は討てとの、勅を奉じて下った天子の軍である」

「あら、笑止」

孫権は、哄笑した。

「天子の尊きは、誰も知る。故に、天子の御名を詐るものは、人ゆるさず、地ゆるさず、天ゆるさず。孫権もまたゆるさぬ。人中第一の悪人曹操、首をさしのべよ」

これを聞くと曹操の気は怒るまいとしても怒らざるを得なかった。彼はまたも、敵の仕掛けた戦に誘われて戦った。この日の戦闘も、惨烈をきわめたが、結果は、魏の大敗に帰してしまった。

「どうも、こんどの遠征は、いつもの丞相らしい冴えがない」

諸将はいぶかった。

許都を発するとき荀彧が毒をのんで死んだことなどが、なにか、丞相の心理に影響しているのではあるまいか、などとささやく者もいた。

いずれにせよ、連戦連敗をかさねて、その年の暮れてしまったことは現実だった。

翌建安十八年、正月となっても、はかばかしい戦況の展開はなく、二月に入ると、毎日、ひどい大雨がつづいて、戦争どころでなくなってしまった。

人類がこの地上で遭遇した大雨の記録を破ったろうと思われるほどな雨量だった。日夜大雨はやまず、陣小屋も馬つなぎも、ことごとく流され、曹操の中軍すら、筏を組んで、遥かな北方の山上へ移って行ったような有様だった。

次には当然、食糧難が起ってきた。兵はうらみを含み郷愁を思う。

諸将の意見もまちまちだった。硬論を主張するものは、陽春の候もやがて近し、死馬を喰って頑張っても、その時を待って一戦を決せずんば、遥かに南下した効もないという。

こういう状態の中へ、呉侯孫権から一書が来た。文に曰く。

予モ君モ共ニ漢朝ノ臣タリ、マタ民ヲ泰ンズルヲ以テ徳トシ任トスル武門ノ棟梁デハナイカ。仁者相争ウヲ嘲ッテカ天ハ洪々ノ春水ヲ漲ラシ、君ノ帰洛ヲ促シテイル。賢慮セヨ君、再ビ赤壁ノ愚ヲ繰返スコトナキヲ。

建安十八年春二月呉侯孫権書。

ふと、書簡の裏を見ると、また、

足下不死
孤不得安

と、書いてある。

曹操は苦笑して、次の日、

「帰ろう」

あっさりと、引揚げを命令した。

呉軍も、それを見て、みな秣陵の建業（南京）へ帰った。

孫権はすっかり自信を得て、

「曹操すら恐れて帰った。いま玄徳は蜀境に動いている。この時をおかず荊州へ進もうではないか」と、群臣に諮った。

宿老の張昭は、いつも若い孫権に歯止めの役割をしていたが、このときも次のようにいった。

「蜀の劉璋へ、一書をおつかわしあって、玄徳は呉へ後詰を頼んできている。必ずや蜀を横奪する考えにちがいない、とまず劉璋を疑わせ、また漢中の張魯へも、物資軍需の援助を云いやり、しばらく玄徳を苦しませて、後おもむろに荊州を取るのが一番の良策でしょう」

上・中・下

一

葭萌関は四川と陝西の境にあって、ここは今、漢中の張魯軍と、蜀に代って蜀を守る玄徳の軍とが、対峙していた。

攻めるも難、防ぐも難。

両軍は悪戦苦闘のままたがいに譲らず、はや幾月かを過していた。

「曹操が呉へ攻め下ったという報らせが来た。濡須の堤をはさんで、魏呉、死闘の大戦を展開中であるという。……龐統、いかがしたらよいか」

玄徳がたずねた。答える者は、龐統。孔明に代って従ってきた唯一の軍師である。

「遠い遠い江南の大戦。ここの戦局には、何もかかわりはないでしょう」

「いや、大いにある」

「なぜです？」

「もし曹操が勝てば、ひるがえって、荊州も併せ呑んでしまうであろうし、また呉の孫権が勝利を得れば、その勢いにのって、進んで荊州をも占領するであろうことは、火をみるよりも明らかである。いずれにせよ、わが本国の荊州にとっては、滅亡もまぬかれぬ危機ではないか」

「孔明がおります。荊州の留守について、そんなご心配を征地で抱かれるなどと聞いたら、孔明は嘆きましょうよ。――自分はまだそんなにも君のお力となるに足らない者かと」

「そうかな……」

「むしろこの際、その聞えを利用して、蜀の劉璋へ一書をお送り下さい。いま曹軍が南下したので、呉の孫権から、荊州へ救いを求めにきている。呉と荊州とは、唇歯の関係にあるし、姻戚の義理もある。――依って駈けつけねばならないが、魏の曹軍に対しては、いかんせん兵力も兵粮も足らない。精兵三、四万に兵粮十万石を合力されたい。……こう云ってやってごらんなさい」

「ちと、求めるのが、莫大すぎはしないか」

「同宗のよしみと、こんどのことを恩にきせて、ともあれそれくらいな要求をしてみると、劉璋の心底も見当がつきましょうし、巧く望みどおりの力を貸してくれれば、そのあとで龐統にもいささか策がありますから」

「それもよかろう」

使者は、成都へ向って行った。

途中、涪水関（重慶の東方）にかかると、その日も、山上の関門から手をかざして、麓の道を監視していた番兵が、

「玄徳の部下らしく、小旗を持った荊州の使者が、今これへかかって来ます。通しますか、拒みますか」と、蜀の二将、楊懐と高沛の前に告げた。

山中の退屈まぎれに、二人は碁を囲んでいたが、玄徳と聞くと、すぐ眼角をたてて、

「待て待て。滅多に通すな」と、番兵を戒め、何か、首をよせて、相談していた。

成都におもむく使者は、玄徳の書簡を、関門役人に内示した。見せなければ通さん、というのでぜひなく証拠として示したのである。高沛と楊懐は陰で読んでしまった。

「お通りなさい」

ゆるされて、書簡も返されたが、大将楊懐が兵をつれて、

「成都までご案内申す」と、ついて来た。

いまや蜀の内部には、反玄徳気勢がたかまっていた。楊懐もそのひとりで、早速、劉

璋の前へ出て、こう進言した。

「玄徳から莫大な兵と粮食を借り求めてきたようですが、決してお貸しになってはいけません。彼の野望の火へ、わざわざ乾いた柴を積んでやるようなものでしょう」

劉璋は相かわらず煮えきらない顔いろである。恩義もあるし、同宗の誼みもあるし、などと口のなかで繰り返している。それを見て、侍将のひとり劉巴、字は子初というものが、

「わが君。私情にとらわれて国を亡し給うな。彼に粮を与え、兵をかすは、虎に翼を添えて、わざとこの国を蹂躙せよというようなものです」

居合せた黄権もまた進み出て、

「楊懐、劉巴のことばこそ、真に国を憂うる忠誠の声とぞんずる。何とぞ、ご賢慮をたれ給え」

と、口をすっぱくして諫めた。

こう重臣のすべてが反対では劉璋もそれに従わざるを得ない。

しかしただ断るのもわるいというので、戦線には用いられないような老朽の兵ばかり四千人と穀物一万石、それに廃物にひとしい武具馬具などを車輌に積んで、使者と共に、玄徳へ送りとどけた。

玄徳はその冷淡に怒った。

二

彼が怒ったのはめずらしい。

劉璋の返簡を、使いの前で裂き捨てて見せた。

「わが荊州の軍は、はるばるこの蜀境に来て、蜀のために戦い、多くの人命と資材を費やしているのに、わずかな要求を惜しんで、粮も兵も、こんな申し訳ばかりのものを送ってくるとは何事か、これを眼に見た士卒に対し、どういう辞をもって、よく戦えと励ますことができるかっ。——立ち帰ってよく劉璋に告げるがいい」

輸送に当ってきた奉行はほうほうの態で成都へ帰った。

そのあとで、龐統が、

「由来、皇叔というお方は仁愛に富まれ、怒ることを知らない人といわれていましたのに、今日のご立腹は近ごろの椿事でした。あと味はどうですか」

「たまにはよいものと思った。——が先生、このあとの策は予にないのだ。何ぞ賢慮はないかな」

「策は三つあります。どれでもわが君の意に召した計をお採りになるがよいでしょう。一策は、今からすぐ昼夜兼行で道をいそぎ、有無なく成都を急襲する。このこと必ず成就します。故にこれを上策とします」

「む、む」

「第二は、いま詐って、荊州へ還ると触れ、陣地の兵をまとめにかかる。すると楊懐、高沛などは、かねてより希望していることですから、かならず面に歓びをかくし口に惜別を述べて送りにきましょう。そのときこの蜀の名将二人を一席に殺して、たちまち兵馬を蜀中へ向け、一挙、涪水関を占領してしまう。これは中策と考えられます」

「む、む。もう一計は」

「ひとまず、兵を退いて、白帝城にいたり、荊州の守備を強固となし、心しずかに、次の段階を慮ることこれです。……が、これは下策に過ぎません」

「……下策はとりたくない。また第一の案も急に過ぎて、一つ躓けば、一敗地にまみれよう」

「では、中計を」

「中庸。それは予の生活の信条でもある」

日を経て、成都の劉璋の手許へ、玄徳の一書がとどいた。それには、呉境の戦乱がいよいよ拡大して来たことを告げ、荊州の危急はいま援けにゆかなければ絶望になる。まこと本意ないが、葭萌関には誰か良い蜀の名将をさし向けられたい。自分は急遽、荊州へかえると――認めてあった。

「それみい、玄徳はかえるというて来たではないか」

劉璋はかなしんだ。

しかし、反玄徳勢力は、ひそかに胸で凱歌を奏している。

ひとり悶えたのは、大勢(たいせい)をここまで引っ張ってきた張松である。彼の立場は当然苦境に落ちる。

「そうだ」

邸に帰ると、張松は、筆をとって、玄徳へ激励の文を書いた。折角、ここまで大事をすすめながらいま荊州へ引揚げては、百事水泡に帰すではないか。何ぞ一鞭して、あなたはこの成都へやって来ないか。実に遺憾だ。成都の同志は首を長くしてあなたの兵馬を待っているものを。

そう書いているところへ「お客さまです」と、家人が告げにきた。

張松はあわてて手紙を袂(たもと)へかくして、客間へ出てみた。見ると酒好きな兄の張粛(ちょうしゅく)が、もう酒の瓶(かめ)をあけて飲んでいた。

「なんだ。あなただったのか」

「顔いろが悪いじゃないか」

「つかれですよ、公務がいそがしいので」

「つかれなら薬を飲め。さあ、酌(つ)いでやろう」

張松も思わず酒をすごした。兄はなかなか帰らない。長尻(ながじり)につられて彼も酔った。そのうちに二度厠(かわや)へ立ったが、急に、兄の張粛は帰るといって出て行った。間もなく、入れ代りに、成都の兵がどやどやと入ってきた。有無をいわせず張松を搦(から)め捕り、家人召使い、一人のこらず拉致(らっち)して行った。

翌る日、市街の辻に、首斬りが行われた。みな張松の一家であった。罪状書の高札には、売国奴たる大罪が箇条書してある。直訴人はその兄だったと街のうわさは喧しい。その兄と飲んでいるうち張松が酔中に袂から落した自筆の手紙が証拠になったものだという。

酒中別人

一

葭萌関を退いた玄徳は、ひとまず涪城の城下に総軍をまとめ、涪水関を固めている高沛、楊懐の二将へ、

「お聞き及びのとおり、にわかに荊州へ立ち帰ることとなった。明日、関門をまかり通る」

と、使いをやって開門を促しておいた。

高沛は手を打って、

「楊懐、絶好な時が来たぞ。明日、玄徳がここを通過したら、軍旅の労をねぎらわん

と、酒宴を設けてその場で刺し殺してしまおう。——蜀の憂患を除くためだ。抜かり給うな」

と、ここでは二人が手に唾して夜の明けるのを待っていた。

翌る日、玄徳は大行軍の中にあって、龐統と駒をならべ、何か語りながら涪水関へ向って来た。

すると、一陣の山風に、旗竿の竿が折れた。玄徳は、眉を曇らせて、

「や、や。これは何の凶兆か」

と、駒を止めた。

龐統は、一笑して、

「これは天が前もって凶事を告知してくれたものです。故に、凶ではありません。むしろ吉兆というべきでしょう。——思うに楊懐、高沛がきょうこそ君を刺殺せんと待ちうけているものと考えられる。わが君、ご油断あそばすな」

「そのことならば」

と、玄徳は、身に鎧を重ね、宝剣を佩き、悪鬼羅刹も来れと、心をすえて更に駒をすすめた。

龐統は、幕将の魏延、黄忠などに、何事かささやいて、一歩一歩のあいだにも、戦態を作りながら前進していた。

すでに、関門の大廈が、近々と彼方の山峡に見えた頃である。

楽を奏しながら、錦繡の美旗をかかげて、彼方から来る一群の軍隊がある。

真先に来た大将がいった。

「今日、荊州へご帰還あるという劉皇叔におわさずや。遠路の途中をおなぐさめ申さんがため、いささか粗肴と粗酒を献じたく、これまでお迎えに出たものです。何とぞお納めをねがいたい」

龐統が出て挨拶した。

「これはこれは過分な礼物。皇叔にもいかばかりお歓びあるやしれません。高沛、楊懐の二兄にもよしなにお伝えおき下さい」

「いずれ後刻、陣中お見舞に伺う由ですが、とりあえず、酒肴をお目にかけよとのことに、あれへ品々を担わせて来ました」と、おびただしい酒の瓶、小羊、鶏の丸焼きなどを、それへ並べて帰った。

一行はそこに幕舎を張って、酒の瓶を開き、山野の風物に一息いれながら、杯を傾けて休息していた。そこへ高沛と楊懐が、兵三百を供につれて、

「お名残り惜しいことです。せめて今日は、親しくお杯を賜わりたいもので」

と、素知らぬ顔をもって陣中見舞に訪れた。

「さあ、どうか」

迎え入れて、幕舎の酒宴は賑わった。——玄徳が常に似合わずよく飲むので、龐統は心配していたが、そのあいだに、かねて云い含めておいた通り、関平、劉封の二人は、

席を抜けて、外にいた三百余の関門兵を、遠くへ引退がらせてしまった。

そして引返すと二人は幕の陰からおどり出て、

「刺客っ。神妙にしろ」

と、不意に、楊懐を蹴とばし、高沛に組みついて、うしろ手に縛りあげてしまった。

「何をするかっ。客に対して」

楊懐が、威猛高に吼えると、関平は彼のふところを探って、秘していた短剣を取りあげた。高沛のふところからも短剣があらわれた。

「これを何に使うつもりで来たか」

と、突きつけると、

「剣は武人の護りだっ」

と、屈せずにいう。

関平、劉封は共に腰なる長剣を抜いて、

「武人の護りとは、こういう正々堂々の剣をいうのだ。この護りは、以て、卑劣なる汝ら害獣を天誅するために研がれている。さ、斬れ味をみろ」

と、幕外へひき出して、有無をいわせず、二つの首を落してしまった。

二

「わが君。何を無言にふさぎこんでおられますか」

「今、ここでともに酒をのんでいた高沛、楊懐がもう首になったかと思うと、あまり快い気がしない」

「そんなお気の弱いことで、よく今日まで、百戦を経ておいでになりましたな」

「戦場はまたちがう」

「ここも戦場です。まだ涪水関は占領していません」

「高沛、楊懐が供につれて来た三百の関門兵はどうしたか」

「そっくり捕虜にしてあります。いま一網にして酒をのませ、肴を喰らわせているので、彼らは狂喜している様子で」

「なぜ擒人の兵にそんな馳走するのか」

「黄昏まで、歓楽させておきましょう。その後、彼らを用いる一計がありますから」

龐統が小声に何かささやくと、玄徳はうなずいて、妙案妙案と呟いた。

日の暮るるまで、幕舎のまわりでは、歌曲の声が湧き、時々歓声があがり、酒宴はやまずに続いているような態であった。

「星が出た」

一吹の角笛とともに、龐統は一軍をあつめて、徐々、涪水関の下へ近づいて行った。

先頭には、捕虜の関門兵三百を立たせていた。この者どもはもう完全に寝返って、龐統の薬籠中のものになっているらしい。岩乗絶壁のような鉄門の下に立ってこう呶鳴った。

「楊将軍、高将軍のお戻りであるぞ。開門開門」

昼間の出来事は何も知らない関門の蜀兵は、声に応じて、

「おうっ」

と、鉄扉(てっぴ)を八文字に開いた。

「すすめっ」

喊声(かんせい)をあげながら、怒濤の兵は関門へ突入した。ほとんど、衂(ちぬ)らずに、涪水関は占領された。

玄徳は直ちに、諸軍をわけて要害の部署につかせ、

「蜀すでにわが掌にあり」

と、三度(みたび)の凱歌をあげさせた。

山谷のどよめく中に、庫中(こちゅう)の酒は開かれ、将士は祝杯をほしいままにした。

玄徳も昼から酒に親しんでいたので、夜半から暁にかけて、幕僚の将を会して杯をかさねると、泥のように酔ってしまった。

大きな酒瓶にもたれて、彼は前後も知らず眠り始めた。ふと、眼をさましてみると、

龐統はまだ独り残って痛飲している。

「まだ、夜は明けぬか」

龐統は笑って、

「とうに小鳥がさえずっていますよ。どうです、もう一献(こん)」

「いや、夜が明けたら、酒どころではない」

「でも、人生の快味は、こういう時ではありませんか」

「そうだ。ゆうべは実に愉快だったな。酒を飲みつつ一城を奪ったようなものだ」

「ヘエ、そんなに愉快でしたか」

と、龐統は例のひしげた鼻に皮肉な小皺をよせて、

「——人の国を奪って、楽しみとするは、仁者の兵にあらず、あなたらしくもありませんな」

玄徳は酔後の顔を逆さまになであげられたような気がしたのだろう。むっとして色をなしてすぐ云った。

「昔武王は、紂を討って、初めに歌い、後に舞ったという。武王の兵は、仁義の兵でなかったか。ばか者っ、退け」

龐統は恐れをなして、匆々に退出した。玄徳はまだ酔っていたとみえる。左右の者に介添えされて、ようやく後堂の寝所へはいった。

大睡の後、眼をさまして、衣を着かえていると、近侍の者から、

「今朝ほどは、大へんなご剣幕で、さすがの龐統も、胆をちぢめて引退がりましたよ」

と、酔態を語られて、

「えっ、そんなに彼を叱ったか」

と玄徳は急に、衣を正して、龐統をよんだ。そして辞を低うして、

「先生。今暁の無礼は、酔中の不覚、ゆるしてください」

といった。

龐統は耳のない人間みたいに黙っていたが、玄徳が重ねて詫びると、初めて口を開き、

「君臣ともに、酔中の浮魚。戯歌水游、みな酒中のこと。酒中別人です、酒中別人です。わたくしの皮肉もお気にかけて下さるな」

と、共々、手をたたいて、朗らかに笑った。

魏延と黄忠

一

玄徳、涪城を取って、これに拠る。――と聞えわたるや、蜀中は鳴動した。

とりわけ成都の混乱と、太守劉璋の愕きかたといったらない。

「料らざりき、今日、かくの如きことあらんとは」

と、痛嘆する一部の側臣を尻目にかけ、劉璝、冷苞、張任、鄧賢などは、

「それ見たことか」

と、自分たちの先見を誇ってみたものの、いまは内輪もめしていられる場合でもない。

「お案じあるな、われわれ四将が、成都の精鋭五万をひっさげ、直ちに馳せおもむいて、雒県の嶮に彼らを防ぎ止めますから」

劉璋もいまは、迷夢からさめたように、

「よいように」

と、それらの人々に防ぎを一任するしかなかった。

大軍の立つ日である。四将のひとり劉璝が他の三将に諮った。

「前々から聞いていたことだが、錦屏山の岩窟にひとりの道士がいるそうな。紫虚上人といわれ、よく占卜を修め、吉凶禍福の未来を問うに、掌をさすようによくあたるという。いま玄徳に向って成都の大軍をうごかすにあたり、勝か敗かひとつ卜わせてみるのも無駄ではあるまい。易によって、また大利を得るかもしれん。どうだろう諸公」

張任は笑って、

「ばかを云いたまえ、一国の興亡を負って、その軍を指揮するものが、山野に住む一道士の言を訊かねば、戦う自信が持てないようなことでは、士気を昂揚することもできはしない」

「いやいや、何も戦に臆して、吉凶を卜わせようというわけではない。この一戦こそ蜀の運命を左右するものだから、万全を期して、凶を招くようなことは、少しでも踏むまいと念ずるからだ。これも国を思えばこそで、決して単なる迷いや臆病からいうのではない」

「それほどに仰せあるなら、何も強いて止めはせん。貴公ひとりで訪ね給え」

「よろしい、行ってくる」

部下数十騎をつれて、劉璝はすぐ錦屛山へ登った。

一窟の前に、紫虚上人は、霧を吸って、瞑想していた。

劉璝がひざまずいて、

「上人。何が見えますか」

と、たずねた。

紫虚上人は、ぶあいそに、

「蜀中が見えるよ」

と、いった。

かさねて、劉璝が、

「西蜀四十一州だけですか。天下は見えませんか？」

すると、紫虚上人は、

「よけいなことを訊かいでもいいじゃろう。御身の知りたがって来たことだけに答えてやる。童子」

と、うしろにいた子供に命じて、紙と筆をとりよせ、一文を書いて、劉璝へさずけた。

読んでみると、

左龍右鳳
飛入西川
鳳雛墜地
臥龍昇天
一得一失
天数如然
宜帰正道
勿喪九泉

「上人。……蜀は勝つでしょうか」

「＊定業のがれ難し、じゃよ」

「われわれ四将の気数運命はどうでしょう」

「定業の外ではあり得ない」

「というと？」

「それだけだよ」

「では、玄徳の軍は、蜀において成功しますか、それとも失敗しますか」

「一得一失。それに書いてあるのを見ないか。くどい。もう問うな」

眼をふさぐと、石みたいに、もう何を訊いても、返辞をしなかった。

劉璝は、山を降りて、

「慎まねばいかん。どうも蜀にとって良い予言ではないようだ」

と、三将へ伝えると、張任はひどくおかしがって、

「いやはや、劉璝は迷信家だ。山野の狂人の譫言をそれほどに尊重するなら、馬のいななきにも、狗の啼き声にも、いちいち進退を問わねばなるまい。——外敵に当るまえに、まず心中の敵を退治るのが肝要。いざ、迷わずに」

と、即日、軍をすすめた。

二

雒県の山脈と、往来の咽喉を扼している、雒城の要害とは、ちょうど成都と涪城のあいだに在る。

涪城から玄徳が放しておいた斥候の一隊は、倉皇と立ち帰ってきてこう報らせた。

「蜀の四将が、全軍五万を、二手にわけて、一は雒城をかため、一は雒山の連峰をうしろにして、強固な陣地を構築しております」

玄徳はすぐ諸将に諮った。

「敵の先陣は、蜀の名将、冷苞、鄧賢の二将と聞く。これを破るものは、成都に入る第一の功名といえよう。誰かすすんでそれを撃破してみせるものはないか」

すると、幕将のうちでもいちばん老いぼれて見える老将黄忠が、身をゆるがして、

「此方にお命じください」と、いった。

云い終るか終らぬうちに、それとはまるで声からしてちがう若者が、

「あいや、老黄忠のお年では、ちと敵が強過ぎよう。その先陣は、それがしにお命じ賜わりたい」

と、横からその役を買って出た。

誰かと見れば、魏延(ぎえん)である。序戦の勝敗は大局に影響する。なんぞ老将の手を借らんやと、魏延は気を吐いて、切に自身先鋒たらんことを希(ねが)った。

「これは異(い)な仰せかな」

と、老黄忠も黙っていない。

「ご辺が魁(さきがけ)の功名をねがわるるはご随意だが、この黄忠を無用のごとくいわるるは聞きずてならん。何故、此方には勤まらぬといわれるか」

詰め寄ると、魏延、

「あらためて申すまでもない。老いては血気弱く、あなたばかりではなく、誰にせよ、強敵を破るはまず難しいというのが常識であろう」

「お黙りなさい。老骨は必ず若い者に敵せぬという定則はない。むしろご辺のように、ただ若きにのみたのむ者こそ危ないといわねばなるまい」

「お年寄とゆるして程よく答えておれば口幅ったい広言。しからばいま君前において、いずれの志力腕力が秀でておるか勝負に及ばん。黄忠どの、起てっ」

「おう、否(いな)みはいたさぬ」

と、黄忠も階をおり、魏延も堂をおりて、すんでに、若虎老龍が戈をとって闘おうとする様子に、玄徳は驚いて堂上から一喝に制した。

「ふたりとも控えぬか。ここに私闘を演じてわが軍に何の利があるぞ。敵を前に両名とも大人げない争い。断じて汝らには、わが先鋒の大役は命ぜられぬ」

叱られて、黄忠も魏延も、共に地へひざまずき、面目なげに、うつ向いてしまった。

――と、龐統が、玄徳の気色をとりなして、かくまでに熱望するものを他人に命ぜられては、せっかくの英気をいたく挫きましょう。かくなされては如何と、一策を出して、玄徳の許容を求めた。

もとより玄徳も本心から怒ったのではない。むしろ幕下の大将がかくまで旺盛な戦意を抱いていることは彼としてよろこばしいほどであったから、

「龐統にまかせる。よいように裁け」といいつけた。

で、龐統が二人へいうには、

「いま蜀の冷苞、鄧賢の二将は、雒山山脈を負うて左右二翼にわかれて陣取る。御身らも二手にわかれて各〻その一方に当れ。いずれでも早く敵陣を粉砕して味方の旗を掲げたものを第一の功名とするであろう」

黄忠、魏延は勇躍して進軍した。龐統はまた玄徳にいった。

「あのふたりは必ず途中で味方喧嘩をしますよ。君にも即刻、兵をつれて彼らの後陣におつづき下さい」

「涪城の守りは」

「龐統が承ります」

「さらば」と、玄徳もまた用意して、関羽の養子関平と、劉封の二将をつれ、その日ただちに雒県へ急いだ。

三

黄忠勢、魏延の勢、ほとんど一軍のように、やがて敵前に、先鋒の備えを立てた。

魏延は、物見の兵に訊ねた。

「どうだ。黄忠の軍勢も、もう布陣を終ったか」

「整然と終っています。夕刻を過ぎてから、ふたたび兵糧を炊ぐ煙があがっていましたから、察するに、深更、陣を払い、左の山路をとって夜明けに敵へ攻めかかろうとしているのではないかと思われます」

「そいつは、油断がならぬ。ぐずぐずしていると、黄忠にだし抜かれよう」

魏延の眼中には早、敵はない。ただ味方の黄忠に先んじられて、味方の者に面目を欠くことのみいたくおそれた。

いや、黄忠を押しのけて、独り功名を誇ろうとする気ばかり募った。

「わが隊は、二更に兵糧をつかい、三更にここを立つぞ」

魏延の命令は、士卒たちの予想をこえて、ひどく急だったから、一同は大いにあわてた。

元来、涪城を発するとき、二将は玄徳の前で、あらかじめ作戦の方針を聞き、

（黄忠は敵の冷苞に当り、魏延は鄧賢の陣を突破する）

と約束してきたのであるが、ここに来てから魏延の思うらく、

（それだけでは、さまでの功ともいえない。自分一手で、冷苞の陣も破り、続いて、鄧賢の軍も粉砕して、老黄忠の鼻をあかしてくれねばならん）――と。

そこで彼は、にわかに、陣払いの時刻を早め、道もかえて、黄忠の進むべき左の山へ進路をとった。

夜どおし山を踏み越えてゆくと未明に敵陣が見えた。

「見ろ。敵は霧の底にまだ眠っている。一気に蹴やぶれ」

どっと、山を離れて、敵営へ迫った。

「来たか、魏延」

思いがけなくも、敵は八文字に営門をひらいて、堂々、彼の軍を迎え一斉に弓鉄砲を撃ちだした。

冷苞はその中から馬をすすめて魏延に決戦を挑む。望むところと魏延は大いに戦ったが、そのうちに後方から崩れだした。

「はて？」と、気をくばってみると、不覚不覚、山路のほうから敵の伏兵が現れたらしい。いつのまにか魏延の隊は腹背ともに攻め鼓につつまれていた。

「南無三」

魏延は冷苞を捨てて野の方、五、六里も逃げ退いた。

ところが、野末の森や山ぎわからむらむらと起ってきた一軍が、

「魏延魏延。どこへ行く気か」

「快く降参してしまえ」

と、口々に呼ばわりながら鼓を鳴らし喊声を震わせておいつつんで来た。

「やや。鄧賢の兵か」

魏延は、狼狽して、また逃げ道をかえた。

「卑怯ッ」

誰か、追ってくる。

振り向いてみると、これなん蜀の猛将鄧賢だった。

「待て、魏延ッ」

鄧賢は、大槍を頭上に持って、悍馬の背にのびあがった。

あわや、槍は飛んで、魏延の背を串刺しにするかと思われた。

そのとき一本の白羽箭が風を切ってどこからか飛んできた。あッと、虚空へ絶叫をあげたのは鄧賢だった。白い矢は彼の喉ぶえ深く喰いついていたのである。長槍を持ったままその体は勢いよく地上へ転げている。

鄧賢の戦友冷苞は、それと見るや鄧賢に代って、さらに、魏延を追いまわした。魏延

の周囲にはもう味方の一兵も見えなかった。

するとたちまち、堂々の金鼓、颯々の旗、一彪の軍馬は、野を横ぎって、冷苞勢の横を打ってきた。

「黄忠ここにあり、怯むなかれ魏延」

真先にあるは老将黄忠であった。弓を持っている。矢を放って、先に彼の危急を救ったのも、彼だった。

この奇襲に、冷苞の勝色は、たちまち変じて、敗色を呈し、算をみだして、劉璝の陣地へ退却して行ったが、おどろくべし、そこの営内にはすでに見馴れない他人の旗が翩翻とたなびいていた。

四

先に廻って、ここを占領していたのは、玄徳の命をうけた関平の一軍だった。

「や、や。いつのまに」

冷苞は帰るに陣もなく、狼狽の極、馬をめぐらして山間へ逃げこんだ。

「かかったぞ。網の中に」

たちまち、熊手や投げ縄が、八方の叢林から飛び出して、彼を馬の背から搦め落した。

「大物を捕ったぞ」

ここに彼を待って奇功を獲たのは、魏延であった。魏延の得意なことはいうまでもない。

実は、彼としては、軍法を犯してまで黄忠を抜駈けしたものの、序戦には大敗を喫し、多くの兵を損じたので、(何か一手柄たてねば味方の者にあわせる顔もないが)と、独り焦躁していたところに敵の一大将を捕虜にしたのであるから、その満足感はなおさら大きかった。

蜀兵の捕虜は、このほかにもおびただしく玄徳の後陣へ送られてきた。とまれ第一戦はまず味方の大勝に帰したわけであるから、玄徳は将士に恩賞を頒(わか)ち、降兵はことごとくゆるして、それぞれの部隊に配属させた。

ときに、老黄忠は、玄徳の前に出てこう訴えた。

「抜駆けは軍法の大禁。魏延はまさに公然それを犯したものです。ご処分を下し給わねば軍紀の紊(みだ)れとなりましょう」

「魏延を呼べ」

玄徳の使いに、魏延は直ちに、虜将冷苞(りょしょうれいほう)を自身でひいて来た。

それを見ると玄徳は、この若い勇将を軍法に処す気になれなかった。その愛を内に秘めて彼はこう魏延を叱った。

「聞けばそちは、すでに危ういところを、黄忠の矢に救われたというではないか。予のまえで黄忠に恩を謝せ」

魏延は、黄忠に向って、

「貴公の一矢がなければ、鄧賢のために討たれていたかも知れない。つつしんで高恩を謝します」と、ひざまずいて頓首した。

玄徳はそれを見ながら、もう一言詫びよといった。魏延は抜駈けのことだと察したので、

「それがし、若輩のため、気のみはやって、時刻や進路をあやまり、自ら危地へ陥ったこと、面目もありません。しかしこれもみな一途君恩に応えんためのみ、どうかご寛容ねがいたい」

黄忠はもう何もいえなくなった。玄徳は老黄忠の年にめげなき働きを賞して、

「目ざす成都に入城したあかつきには必ず重く賞すであろう」と、約した。

玄徳はまた捕虜の大将冷苞を説いて、

「君に鞍馬を与えよう。雒城へ帰って、君の友を説き、城をひらいて無血に予へ渡されい。しかる後には、かならず重く用い、卿らの一門にも、以前にまさる繁栄を約束するが」

縄を解かれた上、ねんごろに陣外へ放されたので、冷苞は大よろこびで雒城へ飛んで行った。——魏延は見送って、

「あいつ、きっと、帰ってきませんぞ」

と、いまいましげに呟いたが、玄徳は、

「帰らなければ、彼が信義を失うので、予の仁愛の主義に傷はつかない」

と、いった。

果たせるかな、冷苞は帰らない。雒城へ入ると、味方の劉璝や張任に会って、

「いちどは敵に生け捕られたが、番の兵を斬り殺して逃げてきた」

と偽り、序戦は敗れたかたちだが、玄徳の如き、何ものでもない。などと敗将の気焔はかえって旺盛なものだった。

「何よりは、もっと兵力を」

と、この三将から成都へ頻々と援軍が求められた。

ほどなく、劉璋の嫡子劉循、その祖父呉懿、二万余騎をひきいて、雒城へ援けにきた。この軍のうちには、蜀軍の常勝王といわれた呉蘭将軍、雷同将軍なども加わっていた。

だが総帥は、その年齢からいっても、太守劉璋の舅たる格からいっても当然、呉懿その人であった。

「いま、涪江の水嵩は高い。敵の陣地を一水に洗い流してしまえ」

呉懿はここへ着くとこういう命令を出した。そこで五千の鋤鍬部隊は、夜陰を待って、涪江の堤防を決潰すべく、待機を命じられた。

短髪壮士(たんぱつそうし)

一

奪取した二ヵ所の陣地に、黄忠と魏延の二軍を入れて、涪水(ふすい)の線を守らせ、玄徳はひとまず涪城へかえった。

折からまた、遠くへ行った細作(ものみ)が帰ってきて、蜀外の異変をもたらした。

「呉の孫権が、漢中の張魯(ちょうろ)へ、謀略の密使をさし向けました。呉は満腔の同情をもって、貴国へ対し、兵力軍需の援助を惜しまぬものであると。――煽(おだ)てに乗って張魯はたちまち力を得、かねての野望を達せんと、漢中軍をもって葭萌関(かぼうかん)へ攻めかかりました」

玄徳は驚倒せんばかり顔いろを変えた。すぐ龐統(ほうとう)をよび、

「もし葭萌関を張魯に扼(やく)されてしまったら、蜀と荊州の連絡は断たれ、退くも進むもできなくなる。誰を防ぎにやったらよかろう」

「孟達(もうたつ)がよいでしょう」

すぐ孟達は呼ばれた。けれど彼はこう献策して、もう一人の大将を求めた。

「もと荆州にいて、劉表の中郎将だった霍峻というものが、ご陣中に従っております。地味な人物で、これまでも余り華やかな軍功はありませんが、この人と共に行くなら、万全を期せられるかと思います」

「望みにまかせる」

ゆるされて、霍峻にも同様の命が下り、即日ふたりは葭萌関の守備に急いだ。

その出立を励まして、龐統が仮の自邸へ帰ってきた日である。居室に落着いていると、門衛の者が、あわてて、

「変なお客が見えましたが」と、主人の意を伺いにきた。

「変な客？……いったいどんな風采をした男かね」

「身長七尺もありそうです。おかしいのは、髪を短く切って、襟の辺に垂らしていることで、容貌はまず、雄偉とでもいいましょうか。まあ、壮士でございますよ、ひと口にいえば」

「どれ、どれ」

無造作な主は、ずかずか自分で出て行ってみた。

見ると、玄関を上がって、そこの床の上に、仰向けに寝ている男がある。浪人生活は自分も長年体験している龐統も、この不作法な壮士には、あきれ顔に、眼をみはった。

「おい。先生」

「やあ、君が主人か」

「主人かもないもんだ。いったい足下は、どこの何者だ」

「汝は客を敬うことを知らんか。まず礼を尽せ。その後に天下の大事を語ろう」

「おどろいたな」

「何を愕く。龐統ともあろうものが」

「はははは。まず起き給え」

「まず酒食の支度をさきにしろ」

「もうできている」

「では通ろう。どこだ」

「こちらへ来給え」

室へ導いて、上座を与え、酒食をすすめると、遠慮などはしない。飲むだけ飲むと、ごろりと横になって寝てしまった。

だが、天下の大事はなかなか云いださない。そのうちに、飲むだけ飲むと、実によく喰う。また痛飲する。

「ひどい奴もあるものだ」

その不敵さに、舌を巻いていると、法正が急ぎ足にやって来た。法正なら蜀の事情にも人物にも通じているにちがいないから、客の飲んでいるあいだに、使いを走らせて、招いたのである。

「やあ、ご足労をわずらわして申しわけない。実は、そこに大酔して眠っている人間だが、いったいこれは何者ですかな」

法正は、その寝顔をのぞきこむと、手を打って、

「永年だ。これは、永年という愉快な男ですよ」と、いった。

その声に眼をさまして、永年はむくむくと起き出した。

そして顔を見合うと、

「なんだ、法正か」と、おたがいにまた、手をたたいて笑った。

龐統は、呆っ気にとられて、

「親友か、おふたりは」と、たずねた。

「そうです」と、法正は誇るように肯定して、かつ紹介した。

「この人は、彭義、字を永年といい、蜀中の名士です。ところが、主君劉璋に直言を呈し、あまり強く諌めたため、官職を剥がれた上に、髪を短く切られ、奴の仲間へ落されてしまったのですよ。あはははは」

「わははは」

他人事みたいに、永年も一緒になって笑っている。

二

蜀に入る前は、蜀は弱しと聞いていた。国に人物なしという評も信じていた。ところが、案外である。士卒は強く、人材は多い。

真の国力は、その国に事が起ってみないと分らない。

龐統はふとそんなことを感じながら、客の永年にあらためて礼をほどこし、また法正をも誘って、

「せっかく先生の来臨。劉皇叔にもおひき合せしたいが」

と、いうと、法正は、

「どうだね永年。涪城まで行ってくれるか」と、友に訊く。

永年はきっぱりと、

「行くとも、云いにきたのだ。玄徳に会えるならなお張り合いがある」と、いう。

三名は連れ立って、早速、涪城へ上った。玄徳に会うと、永年はたちまち胸をひらいて云った。

「この眼で小生がみるところでは、涪水の線にあるお味方は、実に、危ない死地に曝されてある。あれはご承知の上のことか」

「黄忠、魏延の二陣をさして仰せあるか」

「もちろん」

「危ないとは、何故ですか」

「あの辺一帯の平地は、広袤として、一目にちょっと気づかれぬが、仔細に地勢を察するなら、湖の底にいるも同じだということがわかるはずだ」

「え。湖の底に」

「されば、涪江の流れは、数十里の長堤に防がれておるが、ひとたび堤を切らんか、水は低きに従って、あの辺り一円深さ一丈余の湖底と化し、一人も助かるものはあるまい」

玄徳は驚いた。龐統もさすがにすぐ覚った。

「よくぞご忠言下された」

敬って、彼を幕賓となし、すぐ早馬をやって、魏延、黄忠の陣へ、

「堤防に心せよ」

と警報した。

こういう注意があったため、魏延の陣地でも、黄忠のほうでも、連絡を密にして、昼夜巡見を怠らずにいた。

そのため、雒城の鋤鍬部隊は、毎夜のように堤防をうかがうが、どうしてもこれの決潰に手を下すことができない。

とかくするうち一夜、雨風が烈しく吹きすさんだ。

「こよいこそは」と、五千の鋤鍬部隊は、墨のような夜をひそかに出て、涪江の堤に接近し、無二無三堤を決って、濁水を地にみなぎらせんと働いた。

ところが、思いもよらず、うしろのほうから、突如として伏兵が起った。暗さは暗し、敵の行動も人数もわからずで、鋤鍬部隊の五千は、同士討ちを起すやら、方角をちがえて後戻りしてくるやら、大混乱の中に、この夜の大将であった冷苞も見失ってしま

った。

冷苞は、逃げ走る途中、魏延に待たれて、またまた彼の手に生捕られてしまったのだった。

蜀の呉蘭、雷同の二将は、それと知って、彼を奪り返すべく、雒城を出て追いかけたが、道に黄忠の待つものあって、これまた散々に追い退けられてしまった。

で、冷苞は、翌る日ふたたび捕虜として、涪城へ送られた。

玄徳は、彼の不信を責めて、

「予は、足下に武人として礼を与え、また足下に仁義をもって宥した。しかるに、汝はその反対なものをもって予に酬いた。いまは汝の首を斬るも、一匹の蠅をたたくほどな憐愍も感じ得ない」

云い渡すと、すぐ将士に渡して城外で、首を刎ねさせた。

魏延、黄忠へは、賞状を送り、幕賓の永年には、結果を告げて、

「実に、あなたの一言は、わが軍に幸いした」

と、あつく礼遇した。

この前後、荊州から馬良が使いに来た。馬良は、荊州の留守をまもる孔明の命をうけ、その書簡を肌深く秘めて遥々もたらして来たのであった。

落鳳坡

一

「あら、なつかしの文字」

玄徳は、孔明の書簡をひらくと、まずその墨の香、文字の姿に、眸を吸われてから、読み入った。

龐統はその側にいた。

側に人のいるのも忘れて、玄徳は繰り返し繰り返し、孔明の書簡に心をとられている。

その真情の濃さ。遠く離れているせいもあろうが、何たる君臣の仲の美しさか。

「………」

龐統は胸のうちでため息をおぼえた。ふしぎなため息ではある。彼自身でさえ、自分のうちにこんな性格があったろうかと怪しまれるような気持が抑えきれなかった。それは嫉妬に似た感情だった。

「先生。孔明は留守にあっても絶えず予の身の上を案じているらしい。荊州は至極無事とは書いてあるが、近頃、天文を按じてみると、西方になお恒星かがやき、客星の光芒弱く、今年はなお征軍に利あらず、大将の身には凶事の兆しすらあり、くれぐれ身命をつつしみ給えと認めてある」

「ほ。そうですかな」

龐統は気のない返辞をした。

「――で、つらつら思うに、大事は急を思ってはならない。ひとまず使いの馬良は先に返し、予も荊州へ一度立ち還って、孔明と会った上よく協議してみたいと思う。それが万全と思うがどうだろう」

「さあ……？」

龐統はしばらく答えない。

彼は彼自身と胸のなかで闘っていた。抑えようもなく心の底にむらむら起ってくるふしぎな嫉み心を自ら辱じて、打ち払おうと努めていたが、結果は、われにもなくその理性と反対なことを口にだしていた。

「これは意外な御意。命は天にあり、豈、人にありましょうや。いま征馬をここまですすめながら、孔明の一片の書簡にお心を惑わされ給うなどとは、何たることですか」

ここまでいうと、龐統はもう真っ向に孔明の説に反対を唱える者になっていた。おそらく孔明は蜀において、この龐統が大功を納めてしまいそうな形勢をみて、ひそかにそれをそねんでいるにちがいない。で、何のかのと、意見を提出して、留守にいても玄徳の心をつかみ、西蜀征伐の功の一半を逸すまいという心があるにきまっている。

龐統は、こう取っていた。いつになく彼は舌にねばりをもって、なお玄徳へいった。

「不肖、それがしもまた、少しは天文を心得ています。暦数を考えるに、必ずしも今年は皇叔にとって大吉ではありませんが、さりとて悪年では決してない。また恒星西方にあることも知っていますが、それはやがて皇叔が成都に入るの兆しです。むしろ速やかに、兵をおすすめあれ。いつまで魏延、黄忠を涪水の線に立たせておくは下策です」

励まされて、玄徳は、次の日涪城を発し、前線へ赴いた。

「雒城の要害はまさに蜀第一の嶮。いかにせばこの不落の誇りを破り得ようか」

以前、張松から彼に贈った西蜀四十一州図をひろげて、玄徳はそれと睨みあっていた。

法正がまた一本の絵図を携えてきて、

「雒山の北に、一すじの秘密路があります。それを踏み越えれば、雒城の東門に達すということです。――またあの山脈の南にも一道の間道があって、それを進めば同じく雒城の西門に出るという。――この絵図と、張松の絵図とを、照し合せてごらん下さい」

仔細に見くらべると、まさにその通りであった。

玄徳は、信念を得て、

「軍を二つに分ち、統先生には北方の道をすすむがいい。予は一手をひきいて南から山を越えてゆき、目ざす雒城で落ち会おう」と、いった。

龐統は不足な顔した。なぜなら北山の道は広くて越えやすいが、南山の道は狭く甚だしく嶮岨であるからだ。彼の顔いろを見て玄徳はこう云い足した。

「ゆうべ、夢に怪神(けしん)があらわれて、予の右の臂(ひじ)を、鉄の如意(にょい)で打った。今朝までも痛む気がした。故に、軍師の身が気づかわれるのだ。いっそのこと、涪城へかえって、御身はあとを守っておらぬか」

もとより龐統は一笑に附して出発にかかった。ところが陣払いして立つ朝、彼の馬が妙に狂って、右の前脚を折った。そのため不吉にも彼は落馬の憂き目をみた。

二

龐統が落馬したのを見て、玄徳は馬から降りて、彼を扶(たす)け起した。

「軍師、なぜこんな癖の悪い馬に乗られるのか。馬をかえては如何(いかが)」

龐統は腰をなでて起きあがりながら、

「年久しく乗り馴れている馬で、かつてこんな悪癖を出したことはないのですが」

と、首を傾けた。

玄徳はふと眉を曇らせた。出陣に臨んでこんなことのあるのは決して吉兆ではない。自身の乗用していた素直な白馬の手綱をひいて、

「軍師。これへ乗ってゆくがいい。これなら過ちはない」と、彼に贈った。

君恩のありがたさに、龐統もこの時ばかりは眼のうちに涙をためていた。拝謝して、白馬に乗換え、ここで玄徳と別れて道を北の大路へとった。

後に思いあわせれば、進撃にやさしい大路へ向ったのが、かえって龐統一代の大禍の道を選んでいたのであった。

蜀軍随一の名将張任、蜀中の勇将呉懿、劉璝などの将軍たちは、さきに味方の冷苞を討たれて、遺恨やるかたなく、雒城の内に額をあつめて、一意報復を議していたが、折から前衛の斥候隊から、玄徳の大軍が南北二道にわかれて前進してくると伝えてきたので、

「御座んなれ。この時」と、ばかり、張任は各将軍と手筈をさだめ、自身は何か思うところあるか、屈強な射手三千人を選りすぐって、山道の嶮岨に伏せ、斥候の第二報を待ちかまえていた。

「見えました。確かに」

やがて、斥候頭が喘ぎ喘ぎ、ここへ来て張任へ告げた。

「ご推察にたがわず、これへ向ってくる敵軍の大将らしき者は、まさしく鮮やかな月毛の白馬に乗っています。今しも、その大将の指揮の下に、敵全軍は、炎熱をおかして、えいやえいやとこれへ攀じ登ってくる様子で――」

聞くと、張任は、

「さてこそ！」

膝を打って歓んだ。

「その白き馬に乗りたる者こそまぎれもなき劉玄徳。これへかからば、白馬を目じるしに狙いをあつめ、矢数石弾のあるかぎりあびせかけろ」と、三千の射手に命じた。

射手は、心得たりと、弩弓を懸つらね、鉄弓の満を持し、敵の来るも遅しとばかり待っていた。

——時は、夏の末。

草も木も猛暑に萎えて、虻や蜂のうなりに肌を刺されながら、龐統の軍隊は、燃ゆるが如き顔を並べて、十歩攀じては一息つき、二十歩しては汗をぬぐい、喘ぎ喘ぎ踏み登ってきた。

そのうちに、ふと前方を仰ぐと、両側の絶壁は迫り合って、樹木の枝は相交叉し、天もかくれるばかり鬱蒼たる嶮隘な道へさしかかった。

陽かげに入って、龐統は、ほっと肌に汗の冷えをおぼえながら、

「おそらく、こんな嶮しい山道は、蜀のほかにはあるまい。ここはそも、何という地名の所か」

と、途中で捕虜にした敵の兵にたずねた。

降参の兵は、言下に、

「落鳳坡とよび申し候」と、答えた。

「なに、落鳳坡？」

龐統は、なぜか、さっと面色を変えて、急に馬をとめた。

「わが道号は鳳雛という。落鳳坡とは、あら忌わし」

彼は馬を向け直した。そしてにわかに全軍へ向って、

「もどれ。もどれっ。道をかえて、ほかから越えろ」

と、鞭をさしあげて振った。

その鞭こそ、彼自身、死を呼ぶ合図となってしまった。

突然、峰谷も崩るるばかり石砲や火箭の轟きがこだました。

「あっ」

身をかくす隙もあらばこそ、矢風の中にいなないた彼の白馬はたちまち紅に染まり、雨よりしげき乱箭の下に、あわれむべし鳳雛先生——龐統は、稀世の雄才をむなしく抱いて、白馬とともに斃れ死んだ。時、年まだ三十六歳の若さだった。

三

蜀の張任は、白馬の主を、玄徳とばかり思いこんでいたので、絶壁の上から遠く龐統の死を見とどけると、

「敵の総帥は射止めたぞ。すでに首将を失った荊州の残兵ども一兵ものこさず蹴ちらして谷を埋めよ」と、歓喜して号令した。

山もゆるがす勝鬨をあげながら蜀兵はうろたえ惑う龐統軍へ喚きかかった。何かはた

まるべき、荊州の兵は、釜中(ふちゅう)の魚みたいにただ逃げ争って蜀兵の殺戮(さつりく)にたいし、手向う意志も失っていた。山を攀(よ)じ、谷へのぞんで逃げ出した兵も、猿(ましら)のように敏捷な蜀兵に追われ、その戈や槍から遁れることはできなかった。

このとき、魏延は龐統の中軍に先んじて、すでに遥かな前方へ進んでいたが、

「後続部隊に戦闘が起った——」

という伝令を受取って、

「さては、先鋒と主隊との連絡を断とうとする敵の作戦だろう」

ぐらいに考えて、進路を後へ引っ返してきた。

ところが、途中、聳(そび)え立つ岩山の横をくり抜いた洞門のてまえまで来ると、張任の一手が上から岩石や矢をいちどに注ぎ落した。

「だめだ。伏兵がいる」

「人馬の死骸と岩石のために、洞門の口も塞(ふさ)がってしまい、所詮、あとへ戻ることもできません」

前隊の者が押し返してきてのことばに、魏延もいまは進退きわまってしまった。

「よし、この上は、単独で雒城(らくじょう)まで押し通り、南路から越えてゆかれた皇叔の本軍と連絡をとろう」

ふたたび考え直すと、魏延は馬をめぐらして、さらに予定の前進をつづけた。

ようやく、雒山(らくざん)の背をこえ、西方の麓をのぞんで降りてゆくと、真下に雒城の西曲輪(にしくるわ)

が見え、蛾眉門、斜月門、鉄鬼門、蘿冠門などが、さらに次の山をうしろにして鋭い反り屋根の線を宙天にならべていた。

当然、それらの門々は、敵を見るや、警鼓戦鉦をうち鳴らし、煙のごとく軍兵を吐き出して、

「みなごろしにせよ」

と、魏延をかこんだ。

指揮するものは呉蘭、雷同、音に聞えた蜀の大将である。中軍をあとに残して、頭部だけで敵地に入った魏延はもとより討死を覚悟した。ただ、

「死出のみやげ」と、当るにまかせて血闘奮力の限りを尽した。

ときに突然、背面の山から、またまた、金鼓を鳴らし、喊声をあげて、この大血河へ、さらに、剣槍の怒濤を加えてきたものがある。

「うれしや、劉皇叔か」と思えば、何ぞはからん、張任の軍隊だった。

「全滅、ぜひなし」

魏延も、いまは観念した。

ところへ、南路の山道から、

「黄忠これに来る。魏延安んぜよ」

と呼ばわりながら、玄徳の先鋒が駆けつけて来た。玄徳の中軍も来た。ために、双方の戦力は伯仲して、いよいよ激戦の相をあらわしたが、玄徳は、龐統が見えないのを怪

しんで、

「退け。涪城へ」と、帰りには、街道の関門を突破して、引く潮のようにひきあげた。

関平、劉封などの留守隊は、涪城を出て、玄徳を迎え入れた。時早くも、

「軍師龐統は、山中の落鳳坡とよぶ所にて、無惨な討死をとげた」という事実が、逃げかえってきた残兵の口から伝えられた。

玄徳の悲嘆はいうまでもない。

「虫の知らせであったか」

と、後になっては、かずかずの兆らせを思い当るのだ。

*夕星白き下、祭の壇をきずいて、亡き龐統の魂魄を招き、遠征の将士みなぬかずいて袖をぬらした。

魏延、劉封などの若武者は、

「雒城をふみ潰さずには」

と、雪辱に逸り立ったが、玄徳は愁いを共に城門を閉じて、

「決して出るな」と、ただ堅きを守った。

そして関平を荆州へ急がせ、一刻もはやく蜀に来れ、と孔明にあてた書簡を持たせてやった。

破軍星(はぐんせい)

一

七夕(たなばた)の宵だった。

城内の街々は、紅燈青燈に彩(いろど)られている。

荊州の城中でも、毎年の例なので、孔明は、主君玄徳の留守ながら、祭を営(いとな)み、酒宴をもうけて、諸大将をなぐさめていた。

すると、夜も更(ふ)けてきた頃、一つの大きな星が、怪(あや)しい光芒(こうぼう)をひいて、西の空へ飛んだと思うと、白い光煙をのこして、ぱっと砕けるごとく、大地へ吸いこまれた。

「ああ、破軍星」

孔明は、杯を落して、哀しいかなと、ふいに叫んだ。

満座の人々は、酔をさまして、

「軍師、なにをそのように、悲しまれるのですか」と、皆杯を下にした。

「諸公。今日からは皆、かならず遠くへ出給うな。凶報かならず数日のうちに到らん」

と、予言した。

果たして、それから七日の後、玄徳の使いとして、関羽の養子関平が征地から帰ってきた。

「軍師龐統(ほうとう)は戦死し、わが君以下は、涪城に籠って、四面皆敵、いまは進退きわまっておられます」

さらに、玄徳の書簡を出した。

孔明はそれを読んで泣いた。そしてすぐ主君の救援におもむくべく準備を令したが、案ぜられるのは、自分が出たあとの荆州の守りである。

「関羽、貴公と関平とで、あとの留守を固め、東は呉に備え、北は曹操を防ぎ、君公のご出征中を、寸地もゆずらず守っていてくれまいか。この大任は、蜀に入って戦う以上の大役である。貴公に嘱(しょく)するほか他に人はない。むかし、桃園(とうえん)の義(ぎ)を、ここに思い、この難役に当ってくれい」

孔明から説かれて、関羽は、

「桃園の義を仰せられては一言の否(いな)みもありません。安んじて、蜀へお急ぎください。あとはひきうけました」

「では」

と、孔明は、玄徳から預けられていた荆州総大将の印綬(いんじゅ)を彼に渡した。

関羽は、拝受して、

「大丈夫、信をうけて、しばしなりと、一国の大事を司どるうえは、たとい死んでも、惜しみはない」と、感激していった。

孔明はよろこばない顔をした。関羽に、死を軽んずるような口ぶりがあったからである。一国を司どる者が、そのように一死を軽んずるようでは留守が案ぜられる。で彼は、関羽に、試問を呈してみた。

「貴公のことだ。万に一も過りはあるまいが、もし呉の孫権と、北の曹操とが、同時にこの荊州を攻めてきたときはどう防ぐか」

「もちろん兵を二分して、二手にわかれ、一を撃破し、また一を討ちます」

「危ない、危ない。それがしが、八字を以て、貴公に教えておく」

「八字の兵法とは」

「北ハ曹操ヲ拒ギ、東ハ孫権ト和ス。お忘れあるな」

「なるほど……。肺腑に銘じて忘れぬようにいたします」

「たのむ」

すなわち印綬の授受はすんだ。

関羽を輔佐する者としては文官に、伊籍、糜竺、向朗、馬良などをとどめ、武将には、関平、周倉、廖化、糜芳などをあとに残して行った。

そして、孔明のひきいて行った荊州の精兵といえば、わずか一万に足らなかった。

張飛をその大将とし、峡水の水路と、嶮山の陸路との、二手になってすすんだ。

「まず張飛は、巴郡をとおり、雒城の西に出でよ。自分は趙雲を先手とし、船路をとって、やがて雒城の前にいたらん」と、告げた。

二道に軍を分って立つ日、野宴を張って、

「どっちが先に雒城へ着くか、先陣を競おう。いずれも、健勝に」

と、杯を挙げて、おたがいの前途を祝しあった。

二

別れにのぞんで、孔明は、張飛に忠言した。

「蜀には、英武の質が多い。貴下のごとき豪傑は幾人もいる。加うるに地は剣山刀谷である。軽々しく進退してはならない。またよく部下を戒め、かりそめにも掠め盗らず虐げず、行くごとに民を憐れみ、老幼を馴ずけ、ただ、徳を以て衆にのぞむがいい。なおまた、軍律はおごそかにするとも、みだりに私憤をなして士卒を鞭打つようなことはくれぐれ慎まねばならぬ。そして迅速に雒城へ出で、めでたく第一の功を克ち取られよ」

張飛は拝謝して、勇躍、さきへ進んだ。

彼の率いた一万騎は、漢川を風靡した。しかし、よく軍令を守って、少しも略奪や殺戮の非道をしなかったので、行く先々の軍民は、彼の旗をのぞんでみな降参して来た。

やがて巴郡（重慶）へ迫った。

蜀の名将厳顔は、老いたりといえど、よく強弓をひき太刀を使い、また士操凛々たるものがあった。

張飛は、城外十里へ寄せて、使いを立て、
「厳顔老匹夫。わが旗を見て、何ぞ城を出て降らざるや。もし遅きときは、城郭をふみ砕いて、満城を血にせん」

と云い送った。

「笑止なり。放浪の痩狗」

厳顔は、使いの耳と鼻を切って、城外へつまみ出した。張飛が赫怒したことはいうまでもない。

「みろ。きょうの中にも、巴城を瓦礫と灰にしてみせるから」

まっ先に馬をとばし、空壕の下に迫った。

けれど、城内は、城門を閉じ、防塁を堅固にして、一人も出て戦わなかった。のみならず、矢倉から首を出して、さんざんに張飛を悪罵したので、張飛は、

「その舌の根を忘れるな」と日没まで猛攻をつづけた。

しかし、頑として、城は墜ちない。無二無三、城壁へとりついて、攀じ登ろうとした兵も、ひとり残らず、狙い撃ちの矢石にかかって、空壕の埋め草となるだけだった。

張飛は、そこに野営して、翌日も早天から攻めにかかった。すると矢倉の上に、老雄厳顔が初めて姿をあらわして、

「先頃、使いの口上で、満城を血にせんといったのは、さては、寄手の血漿をもって彩

ることでありしか。いや見事見事。ご苦労ご苦労」と、からかった。

張飛の顔は朱漆を塗ったように燃えた。その虎髯の中から大きく口をあいて、

「よしっ。汝を生捕って、汝の肉を啖わずにはおかんぞ」

云った途端である。

厳顔の引きしぼった強弓の弦音が朝の大気をゆすぶって、ぴゅっと、一矢を送ってきた。張飛が、

「あっ」

と、馬のたてがみへ、身を伏せたので、矢は彼の甲の脳天にはね返った。

幸いにも、鉢金は射抜けなかったが、じいんと烈しい金属的な衝撃が脳髄から鼻ばしらを通って、眼から火となって飛びだしたような気がした。

さすがの張飛も、ふらふらと眩いを覚えて、

「きょうはいかん」と、匆々、後陣へかくれてしまった。

「なるほど、蜀には相当な者がいる」

張飛が敵に感心したことはめずらしい。しかし、敵を尊敬することによって、彼も、ただ力ずくな攻城がいかに労して効の少ないものかを教えられた。

城の一方にかなり高い丘陵がある。ここに登って彼は城内をうかがった。城兵の部署隊伍は整然としていて甚だ立派だ。張飛は、声の大きな部下を選んで、ここからさまざまな悪口を城中へ放送させた。

けれど、城の者は、一人も出てこないし、相手にもならない。

誘いの兵を少しばかり近づかせて、偽って逃げる態(てい)をなし、城兵が追ってきたら、たちまちこれを捕捉し、またそこの門から一気に突入しようなどという計画も行ってみたが、

「彼の戦法は、まるで児童の戦遊(いくさ)び、抱腹絶倒に値(あたい)する」

と、厳顔(げんがん)は、一笑のもとに、その足掻(あがき)を見ているだけで、張飛の策にはてんで乗ってこないのであった。

草(くさ)を刈(か)る

一

百計も尽きたときに、苦悩の果てが一計を生む。人生、いつの場合も同じである。

張飛は、一策を案出した。

「集まれ」
七、八百の兵をならべて命じた。

「貴様たちはこれから鎌を持って山路を尋ね、馬糧の草を刈ってこい。なるべく巴城の裏山に面した所の奥深い山の草を刈って参れ」

鎌をたずさえた草刈り部隊は、おのおの、城の裏山へ分け入った。

次の日も、次の日も、草刈り隊はさかんに草を本隊へ運んだ。城中の厳顔は、これを知って、

「はて、張飛のやつ、何のつもりで、にわかに山の草を刈りだしたのか？」

いかに城外から挑んでも、城を閉じて、相手にしなかったので、張飛もこの城へ手を下しようがなく、先頃から怏々として、作戦に窮していた状はよくうかがわれたが、急に攻め口の活動も怠って、山路に兵を入れているのは、なんのためか、厳顔にも察しがつかなかった。

「鎌を持て。そして城の搦手に集まれ」

厳顔は、十名の物見を選んで、こういいつけた。

密偵の者は、鎌を携えて夕方搦手門に集まった。厳顔が出てきて、こう密命をくだした。

「夜のうちに、裏山へ入りこみ、夜明けとなって、張飛の兵がやってきたら、巧みに、彼の草刈り隊にまぎれこみ、終日、草を刈って馬に積んだら、そのまま張飛の兵になりすまして、敵の本陣へついて行け。そして、彼らが何のために働いているか探り知ったら、早速、脱け出してその真相を城へ告げい。早く正しい報告を持って来た者へ順に恩

ていた。

賞を与えるであろう」

草刈り兵になりすました厳顔の密偵たちは、心得て、おのおの夜のうちに山へかくれていた。

翌日の夕方。

例のとおり張飛の兵は、馬に草を積んでぞろぞろ本陣へ帰って行ったが、そのうちの組頭が、張飛の顔を見るといった。

「大将、決して労を惜しむわけではありませんが、雒城へ通るには、何もあんな道なき所を伐り拓かなくても、べつに、巴城の搦手の上から巴郡の西へ出る間道がありました。なぜあの隠し道をおすすみにならないのですか」

すると、張飛は初めて知ったように、眼をみはって、

「何、何。そんな間道があったのか。馬鹿野郎っ。そのような道のあることを存じながら、なぜ今日まで黙っていたのだ」

張飛の大喝は、獅子の吼えるように、草刈り兵ばかりでなく、全軍を震えあがらせた。

「猶予はならん。すぐ進発の準備をしろ。ここの巴城などは打ち捨て、一路雒城へ通らんことこそ、おれの狙いだ。兵糧を炊け、輜重を備えろ」

にわかの軍令に、宵闇は一時大混雑を起した。

二更、兵糧をつかう。

三更、兵馬の隊伍成る。

四更、月光を見ながら、枚を銜み、馬は鈴を収め、降る露を浴びながら、粛々と山の隠し道へすすんで行く。

厳顔の廻し者はかくと知るや、宵の間に、ここを脱出して、城中へ前後して走り帰った。

一番に戻ってきた者も、二番に帰ってきた者の言葉も、次々の者のいう報告も、すべて一致していたので、

「さてこそ」と、厳顔は手を打っていった。

「あくまで、城方が出て戦わぬに気を悩まし、遂にここを避けて、間道より雒城へ押し通らん彼の所存とみゆる。――愚や、愚や張飛。それこそわが望むところ」

厳顔もまた城中の勢をことごとく手分けして、勝手を知る間道の要所要所に、兵を伏せて待っていた。

おそらくは、張飛の先陣、中軍が山を越える頃、輜重兵糧の車馬はなお遅れて遠く後陣にあろう。その頃、合図の鼓とともに、いちどに繰り出して、敵陣を寸断せよ。個々撃滅して、みなごろしにすべし――と厳顔は味方の武将につたえていた。

やがて、木々のしげる間を、黒々と敵の先鋒中軍は通って行った。まぎれもない張飛の姿も見えた。それをやりすごして、輜重部隊の影を見た頃、

「今ぞ」

と、厳顔は、合図の鼓を高らかに打たせた。

二

四面の伏兵は、喊声をあげながら、まず敵行軍を両断し、後尾の輜重隊を包囲した。

すると、おどろくべし。すでに先刻、中軍にあって先へ通って行ったはずの張飛が、その輜重隊から躍りでて、

「厳顔老匹夫、よく来た」

と、大声にいった。

厳顔は仰天して、馬からころげ落ちそうになった。

振り向けば、豹頭炬眼、その虎髯も張飛にまちがいはない。

「おうっ、出会うたは、幸いである。張飛うごくな」

部下のてまえぜひなく彼は、敢然、馬をとばして、張飛の大矛へ、甲体を投げこんで行った。

「年よりの冷や水」*

あざ笑いながら、張飛は、丈八の矛も用いず、片手をのばして、厳顔の上帯をつかみよせてしまった。そして、

「それっ、受取れ」

と、自分の部隊の中へほうり投げた。

さすが、武芸のたしなみ深い老将なので、投げられても、醜く腰は打たなかった。よろめく足を踏み止めて、直ちに四囲の雑兵と戦った。けれどいかにせん老齢だ。力尽きて、高手小手に縛りあげられてしまった。

さきに中軍を率いて通った張飛らしいのは、部下の似ている者を偽装させた影武者だった。その先鋒も、またたちまち、取って返してきて城兵を蔽いつつんだ。

「厳顔はすでにわが軍の捕虜となったぞ。降る者はゆるさん。刃向うものは八ツ裂きにして猪狼の餌にするぞ」

張飛の声を聞くと、城兵は争って甲や戈を投げ捨て、その大半以上、降人になった。

こうして張飛は、ついに巴城に入って、郡中を治めた。

法三条を出して、

民ヲ犯スナ

旧城文物ヲ破壊スナ

旧臣土民ヲ愛撫セヨ

と掲げたので、巴城の土民は、

(張飛という大将は、聞くと見るとは、大きなちがいだ)

と、みな彼になついた。

張飛は、厳顔をひかせて、庁上から彼を見た。

厳顔はひざまずかない。

張飛は、眼をいからして、

「汝、礼を知らぬか」と、叱咤した。

あざ笑って、厳顔は、

「われ、敵にする礼を知らず」と、冷やかに嘯いた。

張飛は、階をとび降りた。そして佩剣に手をかけて、

「老匹夫、たわ言をやめろ。今のうちに、降参するといわぬと、もうその首が前に落ちるぞ」

「そうか。……首よ。わが多年の首よ。おさらばであるぞ。……張飛、猶予すな、いざ、斬れっ」

みずから頸をのばした。

張飛はふいに彼のうしろへ寄ってその縄を解いた。そして手を取って庁上へいざない、みずから膝を折って再拝した。

「厳顔。あなたは真の武将だ。人の節義を辱めるはわが節義に恥じる。さっきからの無礼はゆるしたまえ」

「君。節義を知るか」

「聞かずや厳顔。皇叔と関羽とこの張飛との桃園の誓いを」

「ああ、聞いておる。君ですらかくの如し。関羽や玄徳はどんな立派な人だろう」

「どうか、その人々と、ともに交わって、蜀の民を安んじてやって下さい」

「君も味なことをいう男だ」

厳顔は張飛の恩に感じて、ついに降伏をちかい、成都に入る計を教えた。

「ここから雒城（らくじょう）までの間だけでも、途中の関門には、大小三十七ヵ所の城がある。力業（ちからわざ）で通ろうとしたら百万の兵をもって三年かかっても難しいであろう。しかし、この厳顔が先に立って、我すらかくの如し、況（いわん）や汝らをや――と諭（さと）してゆけば、風をのぞんで帰順するでしょう」

事実、彼を先鋒に立てて進むほどに、関は門を開き、城は道を掃（は）いて、血を見ずにすべての要害を通ることができた。

金雁橋（きんがんきょう）

一

孔明が荊州を立つときに出した七月十日附（づけ）の返簡の飛脚は、やがて玄徳の手にとどいた。

「おう、水陸二手にわかれ、即刻、蜀へ急ぐべしとある。――待ち遠しや、孔明、張飛のここにいたるは何日」
涪城に籠って、玄徳は、行く雲にも、啼き渡る鳥にも、空ばかり仰いでいた。

「皇叔。この頃、寄手のていをうかがってみますと、蜀兵も、この涪城を出ぬお味方に攻めあぐね、みな長陣に倦み飽いて、惰気満々のていたらくです。――これへ孔明の援軍が来れば、たちまち敵も士気をふるい陣容を正しましょう。むなしく援軍の到着を待つのみでなく、彼の虚と紊れを衝いて、一勝を制しておくことは、大いに成都の入城を早めることになろうと存じますが」

これは、ある日、黄忠が玄徳に呈した言であった。

思慮ふかい玄徳も、

「一理ある」と、意をうごかされた。

偵察の者も、黄忠のことばを裏書きしている。果断をとって、ついに涪城の軍は、百日の籠居を破って出た。

もちろん、夜陰奇襲したのである。案のじょう野陣の寄手はさんざんに混乱して逃げくずれた。面白いほどな大快勝だ。途中、莫大な兵糧や兵器を鹵獲しつつ、ついに雒城の下まで追いつめて行った。

潰走した蜀兵はみな城中にかくれて、ひたと四門をとじてしまった。蜀の名将張任の命はよく行われているらしい。

この城の南は二条の山道。北は涪水の大江に接している。玄徳はみずから西門を攻めた。黄忠、魏延の二軍は、東の門へ攻めかかる。

けれど、陥ちない。びくともしない。まる四日間というもの、声も嗄れ、四肢も離ればなれになるばかり、東西両門へ力攻したが、さしたる損害も与え得なかった。

蜀の張任は、

「もうよかろう」と、呉蘭、雷同の二将軍へいった。二将軍もよかろうという。

すなわち、ここまでは、本心の戦をなしていたのではない。要するに誘引の計を以てひき出し、さらに、玄徳軍の疲労困憊を待っていたのである。

南山の間道から、蜀兵はぞくぞく山地に入り、遠く野へ降りて迂回していた。また、北門は江へ舟を出して、夜中に対岸へあがり、これも、玄徳の退路を断つべく、枚をふくんで待機する。

「城内の守りは百姓だけでよい。一部の将士のほかは、みな城を出て、玄徳の軍をこの際徹底的に殲滅せよ」

張任は、こう勇断を下して、やがて一発の烽火をあいずに、銅鑼、鼓の震動、喊声の潮、一時に天地をうごかして、城門をひらいた。

時刻は黄昏であった。ここ数日のつかれに、玄徳の軍馬は鳴りをひそめ、今しも夕方の炊煙をあげていたところ。当然、間に合わない。

あたかも黄河の決潰に、人馬が濁流にながされるのを見るようだった。まったくひと支えもせず、八方へ逃げなだれた。

「それ撃て」

「すすめ」

と、その先には、山と江から迂回していた蜀兵が、手に唾して、陣を展開していた。

呉蘭、雷同の二将軍とその旗本は、ほとんど、血に飽くばかり勇をふるった。

「あな、あわれ。こんなことが、いったいなぜ昨日にも覚れなかったろう」

玄徳は、悲痛な顔を、馬のたてがみに沈めながら、魂も身に添わず、無我夢中で逃げていた。

見まわせば、一騎とて自分のそばにはいなかった。

啾々、秋の風に、星が白い。――幸いにも、夜だった。

彼は、鞭打って、疲れた馬を、からくも山路へ追いあげた。

だが、うしろから蜀兵の声がいつまでも追ってくる。

谷や峰にも、蜀兵の声がする。

「天もわれを見離したか」

玄徳は哭いた。

しかし、たちまち、山上から駆け下ってくる一軍のあるを知って、きっと涙をはらい、静かに最期の心支度をととのえた。

二

「名ある敵の大将とみえるぞ。生捕れっ」

はや、殺到した軍馬の中からそういう声が、玄徳の耳にも聞えた。

すると、聞きおぼえのある声で、

「待て待て。手荒にするな」と、将士を制しながら、玄徳のそばへ馬乗り寄せてきた者がある。見れば、何事ぞ、それは張飛ではないか。

「おうっ、そちは」

「やあ、皇叔にておわすか」

張飛は馬を飛び降りた。そして玄徳の手をとって、この奇遇に涙した。

蜀兵は山のふもとまで迫っている。事態は急なり、仔細のお物語はあとにせんと、張飛はたちまち全軍を配備し、蜀兵を反撃してさんざんに追い討ちした。

蜀将張任は、ふしぎな新手が忽然とあらわれて、精勇溌剌、当るべくもない勢いを以て城下まで追ってきたので、

「濠橋を引け、城門を閉じよ」

と、全軍を収容して、見事に鳴りをしずめてしまった。後に、人々は云った。

（あの日の敗戦には、当然、劉皇叔もすでにお命はないはずであったのに、巴郡を越えて、山また山を伝い、厳顔を案内として雒城へさして来た張将軍の援軍と日を約したように出会うて、九死一生の危難を救われ給うなどということはただの奇蹟や奇遇ではない。まったく、後に天子になられるほどな洪福を、生れながら身に持っておられたから

だろう）――と。

ともかく玄徳は、無事涪城にもどって、張飛から厳顔の功労を聞くと、金鎖の甲をぬいで、

「老将軍。これは当座の寸賞です。あなたのお力がなければ、とうてい、この義弟もかく早く、途中三十余ヵ城の要害を踏破して来ることはできなかったでしょう」と、ななめならず歓んだ。

事実、厳顔が説いて、途中三十余ヵ城を無血招降してきたために、張飛の兵力は、これへ来るまでにその新しい味方を加えて数倍になっていた。

涪城はにわかに優勢になった。それを計らずに、それから数日の後、雒城を出てここへ強襲して来た蜀の呉蘭と雷同の二将軍は、その日の一戦に、張飛、黄忠、魏延などの策した巧妙なる捕捉作戦にまんまと陥って、ふたりとも捕虜となり、ついに玄徳のまえで降伏をちかうというような情勢に逆転してきた。

雒城の内では、

「腑甲斐なき二将軍かな」と、同僚の呉懿、劉璝たちが歯ぎしり噛んで、

「しかず、この上は、のるかそるかの一戦をこころみ、一方、成都に急を告げて、さらに大軍の増派を仰ごう」と、いきりぬいた。

名将張任は、沈痛にいった。

「それもよいが、まず、こうしてみては」

筆をとって作戦図を書きながら、何事かささやいた。

翌日、張任は、一軍の先に馬を飛ばして城門から繰り出した。張飛が見かけて、

「張任とは汝よな」

丈八の大矛をふるい、初見参と吸鳴ってかかった。戦うこと十数合、

「あなや。あなや」

叫びながら張任は逃げ奔る。

城北は、山すそから谷へ、また涪水の岸へもつづき、地形はひどく複雑である。張飛はいつか張任を見失い、味方の小勢と共に遠方此方駈けあるいていたが、そのうちに四山旗と化し、四谷鼓を鳴らし、

「あの虎髯を生捕れ」

と、蜀兵の重囲は張飛の部下をみなごろしにしてしまった。ひとり辛くも、張飛は血の中を奔って涪水のほうへ逃げのびた。――卑怯卑怯と罵りながら追っていた蜀将の呉懿は、そのとき一方の堤をこえて躍り駈けてきた大将に、横合いから槍をつけられ、戦い数合のうちに得物を奪られて生捕られてしまった。

「おういっ、張飛。おれだ、おれだ。引っ返して、共に雑兵を蹴ちらしてしまえ」

その大将の声に、味方の誰かと怪しみながら戻ってみると、それは荆州を共に立って、途中、孔明とひとつになって別れた常山の子龍趙雲であった。

三

長江から峡水に入り、舟行千里をさかのぼって、孔明の軍は、ようやく、涪水のほとりへ着いたのであった。

敵の雑兵を蹴ちらして後、趙雲が、そう語ると、

「では、軍師には、もう涪城へ入ったのか」と訊ね、然りと聞くや、

「急ごう」

と、急に連れ立って、涪城へ帰った。

趙雲は、入城の手土産に、途中で生捕った蜀の呉懿をひっさげていた。

玄徳がやさしく、

「予に従わないか」

というと、呉懿は、彼のただならぬ人品を仰いで、心から降参した。

孔明も、そこに来ていた。この降将に上賓の礼をあたえて、

「雒城のうちの兵力は何ほどか。劉璋の嫡子劉循を扶けておるという張任とはどんな人物か」などと質問した。

呉懿はいう。

「劉璝はともかく、張任は智謀機略、衆をこえています。まず蜀中の名将でしょう。容易に、雒城は抜けますまい」

「ではまず、その張任を生捕ってから、雒城を攻めるのが順序ですな」

孔明が、座談的に、まるで卓上の椀でも取るようなことをいったので、呉懿は、

（この人、大言癖があるのか、それとも気が変なのか）

と、あやしむような眼でその面を見まもった。

あくる日、呉懿を案内に、孔明は附近の地勢を視察にあるいた。

帰ってくると、魏延、黄忠をよんで、

「金雁橋の畔、五、六里のあいだは、蘆や葭がしげっているから、兵を伏せるによい。――戦の日、魏延は鉄鎗部隊千人をあの左にかくして、敵がかかったら一斉に突き落せ。また黄忠は右にひそみ、総勢すべてに薙刀を持たせて、ただ馬の足と人の足を薙ぎつけるがいい。張任は不利と見るとき、かならず東方の山地へ向って逃げるであろう」

と、さながら盤のこまでもうごかすようにいって、さらに、張飛と趙雲へも、べつに策をさずけた。

雒城の前に、金鼓が鳴った。城兵への挑戦である。

望楼から兵機をながめていた張任は、寄手の後方に連絡がないのを見て、

「孔明兵法に暗し」

と思った。

能うかぎり手近にひきよせておいて、大殲滅を計ったのである。寄手はひたと、濠へ近づき、城壁へたかりだした。

八門をひらいて、城外へ出る。同時に、南北の山すそに埋伏しておいた城兵も、鵬翼を作って、寄手を大きく抱えてきた。

潰乱、惨滅、玄徳軍は討たれ討たれ後へ退く。

「時は、今ぞ」

張任は、ついに陣前へあらわれた。荊州兵を根絶する日、このときをおいて他日なしと、みずから指揮し、みずから戦い、金雁橋をこえること二里まで奮迅してきた。

「しまった」

そのとき振り向くと、うしろに敵の一団が見える。しかも金雁橋はめちゃめちゃに破壊されている。

「油断すな。敵の趙子龍がうしろにいるぞ」

あわてて回ろうとすると、左右の蘆荻のしげみから、槍の穂が雨と突いてくる。なだれ打って、避け合おうとすれば、また一方から薙刀の群れが、馬の脛を払い、人の足を斬る。

「残念、南へ退け」

しかし、そこもすでに荊州の兵が占めていた。

ぜひなく、涪水の支流に沿って、東方の山地へ逃げた。

浅瀬をこえて、ようやく対岸の広野へわたる。――ところが、そこも怪しげなる一陣の兵がまんまんと旗を立てて一輛の四輪車を護っていた。

「や。あの車上に坐し、羽扇をもって、わしを招いているのは誰だ？」

張任が、部下へきくと、あれこそ新たに玄徳の陣に加わったと聞く軍師の孔明でしょうと、誰かうしろで答えた。

「あははは。あれが孔明か」

張任は肩をゆすって笑った。

四

——なぜならば、孔明の四輪車を囲んでいる兵は、みな弱そうな老兵であり、そのほかの兵もみなぶよぶよに肥えて、見るからに脆弱な士卒ばかりだったからである。

「いやはや、目前に見る孔明と、かねて耳に聞いていた孔明とは、大きなちがいである。用兵神変、孫子以来の人だなどと、取沙汰されておるが、あの陣容とあの兵気は何事か。芥の山を踏むより易いぞ、蹴ちらせ、あの塵芥を」

張任の一令に、なお背後にのこっていた数千の兵は、どっと喚きかかって行った。

四輪車は逃げだした。

右往左往のていで。

「車上の片輪者待て」

手づかみにして、生捕ることも易しと、張任は馬を打ってとびこみ、雑兵には目もくれず、あわや車蓋のうえから巨腕をのばそうとしかけた。

「捕ったっ」

それは足もとの声だった。何事ぞ、いきなり下から馬の脚をかついで引っくりかえした猛卒がいる。

ずでんと、見事な落馬だった。たちまち、またひとりが跳びかかる。これも雑兵にしてはおどろくべき怪力の持ち主だった。

それもそのはず、この二人は、雑兵の中にかくれていた魏延と張飛だった。

破壊したと見せた金雁橋も、実は完全破壊はしていなかった。張任があきらめて、上流の支川へ避け、浅瀬をわたって城のほうへ迂回したと見るや、蘆茅の中にいた全軍は四輪車をつつんで対岸へ越え、ここに先廻りして待っていたものだ。

山地へ谷間へ逃げこんだ蜀兵もあらまし討たれるか降伏した。

その中には、つい前日成都から援軍に来たばかりの卓膺という大将などもまじっていた。

張飛、黄忠、魏延などの諸隊も、各〻、功をあげて、ここに圧縮してきた。開いた花のつぼむように、総勢一軍となった後の陣容行軍はいかにも鮮やかだった。

「ああ、蜀の革まる日は来た」

捕虜として檻送されてゆく途中、張任は天を仰いで長嘆していた。涪城について後、玄徳が、

「蜀の諸将はみな降った。貴公ひとり降伏せぬ法もなかろう」

というと張任は、

「不肖ながら、自ら蜀の忠臣をもって任ずるものである。豈、二君にまみえよう」

と、昂然と拒んだ。

玄徳はその人物を惜しんで、いろいろ説いたがどうしても、肯かない。ただ声をはげまして、

「疾く首を打て」と、いうのみである。

孔明は見るに見かねて、

「余りにくどく強いるは、真の忠臣を遇する礼でありません。大慈悲の心をもって疾く首を刎ね、その忠節を完うさせておやりなさい」

と、玄徳にすすめた。

すなわち、張任の首を斬り、その屍を収めて、金雁橋のかたわらに、一基の忠魂碑をたててやった。鴻雁群れて、暮夜、碑をめぐって啼いた。

かくて雒城は、本格的な包囲の中に置かれた。

降参の大将、呉懿、厳顔の輩が、陣前に出て、城中の者へ説いた。

「無益な籠城は、いたずらに城内の民を苦しめるばかりであろう。我らすら降ったものを、汝らの手で如何とする気か。犬死すな」

すると、矢倉の上に、残る一将の劉璝があらわれて、

「蜀の恩顧をわすれた人間どもが何をいうか」と、罵った。

とたんに彼は、矢倉の窓から下へ蹴落されていた。何者かが後ろから弱腰を突いたものとみえる。同時に、城門は内から開いた。

たちまち、城頭に、玄徳の旗がひるがえった。城中の者、ほとんど七割まで、降伏した。

劉璋の嫡子劉循は、この急変におどろいて、北門の一方からわずかな兵と共に、取る物もとりあえず、逃げ出していた。一目散、成都をさして。

「劉璝を矢倉から蹴落したものはたれか」

占領後、玄徳がただすと、

「――武陽の人張翼、字は伯恭というものです」

と、侍側から申達した。

すなわち謁を与えて、玄徳は、張翼を重く賞した。

五

雒城の市街は、平静にかえった。避難した民も城下へぞくぞく帰ってきて、

「やれやれ、ありがたいお布令が出ている」

と、高札を囲んで、新しい政道を謳歌した。

孔明は、微行して、一巡城下の空気を視察してもどると、

「ご威徳はよく下まで行き渡ったようです。この上は、成都の攻略あるのみですが、功を急いで、足もとを浮かしてはなりません。まず雒城を中心として、附近の州郡にある敵性を馴ずけ、悠々成都に迫るもおそくないでしょう」と、玄徳へいった。

「いかにも」

と、玄徳も同じ気もちであったとみえ、すなわち隊を分って、各地方へ宣撫におもむかせた。

すなわち、厳顔、卓膺には張飛をつけて、巴西から徳陽地方へ。

また張翼、呉懿には、趙雲を添えて、定江から犍為地方へやった。

それらの諸隊が、地方宣撫の効をあげている間に、孔明は、降参の一将を招いて、成都への攻進を工夫していた。

「この雒城から成都までのあいだに、どういう要害があるかね」

降参の将がいう。

「まず、要害といっては、綿竹関が第一の所でしょう。そのほかは、往来を検める関所の程度で、取るに足りません」

そこへ、法正が来た。法正も早くから内応して、玄徳の帷幕に参じている者なので、蜀の事情には精通している。

「いずれ後には、成都の人民はご政下につくものです。その民を驚かし、苛烈な戦禍におびえさせることは好ましくありません。まず、四方に仁政を示し、徐々恩徳をもって、民心を得ることを先とすべきでしょう。一方それがしから書簡をもって、よく成都の劉璋を説きます。劉璋も、民の離れるのをさとれば、自然に来て降るにちがいありません」

「貴下の言は大いによい」

孔明は法正の考えを、非常に賞揚し、その方針によることにきめた。

一方、成都のうちは、いまにも玄徳が攻めてくるかと、人心は動揺してやまず、府城の内でも恟々と対策に沸騰していた。

太守劉璋を中心に、

「いかに、防ぐか」の問題が、きょうも軍議され、その席上で従事鄭度は、熱弁をふるって演説した。

「国家の急なるときは、自然、防禦の力も数倍してくる。官民一致難に当るの決意をもてば、長途遠来の荊州軍など何の怖れるほどのことがあろう。いかにここまでは、彼の侵略が功を奏してきたにしても、占領下の蜀の民は、まだ心から玄徳に服しているのではない。今、巴西地方からすべての農民を追って、ことごとく、涪水以西の地方へ移してしまい、それらの部落部落には鶏一羽のこすことなく、米穀は焼きすて、田畑は刈り、水には毒を投じ、以て彼らがこれに何を求むるも、一飯の糧もないようにしておけば、おそらく彼らは百日のうちに飢餓困憊をさまようしか道を知らないであろう。――そして成都、綿竹関の二関をかため、夜となく昼となく、奇策奇襲をもって、彼を苦しめぬけば、おそらくこの冬の到来とともに、玄徳以下の大軍は絶滅を遂げるにちがいないと考える。いやそう信じる。諸公のお考え如何あるか」

たれも黙っていた。すると、太守劉璋が、

「むかしから、国王は、国をふせいで民を安んずるということは聞いておるが、まだ、民を流離させて敵を防ぐということは聞いたことがない。それはすでに敗戦の策だ。おもしろくない」

と、いつもに似げない名言を吐いて、鄭度の策を否決した。

するとそこへ、法正から正式の書簡が来た。書中には、大勢を説いて、いまのうちに玄徳と講和するの利を弁じ、また、そうして、家名の存続を保つことの賢明なことをすすめてあった。

「国を売って敵へ走った忘恩の徒が、何の面目あって、わしにこの醜墨をみずから示すか」

劉璋は怒って、法正の使いを斬ってしまった。

直ちに、綿竹関の防禦へ、増軍を決行し、同時に、家臣董和のすすめをいれて、漢中の張魯へ、急使を派遣した。背に腹はかえられぬと、ついに、危険なる思想的侵略主義の国へ泣訴して、その援助を乞うという苦しまぎれの下策に出たのであった。

西涼ふたたび燃ゆ

一

忽然と、蒙古高原にあらわれて、胡夷の猛兵をしたがえ、隴西（甘粛省）の州郡をたちまち伐り奪って、日に日に旗を増している一軍があった。

建安十八年の秋八月である。この蒙古軍の大将は、さきに曹操に破られて、どこへか落ちて行った馬騰将軍の子馬超だった。

「父の仇、曹操を亡くさぬうちは」と、馬超はあれ以来、蒙古族の部落にふかくかくれて、臥薪嘗胆、今日の再興に励んできたのであった。

「何度でも再起する。曹操の首を見るまでは、倒るるもやまじ」

とする意気があるので、征くところ草を薙ぐように、敵を風靡し、この軍団は、強大になった。

ところが、ここに冀県の城一つだけが、よく支えて、容易に抜けない。

城の大将は韋康という者だった。韋康は、長安の夏侯淵へ使いをとばし、その援軍を

待っていたが、

「中央の曹丞相のおゆるしを待たずには、兵をうごかし難い」

という夏侯淵の返書に、韋康は落胆して、

「それではとうてい、この小勢でこの城は保ち難い。見ごろしに見ている味方をたのむよりは」

と、ついに降伏を思った。

同僚に参軍の楊阜という将校がある。楊阜は反対して、極力諫めた。けれど韋康はついに門をひらいて、寄手の馬超へ膝を屈してしまった。

「よしっ」

馬超は、降を容れて、城中へなだれこむとともに、韋康以下、その一類四十余人を搦め捕って、数珠つなぎにその首を刎ねて、

「この時になって、降伏するなどという人間は、義において欠けるし、味方に加えても、どうせ使いものにはならんやつらだ」

と、悔いも惜しみもしなかった。

侍臣が、図に乗って云った。

「楊阜はお斬りにならないのですか。彼は韋康を諫めて、降参に反対した曲者ですが」

「それが義だ。弓矢の道だ。楊阜は斬らん」

馬超は、かえって、楊阜を助けたばかりか、用いて参事となし、冀城の守りをあずけ

た。

楊阜は心のうちに深く期すものがあるので、表面は従っていたが、ある時、馬超に告げて、数日の休暇を願った。

「わたくしの妻は、もうふた月も前に、故郷の臨洮で死にましたが、このたびの戦乱で、まだその葬いにも行っておりません。郷土の縁者や朋友のてまえ、一度は行ってこなければ悪いのですが」

馬超は即座に、

「よしよし。行ってこい」

楊阜は、帰郷した。しかし目的は、歴城の叔母を訪ねることにあった。この叔母は、近国までも、

「貞賢の名婦」と、聞えているひとだった。

「——面目もありませぬ」

叔母なる人に会うと、楊阜は床に伏して拝哭した。

「残念です。いま私は、甘んじて敵に飼われています。けれど心まで馬超にゆるしてはいません。今日、これへ来たのは、ほかに心外なことがあるからでした」

「楊阜、なぜそんなに女々しく哭くのかえ。人間は最後に真をあらわせばいいのです。生きているうちの毀誉褒貶など心におかけでない」

「有難うぞんじます。——が、私が哭いたのは、自分の辱をめ、そ、め、そ、したわけではあり

ません。あなたの息子たる者のために、憤慨にたえないのです」

「おや。どうしてだえ？」

「この歴城にありながら、乱賊馬超の蹂躙にまかせ、一州の士大夫ことごとく辱をうけている今日をよそに、何を安閑としているのでしょう。あの若さで。……私はそれを憤りに参ったのです。あれでも貞賢な叔母上の息子かと疑って」

「……たれかいませんか。姜叔をお呼び、姜叔を」

彼女が、侍女の部屋へ、こう告げると、一方の帳を払って、

「母上。姜叔はこれにおります。お起ちには及びません」

と、ひとりの青年が入ってきた。これなん歴城の撫夷将軍姜叔だった。

二

いうまでもなく姜叔と楊阜とは従兄弟のあいだがらになるし、また、姜叔と韋康とは、主従の関係にある。

当然、歴城の兵をひきいて、韋康を赴援すべきであったが、その滅亡の早かったため、兵をととのえて馳けつけるに間に合わなかったものである。

「さきほどから帳の蔭でおはなしを伺っていると、阜兄はこの姜叔が安閑としているのを、ひどくご憤慨のようですが、そういうあなたこそ、一戦にも及ばず馬超に降伏して、冀城を渡してしまったではありませんか。それをいまとなって、世上のことは何も

知らぬ私の母などへ、私の怠慢か卑怯みたいに誹られるのは、自分のことを棚へ上げて、人のあらをさがす下司の根性というものではありませんか」

若い姜叙は、母の前もわすれて、客の従兄弟を罵倒した。

すると楊阜はかえってその意気を歓び、自分の降伏は、一時の辱をしのんで、主君の仇を打たんがためであると説明し、

「もし叙君が、郷党の兵をひきいて、冀城へ攻めてこられるなら、自分は城中から内応しよう。何をかくそう、郷里の妻の葬いと偽って、馬超から暇をもらい、これへ君を訪ねて来たのは、そのためにほかならないのだ」と、いった。

姜叙、もとより多感な青年である。義のためには一身を亡ぼすも惜しみはないと、ここに義盟を結び、ひそかに兵備にかかった。

歴城のうちに、姜叙が信頼している二名の士官がいる。統兵校尉の尹奉と趙昂とであった。

趙昂の子の趙月は、冀城落城このかた、馬超のそば近くに小姓として仕えている。趙昂は家に帰ると、妻へ嘆いた。

「きょう姜叙の君から命をうけて、馬超を討つ兵備をせよと命じられたが、いかにせん、わが子は敵の城に在る。もしその父が姜叙に味方していると知れたら、たちまち、趙月は殺されてしまうだろう。いったいどうしたらよいか。そなたに何か名案はないか」

趙昂の妻は、聞くと涙をうかべたが、その涙をみずから叱るように、声を励まして、良人へいった。

「ひとりの子を顧みて、主命を過ち、郷党を裏切りなどしたらあなたの武士が立たないのみか、ご先祖をけがし、子孫に生き恥をさらさせるものではありませんか。何を迷っていらっしゃるのですか。もしあなたが大義をすてて不義へ走るようなことがあったら、わたくしとて生きてはおりません」

多年連れ添ってきた妻ながら、彼女の良人は、自分の妻の立派なことばに今さらの如く驚いた。

「よし。もう惑わぬ」

姜叙、楊阜は歴城に屯し、尹奉と趙昂は、郷党の兵をひきいて、祁山へ進出した。するとと、趙昂の妻は衣服や髪飾りを、のこらず売り払って、祁山の陣へ行き、

「門出の心祝いです。どうかこれを収めて、士卒のはしにいたるまで、一盞ずつわけてあげて下さい」と、途中、酒賈から購ってきた酒壺をたくさんに陣中へ運ばせた。

「これは、昂校尉の奥さんが髪かざりや衣服を売り払って、われわれの餞別に持ってきて下すったお酒だぞ」

そういい聞かされて、兵隊たちへ酒をわかつと、みな感激して、涙とともに飲み、士気は慨然とふるい昂った。

一方、このことはすぐ冀城に聞えたので、馬超の怒りはいうまでもない。

「趙昂の子、趙月の首を刎ねて、血まつりにしろ」

一令、全軍を血ぶるいさせた。

龐徳、馬岱はすぐ発向した。馬超ももちろん猶予していない。殺気地を捲いて歴城へかけてきた。

するとあたかも白鷺の大群のような真白な軍隊が道を阻めて待っていた。見れば、姜叙、楊阜以下、すべて白い戦袍に白い旗をかかげて、

「亡主の仇馬超を討ち、もって泉下の霊をなぐさめん」

と、弔い合戦を決意した郷兵軍が、悲壮な陣を布いていたものであった。

「洒落くさい匹夫らめが」

馬超は一笑して、雪を蹴立つがごと、白色軍を蹴ちらし始めた。

三

馬超の勇は万夫不当だ。当然のように歴城の兵はふみつぶされてしまった。姜叙、楊阜もその敵ではなく、さんざんに敗れてひき退く。

しかし、祁山に陣していた尹奉と趙昂とは、

「このためにわれここにあり」

と、いわんばかり、突如、鼓をならして、馬超の側面へかかった。

姜叙、楊阜は急に取って返して、

「馬超、罠に落つ」

と、郷兵の士気をはげましつつ側面へ出た味方と呼応して挟撃のかたちをとった。

馬超の軍勢も一時は苦境に立った。けれど、装備の悪い地方郷党軍と、完全な装備を持った胡北の猛兵とは、とうてい、比較にならなかった。

たちまち馬超軍は、その陣形の不利をもり返して、反撃に出てきた。またも、姜叙の歴城軍は、算をみだし、死屍を積み、いまや潰滅に瀕していた。

ところへ、思わざる新手の大軍が、山をこえて、馬超軍のうしろからひた押しに攻めてきた。これなん長安の夏侯淵であって、

「今や、曹丞相のお下知によって乱賊馬軍の征伐に下る。生命を保ちたいと願うならば、中央政府の旗幟のもとに拝跪せよ」と、諸将の口をもって、陣頭に呼ばわらせた。

もとよりこの手勢は訓練もあり装備もすぐれている中央軍なので、さしもの馬超軍もさわぎ乱れ、

「よし、その分ならば出直して――」と大将馬超も逃げるしかなくなった。

馬超は冀城まで引揚げてきた。ところが城へ近づくと、味方であるはずの城中から雨あられと矢を射てくる。

「ばか者っ。うろたえるな。よく眼をあいて我を見ろ」

叱りながらなお城門の前へかかると、壁上から彼の眼のまえへ、いくつもの亡骸をほうり投げてきた。

「や。やっ？」

見ればその一つは、わが妻の楊氏であった。また、ほかの三つは馬超の三人の子であった。

なお、限りなく、城の上から死骸をほうり落してくる。そのすべてが、馬超の縁につながる肉親や一族たちであった。

「ううむっ……」

胸ふさがって、さすがの馬超も馬から転げ落ちんとした。そこへ、馬岱と龐徳が追いついてきて、

「城中の梁寛、趙衢のふたりが、留守を奇貨として、反旗をかかげ、夏侯淵に内応したものと思われます。ここにいてはご一身も危ないでしょう。いざ疾くほかへ」

と、促して途々むらがる敵を払いながら、終夜、馳けとおした。

忽然と、朝霧の中に、一城の門が見えた。馬超は大いに恐れて、

「ここはどこか」

すると龐徳が云った。

「敵の歴城ですよ」

「えっ、歴城？」

馬超はたじろいだ。つき従う味方の兵は、零々落々、わずか五、六十騎。いかに励んでも勝算はないと思ったからである。

こういう窮極の壁を突破することによって、龐徳は一つの打開をつかむ機智をもっていたらしい。馬超、馬岱を励まして、自ら先に立ち、

「姜叙の旗本である」と、怒鳴りながらどんどん城門内に入ってしまった。

夜来、続々、勝ち戦の報を聞いて誇りぬいていた城兵は、突然、自分たちの懐の内から、大混乱が起ったので、上を下へと騒動した。

城中へ入った馬超の一党は、姜叙の住居を襲って、その母を殺した。

また尹奉、趙昂の邸を包囲し、その妻子召使いまで、みなごろしにしてしまった。ただ、かの貞節な趙昂の妻だけは、祁山の陣へ行っていたので、その難をのがれた。

手薄な城兵も、みな逃げるか討たれるかして、歴城はわずか五、六十名の馬超軍によって占領されたが、しかし、それはたった一夜の安眠でしかなかった。

あくる日になると、夏侯淵、姜叙、楊阜の軍が攻めてきて、たちまちこれを奪回し、馬超は乱軍のなかをよく戦いつつ、一族の馬岱、龐徳などと共に、国外遠く、何処ともなく逃げ落ちて行った。

馬超と張飛

一

彗星のごとく現われて彗星のようにかき失せた馬超は、そも、どこへ落ちて行ったろうか。

ともあれ、隴西の州郡は、ほっとしてもとの治安をとりもどした。

夏侯淵は、その治安の任を、姜叙に託すとともに、

「君はこのたびの乱に当ってよく中央の威権を保った勲功第一の人だ」

と、楊阜を敬って、車に乗せ、強いて都へ上洛させた。そのとき楊阜は、身に数ヵ所の戦傷を負っていたので。

やがて、車が許都へつくと、曹操はその忠義をたたえ、

「以後、関内侯に封ぜん」と、いった。

楊阜は、かたく辞して、

「冀城に主を失い、歴城に一族を鬼と化し、なお馬超は生きている今、何の面目あっ

て、身ひとつに栄爵を飾れましょう。恥かしい極みであります」

と、恩爵をうけなかったが、かさねて曹操から、

「ご辺の進退、その謙譲。西土の人々、みな美談となす。もしその忠節を顕わさなければ、曹操は暗愚なりといわれよう。栄爵はひとりご辺を耀かすものではなく、万人の忠義善行の心を振い磨く励みとなすものであることをよく察せよ」

と、いうことばに、楊阜もついに否みがたく、恩を拝して、一躍、関内侯の大身になった。

×　　×　　×

さて、馬超とその部下、馬岱、龐徳などの六、七名は、流れ流れて漢中にたどりつき、この国の五斗米教の宗門大将軍張魯のところへ、身をよせた。

張魯に年頃のむすめがある。張魯の思うには、

「馬超は世にならびなき英傑といってよい。年も若いし、彼女を馬超にめあわせて、張家の婿とするときは、漢中の基業はまさに確固なものとなろう。そして、将来の対蜀政策にも強味を加えることはいうをまたない」

これを、一族の大将楊柏に相談すると、楊柏は、

「さあ、どうでしょうか？」と、すこぶる難色ある顔つきだ。

「いけないかね」

「考えものでしょうな」

「勇はあっても、才略のない人ですからな。それに馬超その人の性行をみるに、父母妻子をかえりみず、ただ世に功名をあせっているんじゃないでしょうか。自分の父母妻子にすらそのような人間が、どうして、他人を愛しましょう」

これで縁談は止んでしまった。

ところが、それを馬超が小耳にはさんで、楊柏に恨みをふくんだ。要らざることをいって水をさすやつだ——というわけである。楊柏は彼に殺されるかもしれないと思って恐れだした。で、兄の楊松を訪ねて、

「助けて下さい。何とか考えて下さい」と、泣訴した。

ところへ蜀の太守劉璋の密使として、黄権がこの国へ来た。ちょうどその日楊松は黄権と密談する約束だったので、弟を邸に待たせておいて、彼の客館を訪問した。

黄権がいうには、

「先頃から正式に使いをもって、たびたび張魯将軍へ援けをおねがいしてあるが、容易に蜀を援けんとはおっしゃらない。今もし玄徳のために蜀が敗れたら、必然、そのあとは漢中の危機となることは、両国唇歯の関係にある地勢歴史の上から見てもあきらかなことですのに」

「どうして」

そしてさらに黄権は、もし漢中の兵をもって、玄徳を退治してくれるなら、蜀の二十州を頒けて、漢中の領土へ附属せしめる用意がこちらにはあると、外交的な熱意と弁を

尽した。

「よろしい。もういちど、張魯将軍の御前で評議してみましょう」

楊松は、尽力を約して、張魯の法城へのぼった。そしてこの懸案を再度議していると、折から見えた馬超が、

「それがしに一軍をお貸しあれば、葭萌関を破って、一路蜀に入り、玄徳を伐って、今日の厚恩におむくいして見せん」と、断言した。

馬超が征けば、成功疑いなしと思った。張魯はここに意を決して、一軍を彼にさずけ、楊柏を軍奉行として、ついに援蜀政策を実行に移した。

二

日は没しても戦雲赤く、日は出でても戦塵に晦かった。

玄徳軍と、蜀軍と。

いまや成都は指呼のあいだにある。綿竹関の一線を境として。

ここが陥れば、蜀中はすでに玄徳の掌にあるもの。ここに敗れんか、玄徳の軍は枯葉と散って、空しく征地の鬼と化さねばならぬ。

「や。あれは？」

玄徳は今、その本陣にあって、耳を聾せんばかりな鉦鼓を聞いた。しかし彼の眉は晴々とひらいた。そこへ麓から使者が馳せてきて大声に披露した。

「綿竹関第一の勇将李厳を、お味方の魏延が縛め捕りました」

「おお、その凱歌か」

玄徳は、伸び上がって待ち受けていた。

魏延が、捕虜の李厳をひいて来た。玄徳は魏延の功を称するとともに、李厳の縄を解いて敬った。

「平時ならば、人の亀鑑ともいわれる士大夫を、いかに勝敗の中とはいえ、辱めるにしのびない」

李厳は、恩に感じて、随身の誓いを入れ、同時に暇を乞うて、綿竹関へひとたびかえった。

綿竹関の大将費観と彼とは、莫逆の友である。すなわち李厳は、この友に、玄徳の高徳を説いた。

「君がそれほど賞めるくらいなら、玄徳はまさしく真の仁君かもしれない。もとよりお互いに生死を共に誓った仲だ。君のすすめにまかせて城をあけ渡そう」

費観は伴われて、城を出た。かくて綿竹関も、ついに玄徳の入城をゆるした。

この前後のことである。地理的にみて、ほとんど、遠い異境の英雄とのみ思われていた西涼の馬超という名が、忽然とこの蜀にまで聞えてきたのは。

しかも、頻々、早馬の急報によれば、その馬超が、漢中の兵馬を率いて、葭萌関へ殺到しつつあるという。

「さては、成都の劉璋が、窮する余りに、国を割いて漢中に附与し、張魯へ膝を屈した結果とみえる」

玄徳は孔明に対策をたずねた。孔明は意を体して、張飛をよびよせ、「時に、相談があるが」といった。

「何事ですか」

「関羽のことだが」

「関羽がどうかしましたか。荊州の留守中に」

「いや、どうもせぬが、関羽をよばねばならないことが起った。ご辺と、留守を交代してもらおうかと思って」

「それがしを留守に廻して関羽を召し呼ばれるとはどういうわけでござるか」

もう張飛は顔色に出している。不平なのだ。理由によってはと、開き直りそうな構えである。

孔明は、あっさり話した。葭萌関へ新たにかかって来た敵は馬超という西涼第一の豪雄である。

関羽ならでは、よくその馬超に敵し得まい。故に、ご辺と代ってもらおうかと考慮中であるが——という。

「こは、亮軍師には、怪しからんことをいわれる。何故、この張飛を軽んじ給うか。馬超匹夫、何ほどのことかあらん。むかし長坂橋に百万の曹軍をこの両眼で睨み返した者は誰であるかご存じないか」と、眦を昂げた。

孔明は、なお微笑して、

「しかし馬超の勇は、おそらくその長坂橋の豪傑以上と自分には思われるが」と、首をかしげた。

張飛は、指を噛んで、

「もし、この張飛が、馬超にやぶれたら、いかなる軍罰にも処したまえ」

と、誓約書をかいて、血をそそぎ、哭いて、孔明と玄徳の前にさしだした。

「それまでに云うならば」と、すなわち張飛に参加をゆるしたが、孔明は、入念にも、その先鋒には魏延を附し、後陣には、玄徳を仰いだ。この編制を見ても、いかに彼が葭萌関の防ぎを重視したかがわかる。

三

葭萌関は四川と陝西の省境にあたる嶮要で、もしこれへ玄徳の援軍が入ったら、いよいよ破ることは難しいと察していたので、漢中軍をひきいた馬超は、

「玄徳の新手が着かないうちに」と、連日、猛攻撃をつづけていたのだった。

しかし、すでにその先手も中軍も、関内へ到着して、この日、城頭には、新たな旌旗が目ざましく加わっていた。

「急変にあわてて、長途を駆けつけて来た玄徳以下、何の怖るることがあろう」

馬超の勢は、猛攻の手をゆるめず、いよいよ急激に関門へ迫っていた。

　すると、関上から一彪の兵が、一人の大将を先にして、漢中軍の先鋒へ、決戦を挑んできた。

「知らぬか、玄徳の麾下に魏延がおることを」

　魏延と聞いて、漢中の楊柏は、

「よき敵」と、駆け寄って、十合あまり戦ったが、もろくも薙立てられて部下もろとも逃げだした。

「卑怯、卑怯っ」

　勝ちに乗って、追いかけると、魏延はつい止まるのを忘れて、敵の中へ深く入ってしまった。

　すでにそこは西涼の馬岱がひかえている陣地だった。馬岱の姿を見かけると、魏延は、

「これこそ馬超だろう」と思いこんで、閃々、刀を舞わして、喚きかかった。

　馬岱は、紅槍をひねって、それを迎え、戦うことしばし、敵の力量を察して、

「強敵。油断ならじ」と思ったものか、とっさ、馬をめぐらして、楯の蔭へ逃げこもうとした。

「待てッ」

　魏延の声に振り向きながら、

「これかっ」

と、答えて、馬岱は、紅の槍をさっと投げた。

魏延が身を沈めた。

そのまに、馬岱は、腰の半弓をはずして、丁とつがえ、一矢送った。

矢は、魏延の右の臂にあたった。魏延はあやうく鞍輪をつかんで落馬をまぬかれたが、鮮血はあぶみを染めて朱にした。

これを機に、魏延は、駒をかえして、葭萌関の内へ駆けこんでしまった。馬岱は、ひとたび崩れだした味方を立て直して、また、関門の下へ潮の如く襲せ返した。

すると関上から、改めて、さらに一人の猛将が駆け下りてきた。——自ら大声に名乗るを聞けば、

「桃園に義をむすんだる燕人の張飛！」

という。

聞くや、馬岱は、

「長年、出会いたいと思っていた張飛とは汝か。願うてもない好敵。いざ」

と、大剣を鳴らして迫った。

すると張飛は、

「貴様は馬超か」と、訊いた。

「いや。俺は馬超の一族、馬岱というものだ」

「なに、馬岱。そんな者では相手にならん。馬超を出せ」

「だまれ。おれの手並を見てからものをいえ」

馬岱はもう斬りかけていた。

しかし、一丈八尺の大矛は、すぐ馬岱の剣をたたき落してしまった。馬岱が恐れて逃げかけると、

「こらっ馬岱。その首を置いてゆけ」

と張飛は、ほとんどからかい半分に呶鳴りながら追おうとした。

すると、関門の上から、張飛を呼びとめる人がある。戻ってみると、主君玄徳だった。玄徳はいう。

「あまりに敵を軽んじてはいけない。きょうはここへ着いたばかり。兵馬も疲れておる。関門を閉じて、兵にも馬にも休息を与えよ」

それから玄徳は矢倉へのぼって、敵陣を瞰望していた。すると、麓の近くに、静かなこと林のような一群の旌旗が見える。やがて、その陣前に馬をおどらせて、悠々、戦気を養っているひとりの大将をながめるに、獅子の盔に白銀の甲を着、長鎗を横たえて、威風ことにあたりを払ってみえる。

「ああ。馬超馬超。いま世上の人々が、馬超の英姿をたたえて、西涼の錦馬超というとか。――あれにみゆるは、まさにその者にちがいない。好い武者振りかな」

玄徳が賞めちぎっているのを聞くと、張飛は牙を咬んで、身をうずかせていた。

四

馬超は、関門の下へ来て、

「張飛はどこへ隠れたか。わが姿を見て逃げ怖じたか。蜂の巣の蜂よ。門をひらいて出てこぬか」

と呼ばわっていた。

張飛は、矢倉の上から、

「おのれ、その口を」と、全身を瘤にし、腕を扼して、覗いていたが、傍らにある玄徳が、

「きょうは出るな」と、どうしても許さなかった。

翌日も馬超の軍は、これへ来て前日のように、城門へ唾をした。

「いまは行け」

と、ついに玄徳のゆるしを得、そこを八文字に開くやいな、丈八の矛を横たえて繰りだし、

「われこそ、燕人張飛なり。見知ったるか」と、立ちはだかった。

馬超は、哄笑した。

「わが家は、世々、公侯の家柄だ。なんで汝のような田舎出の匹夫など知るものか」

ここに両雄の凄まじい決戦が行われだした。その烈しさは、見る者の胆をちぢめさせ

た。まさに猛鷲と猛鷲とが、相搏って、肉を咬みあい、雲に叫び合うようだった。

百合余り戦っては、馬を換えてまた出会い、五、六十合火をふらしては、水を求めてまた戦闘した。

このあいだ両軍の陣は遠くに退いて、ただ鉦を鳴らし鼓を打ち、自己の代表者を励ますべく、折々わあっ、わあっ、と声海嘯を揺るがしているだけなのである。

時間にすると、中天の陽が西の空へ傾くまで、さらに勝負もつかず、馬超も張飛も、いよいよ精気と神力をふるっていた。

そろそろ陽が昏くなりかけた。両軍のあいだに、使者の交換が行われ、

「篝を焚くあいだ、しばし軍を収めて、敵味方の二将軍にも、休息をねがい、さらに、精気をあらためて決戦しては如何」と、なった。

そこで、双方同時に、退き鉦をならす――馬超も張飛も、満面から湯気をたてて自陣へさがった。

時をおいて、ふたたび張飛が、関門を出ようとすると、玄徳が、

「夜に入った、戦は明日にいたせ」と関中に止めて放さなかった。

万一、張飛が負けて、馬超に討たれでもしてはと、きょうの合戦を見てから、にわかに、心配になったからである。

ところが寄手は、夜に入っても退かず、明々の松明をつらね、篝火を焚き、

「張飛、もう出てくる精はないのか」と、あざ笑った。

「何をっ」

ついに、玄徳の命に反いて、無断、関門をひらき、馬超へ向っておどりかかった。

馬超は、もろくも逃げだした。もとより詐術である。それとは張飛もさとっていたが、彼の性格として、

「きたないぞ、馬超。最前の広言はどこへ置き忘れた」

と、追いかけ、追いかけ、つい深入りしてしまった。

急に、駒をとめたと思うと、馬超は振り向いて、矢を放った。張飛は身をかがめたま

ま、馬の鼻を突進させてゆく。

弓を捨てると、馬超は、銅づくりの八角棒を持って、張飛を待った。張飛の蛇矛は、

彼の猿臂を加えて、二丈あまりも前へ伸びた。

「待て。張飛」

うしろの声だった。

玄徳が追ってきたのである。玄徳は、馬超へ向って云った。

「自分は天下へ向って、仁義を旗じるしとし、きょうまで、まだ一度もあざむいたこと

はない。――自分を信じて、きょうは退き給え、それがしも退くであろう」

終日の戦に、さすが疲れていた馬超は、それを聞くと、

「さらば」

と、玄徳に一礼を投げ、きれいに陣を退き去った。

その夜、軍師孔明が、ここに着いた。

「戦況如何に」と案じて来たものであろう。つぶさにその日の状況を聞きとると、やがて玄徳の前に出て忠言した。

五

「馬超と張飛と、このまま、幾たびも戦わせておいたら、かならず一方は討死するにきまっています。両方とも、稀世の英傑。これを殺すことは畏(おそ)れながらあなたのご徳望を損(そこ)ねましょう」

孔明はまず、その愚を止めた。玄徳ももとより同じ気持だった。しかし、敵の英傑を助けるには、その人を、味方に招く以外に方法はない。さもなければ、味方の禍いであり、あらゆる手段を以てしても、これを除く工夫をしないわけにゆかない。

「――天恵です、それに一案があるのです。かならず馬超はお味方へ招いてみせます。私がにわかにこれへ来たのもそのためにほかならないのです」

孔明はいう。そして、疑う玄徳にむかい、その理由ある所以(ゆえん)を次のように説明した。

「このところ、馬超が、つねにも増して、強いわけは、今や彼の立場は、進んでも敵、退いても敵、進退両難に陥っているためで、いわゆる捨身(すてみ)の奮迅(ふんじん)だからです」

こう冒頭して――

「なぜ馬超が、そんな苦しい立場に陥っているかというに、実は、それもかくいう臣孔明が、手をまわして、そのたねを蒔いておいたものでした。元来、漢中の張魯という野心家は、どうかして漢寧王の称号を得たいと常々から希っておるので、その腹心の人楊松へ私から密書をやっておきました。楊松はまた慾に目のない男ですから、多額な金品をあわせ賄賂うてくれたことも申すまでもありません。――そこで私の書中には――わが主玄徳が蜀を収めたら、天子に奏して、きっと張魯をして、漢寧王に封ずるように運動しよう。このことは確約してもよろしい。……しかしそのかわりに、馬超を葭萌関から呼び返し給え。そう申しつかわしたわけです」

「なるほど」

玄徳は孔明の遠謀に、今さらながら愕きの目をみはっていた。

「――交渉数回、もともとそれに野望のある張魯ですし、楊松へもいろいろ好条件をつけてやりましたから、私と漢中との、秘密外交はまとまっているのです。で、漢中の方針は、急角度に一変し、ここへ攻めてきている馬超に対して、即時引き揚げよと、張魯から幾たびも早馬が来ておるはずです」

「ほう。そうであったか」

「しかしです。――馬超が素直にそれを肯くわけはありません。彼は国のない者です。この機会に自己の地盤なり兵力なりを持たなければ生涯の機を逸するものと深く思っているにちがいない。旁〻、諸州への外聞もある。――漢中の命令を耳にも入れず、かえっていよいよ急にここを攻めているものなのです」

「――む、む」

「張魯の心証は、俄然、馬超に対して悪化しました。弟の張衛もまた、楊松と親密なので、大いに馬超を讒言し始め、馬超は漢中の兵を借りたのを奇貨として、私に蜀を攻め取り、後には漢中へ弓をひく料簡だろう――と、そんなことを云い触らし始めたのです」

「張魯のこころは？」

「同様に怒り立って、ついに張衛に兵を与えて国境に立たせ、たとえ馬超が帰るも、漢中に入るるなかれと命令し、かつ、使者をもって、馬超の陣へ臨ませ――汝、命にそむいて、ここを引き揚げぬからには、一ヵ月のあいだに三つの功を遂げよ。一、蜀を取る。二、劉璋の首を刎ね、三、玄徳以下荊州軍をことごとく蜀外に追い払え。――と申し渡したとか。以上は、馬超の身を包んでいる事情です。その窮地を私は救ってやろうと考えます。どうか私の三寸の舌におまかせ下さい」

「軍師みずから行って馬超を説かんといわれるのか」

「そうです。それくらいな誠意をこちらも示さねば……」

「危ない。万一、不慮の事が生じたら取り返しがつかぬ」

「いや、ご心配はありません。明日、朝の光を見たら、直ちに行って、馬超に面会を求めましょう」

「まあ、今夜一晩、考えてからにしよう」

玄徳は容易にゆるさない。しかし次の日となると、はからずもここへ、ひとりの適当な人物が、天の配剤かのごとく、玄徳を訪ねて来た。

六

その人は、李恢、字は徳昂といい、蜀中の賢人といわれ、士民の尊敬も浅くないので、綿竹の城にある趙雲からわざわざ書簡をそえて紹介して来たものであった。

李恢は玄徳にいった。

「孔明軍師がこちらへお出でになったでしょう」

「昨夜、関中に着いた」

「馬超を招き降さんがためではありませんか」

「どうしてわかる」

「俗に、*傍目八目というではありませんか。第三者として傍観しておれば、孔明軍師がきょうまでのあいだに、漢中の張魯にたいして、どんな手だてを打っておるかは、楽屋から舞台を覗いているようによくわかるものです」

「待て待て。それはおいて、ご辺はここへ何しに来たか」

「馬超を説かんとして来ました」

「ふうむ。……馬超を説いて、予の帷幕に招いてくる自信があるか」

「あります。孔明軍師を除いては、おそらく、その使いをなすものは、私のほかにありますまい」

「しかし、ご辺はさきに、劉璋を諫めた人と聞いておる。いままた、この玄徳に言をなして、予のために働こうという。いったいご辺は、劉璋に忠ならんとするのか、玄徳に仕えんとするのか」

「良禽は木を撰ぶ。そんなことは訊くだけ野暮ではありませんか。皇叔、あなたも蜀を喰いつぶしに来たのではないでしょう。蜀中に仁を施しにきたのではありませんか」

孔明は衝立のかげに聞いていたが、このとき現れて、

「李恢、私に代って、馬超の陣へ行ってくれ。御身なら必ず使命を果たすだろう」と、いって、玄徳にゆるしを求め、かつ、書簡を仰いだ。

玄徳の一書を持って、李恢はやがて、関外へ出て行った。

馬超は、その本陣で、彼の訪問をうけると開口一番に、

「汝は、玄徳に頼まれてきた説客であろう」といった。

李恢は悪びれもせず「そうだ」と、うなずき、

「しかし、頼まれてきたのは、玄徳ではないよ」

「では、誰だ」

「御身の亡き父親から」

「なに」

「不孝の子をよく訓えてくれとな。……夢でだよ」

「この風来人め、詭弁をやめよ。あの匣の中には、つい近頃、磨がせたばかりの宝剣が

あるぞ」

「幸いに、その剣が、そういうご自身の首を試みるものにならなければよいが」

「まだいうか」

「前途ある青年馬超を惜しむのあまりわしはいう！　聞き給え馬超、いったいおぬしの父親は誰に殺されたのだ。——そもそも、西涼の兵馬をあげて、倶に天をいただかずと、神明に誓った当の仇敵は、魏の曹操ではなかったか」

「…………」

「その曹操のため、敗れて漢中に奔り、張魯のため、よい道具につかわれたあげく、一族の楊松などに讒せられ、腹背に禍いをうけ、名もなき暴戦をして、可惜、有為の身を意義もなく捨て果てようとは。……さてさて、呆れた愚者。辱知らず。父の馬騰もあの世で哭いているだろう」

「……ううむ」

「何が、ううむだ。思え、泉下の父の無念を。……たとえ御身が玄徳に勝ったところで、歓ぶものは誰だか知っておるか。それは曹操ではないか」

「賢士。目がさめた。ゆるしたまえ。ああ誤った」

馬超は、がばと、身をくずして、李恢のまえに哭き仆れた。

このとき李恢は満身から声を発して、

「悪いと気がついたら、なぜ幕外に潜めておる兵を退けんかっ」と、あたりを睨まえた。

隠れていた武士たちは胆をつぶして、こそこそ消えた。李恢は、馬超の腕をとって確と自分の腕に拱み、

「さあ、行こう。劉玄徳は御身を待っている。決して、辱めはしないよ。わしがついている。わしにまかせておくがいい」

成都陥落

一

馬超は弱い。決して強いばかりの人間ではなかった。理に弱い。情にも弱い。

李恢はなお説いた。

「玄徳は、仁義にあつく、徳は四海に及び、賢を敬い、士をよく用いる。かならず大成する人だ。こういう公明な主をえらぶに、何でうしろ暗い憚りをもつことがある。第一、玄徳に力を添えて曹操を討つは、大きくは四民万象のため、一身には、父母の仇を報じる大孝ではないか」

唯々として、彼はもう李恢と駒をならべて、関中へ向っていた。

伴われて、玄徳に会った。

この英気ある青年の良心的な降伏に対して、間の悪いような思いをさせる玄徳でもない。

「ともに大事をなし、他日の曠世を楽しもうではありませんか」

ほとんど、上賓の礼をもって、彼を遇した。

青年馬超の感激はいうまでもなかった。恩を謝して、堂を降るとき、

「いま初めて、雲霧を払って、真の盟主を仰いだここちがする」

心からそういった。

そこへ腹心の馬岱が、一箇の首級をもたらして来た。すなわち漢中軍の軍監楊柏の首だった。

「以て、それがしの心証としてごらんください」

馬超はそれを玄徳に献じた。

こうして、葭萌関の守備も、いまは憂いも除かれたので、玄徳は最初のとおり霍峻と孟達の二将にあとの守りをまかせて、その余の軍勢すべてをひきい、ふたたび綿竹の城へ帰った。

綿竹へ着いた日も、ここは合戦で、蜀の劉晙、馬漢の二将がさかんに攻めている最中だった。

にもかかわらず、留守していた黄忠や趙雲は、常と変らず出迎えに出たのみか、城中

には、盛宴を張って、

「おめでとう存じます」と、玄徳に凱旋の賀をのべた。

そのうちに趙雲が、

「ちょっと、中座いたします」

と、杯をおいて、城外へ出て行ったと思うと、やがて敵将馬漢と劉晙の首をひッさげて来て、

「賀宴のおさかなに」と披露した。

一堂の将はみな手をたたいた。馬超もこの中にいたので、

「ああ、さすがに英傑がいる」と、ひそかに舌をまいて愕きもし、また、こういう英雄たちの仲間に加わった自分の生きがいも大きくした。

そこで、馬超は、玄徳に向って、

「ご奉公の手始めに、私と、私の従弟の馬岱と、ふたりして成都におもむき、劉璋に会って、張魯の野心を語り、また漢中の内情を告げ、劉皇叔の兵と戦うことの愚かなることをよく説いてみたら——と思いますがどうでしょうか」と、進言した。

玄徳は、孔明に諮れという。孔明は、賛成した。そして教えた。

「もし劉璋が、君の言に服さなかったときは、こうこうし給え」と。

それから十数日の後。馬超と馬岱は、蜀の府城、成都門の壕ぎわに、駒をたてて、

「太守劉璋に、一言せん」と、呼ばわっていた。

城楼の遥かに、劉璋が立った。

馬超は、声を張って、

「公は、漢中の援けを待って、籠城しておられるのだろうが、百年お待ちになっても、張魯の援軍などは参りませんぞ」と、冒頭(まえおき)して、

「たとい、来たところで、それは蜀を救いにくるのでなく、蜀を横奪に来るのです。漢中の内情と、張魯一族の野望とは、公がお考えになっているようなものではない。現に、この馬超すら、彼らにあいそをつかし、楊柏を討って、劉玄徳に従ったほどです」とその経緯(いきさつ)をことごとくはなした。

劉璋は、落胆のあまり、昏倒しかけた。侍臣にささえられて、楼台の内へかくれた様が、馬超と馬岱にも見えた。

ふたりは、馬を回(かえ)して、城外に陣し、劉璋の返答を待っていた。

城中では、主戦派、籠城派、また和平派など幾つにもわかれて、二日二晩の評定に大論争がもつれていた。しかし結局は、玉砕か降伏か、その二つを出なかった。

二

この間にも、劉璋を見限って、城中を抜け出す投降者は続出していた。蜀郡の許靖(きょせい)までが城を踰(こ)えたと聞いて、劉璋は、

「成都も今が終りか」と、一晩中、慟哭(どうこく)した。

あくる日、簡雍と名乗って、一輛の車が、城門の下へ来た。劉璋が門を開かせて、

「ともあれ迎えよ」というので、案内すると、簡雍は車のまま城中へ通ったのみか、ひどく尊大ぶって、迎えの将士を睥睨してゆくので、ひとりなお気概のある大将が、

「こらっ、ここをどこと心得る。蜀の本城に人はいないと思うかっ」

と、剣を抜いて、車上の者の鼻面へつきつけた。

簡雍はあわてて車から飛び降り、無礼をわびて、急に慇懃になった。

「先生のこれへ来られたのは何事ですか」

しかし劉璋は、彼を軽んじることなく、堂上に請じて、大賓の礼をとった。

「謹んで太守の賢慮を仰ぎ、蜀中の民を救わんがためです」

簡雍は、口を極めて、玄徳の人間をたたえ、その性は寛弘温雅、心をもって結べば、決して相害するような奸人ではないと告げた。

劉璋は、一晩、簡雍を泊めて、次の朝、翻然と悟ったもののごとく、印綬、文籍を簡雍に渡し、ともに城を出て降参の意を表した。

玄徳はみずから迎え立ち、劉璋の手をとって云った。

「私交としては、人情にうごかされるが、時の勢いと、公なる立場から、きのうまで、成都を攻め、今日、あなたの降を容れることとなった。かならず個人同志の情誼と、公人的な大義とを混同して、この玄徳を恨みたもうな」

玄徳の眼には、熱い涙すらみえたので、劉璋は、むしろ降伏の時を遅くしたことを、

自身の罪と思ったほどであった。

成都の民は、平和を謳歌した。香を焚き、花を剪って、道を清めた。玄徳と劉璋は、馬をならべて城中へ入った。

「蜀は、あらたまって新しい統治の下に、きょうを以て、その更生第一日とする。なお昨日にひとしい錯覚をいだいて、この一新に不平あるものは去れ」

府堂にのぼって、玄徳はこう宣言した。

蜀中の大将文官は、ほとんど階下に集まって、異存ない旨を誓ったが、ただ黄権と劉巴だけが、自邸に籠って、門を閉じたまま、ここに姿を見せていなかった。

「憎むべき反骨」

「なお異心あるにちがいない」

騒然と、その二人に対して、非難の声が起ったが、玄徳は、険悪な空気を予察して、

「もし私的に、二人へ危害を加えなどしたら、その者は大罪に処して、三族をも亡ぼすであろう」

と、かたく盲動を禁じた。

式が終ると、彼は自身足を運んで、劉巴の門前に立ち、また黄権の家の門にも立った。そして諄々と、時代の一転を説き、新政の意義を諭し、さらに、これに逆行しようとする小さい反抗の、小我に過ぎないことを云い聞かせた。

「ああ、われ誤る」

と、まず黄権が出て、門外に額ずき、つづいて劉巴も恭順をちかった。

成都は収められた。こうして、蜀中は平定した。

孔明は、玄徳へすすめた。

「いまはもうよい時です。劉璋を荊州へお送りなさい」

「蜀の実権は、すでに劉璋にないのだから、あえて、遠くへ送る必要もないのではなかろうか。不愍に思われる」

「一国に二人の主なし。そんな婦人の仁にとらわれてはいけません」

「……げにも」

玄徳はうなずいた。しかし彼としては、勇気を要した。

孔明がすべてを取り計らった。即ち劉璋を振威将軍に封じ、妻子一族をつれて、荊州へ赴くようにという令をくだしたのであった。

ここに劉璋は蜀を去って、荊州の南郡に移り、まったくその地位と所をかえて余生する身となった。

三

玄徳は次に、恩爵授与の大令を発した。譜代の大将部将幕賓はもちろん、降参の諸将にまでその封爵と行賞はあまねくゆきわたった。

封爵、栄進の恩に浴した将軍たちの名はいちいち挙げきれないが、玄徳は、この栄を留守の関羽に頒つことも忘れなかった。

関羽のみでなく、その下にあって、よく後方を守ってくれた将士軽輩にいたるまで、恩典から洩れないようにした。そのために成都から黄金五百斤、銭五千万、錦一万匹を荆州へ送った。

なお、蜀中の窮民には、倉廩をひらいて施し、百姓の中の孝子や貞女を頌徳し、老人には寿米を恵むなど、善政を布いたので、蜀の民は、劉璋時代の悪政とひきくらべて、新政府の徳をたたえ、業を楽しみ、歓びあう声、家々に満ちた。

何にしても、蜀の国始まって以来の盈光が全土にみなぎった。新しい文化の光、人文の注入も、あずかって力がある。

「予は初めて、予の国をもった」

玄徳も万感を抱いたであろう。国ばかりでなく、このときほどまた、彼の左右に人物の集まったこともない。

軍師孔明。

盪冦将軍寿亭侯関羽。

征虜将軍新亭侯張飛。

鎮遠将軍趙雲。

征西将軍黄忠。

揚武将軍魏延。

平西将軍都亭侯馬超。

そのほか、孫乾、簡雍、糜竺、糜芳、劉封、呉班、関平、周倉、廖化、馬良、馬謖、蔣琬、伊籍——などの中堅以外には、新たに玄徳に協力し、或いは、戦後降参して、随身一味をちかった輩にて、
前将軍厳顔。

蜀郡太守法正。

掌軍中郎将董和。

長史許靖。

営中司馬龐義。

左将軍劉巴。

右将軍黄権。

などという錚々たる人物があるし、なお、呉懿、費観、彭義、卓膺、費詩、李厳、呉蘭、雷同、張翼、李恢、呂義、霍峻、鄧芝、孟達、楊洪あたりの人々でも、それぞれ有能な人材であり、まさに多士済々の盛観であった。

「自分が国を持ったからには、それらの将軍たちにも、田宅をわけ与えて、その妻子にまで、安住を得させたいが」

ある時、玄徳がこう意中をもらすと、趙雲はそれに反対した。

「いけません、いけません。むかし秦の良臣は、匈奴の滅びざるうちは家を造らず、と

いいました。蜀外一歩出れば、まだ凶乱を嘯く徒、諸州にみちている今です。何ぞわれら武門、いささかの功に安んじて、今、田宅を求めましょうか。天下の事ことごとく定まる後、初めて郷土に一炉を持ち、百姓とともに耕すこそ身の楽しみ、また本望でなければなりません」

「善い哉、趙雲の言」と、孔明もともに云った。

「蜀の民は、久しい悪政と、兵革の乱に、ひどく疲れています。いま田宅を彼らに返し、業を励ませば、たちまち賦税も軽しとし、国のために、いや国のためとも思わず、ただ孜々として稼ぎ働くことを無上の安楽といたしましょう。その帰結が国を強うすること申すまでもありません」

なおこの前後、孔明は、政堂に籠って、新しき蜀の憲法、民法、刑法を起算していた。

その条文は、極めて厳であったので、法正が畏る畏る忠告した。

「せっかく蜀の民は今、仁政をよろこんでいる所ですから、漢中の皇祖のように法は三章に約し、寛大になすってはいかがですか」

孔明は笑って教えた。

「漢王は、その前時代の、秦の商鞅が、苛政、暴政を布いて、民を苦しめたあとなので、いわゆる三章の寛仁な法をもって、まず民心を馴ずませたのだ。――前蜀の劉璋は、暗弱、紊政。ほとんど威もなく、法もなく、道もなく、かえって良民のあいだには、国家にきびしい法律と威厳のないことが、淋しくもあり悩みでもあったところだ。民が峻厳を求めるとき、為政者が甘言をなすほど愚なる政治はない。仁政と思うは間違いである」

四

孔明はなおいった。

「民に、恩を知らしめるは、政治の要諦であるが、恩に狎(な)れるときは、民心が慢じてくる。民に慢心放縦(ほうじゅう)の癖がついた時、これを正そうとして法令をにわかにすれば、弾圧を感じ、苛酷を誹(そし)り、上意下意、相もつれてやまず、すなわち相剋(そうこく)して国はみだれだす。――いま戦乱のあと、蜀の民は、生色をとりもどし、業についたばかりで、その更生の立ち際に、峻厳な法律を立てるのは、仁者の政(まつりごと)でないようであるが、事実は反対であろう。すなわち、今ならば、民の心は、どんな規律に服しても、安心して生業を楽しめれば有難いという自覚を持っているし、前の劉璋時代とちがって賞罰の制度が明らかになったのを知れば、国家に威厳が加わって来たものとして、むしろ安泰感を盛んにする。これ、民が恩を知るというものである。――家に慈母があっても、厳父なく、家の衰えみだれるを見る子は悲しむ。家に厳父あって、慈母は陰にひそみ、わがままや放埒(ほうらつ)ができなくとも、家訓よく行われ、家栄えるときは、その子らみな楽しむ。……一国の政法も、一家の家訓も、まず似たようなものではあるまいか」

「おそれ入りました。深いおこころもわきまえず、無用なことを申上げ、かえって、恥入りました」

法正は心から拝服して、以来、孔明を敬うこと数倍した。

数日の後、国令、軍法、刑法などの条令が布告され、西蜀四十一州にわたって、兵部が設けられた。内は民を守り、外は国防にあたり、再生の「蜀」はここに初めて国家の体をそなえた。

×　　×　　×

千里の上流から、江を下って、漢中、西蜀あたりの情報はかなり迅く、呉へも聞えてくる。

「玄徳はすでに成都を占領した」

「着々治安を正し、蜀中に新政を布告したという」

「もとの太守劉璋は、後方へ送られて、荆州の公安へ移ってきたというではないか」

呉の諸臣は、政堂に会するたび、おたがいの早耳を交換していた。

一日、呉主孫権は、衆臣の中でこういった。

「蜀の国を取れば、かならず荆州は呉へ返す。——これは玄徳が、かねがね呉に向って、口癖にいっていた約束である。然るに、今、蜀四十一州を取りながら、まだ何らの誠意も示してこない。予の忍耐にもかぎりがある。いっそのこと、大軍をさしむけて、荆州をこっちへ収めてしまおうと考えるが、各〻の所存はどうか」

　すると、宿将張昭が、「まだ、まだ」と、独り頭を振っていた。

　孫権がみとめて、

「昭老はこのことに不同意であるか」と、問いかけた。

　彼は、うなずいた。

「蜀、魏、呉の三国のうちで、いま最も恵まれている国は呉です。呉の位置です。国は安寧で、民は富を積み、兵は充分に英気を養っていられるところです。求めて大軍を起すにあたりますまい」

「しかし、このままにしておいたらいつの日、荊州が呉にかえるぞ」

「手を袖にして、荊州を取り返してご覧にいれましょう」

「そんな名案があるのか？」

「あります。──玄徳のたのみとする人物は諸葛孔明一人といっていいでしょう。その孔明の兄諸葛瑾は、久しく君に仕えて、呉にいるではありませんか。いま罪を称えて、彼を蜀へ使いに立て、もし荊州を還さなければ、孔明の兄たる筋をもって、この瑾をはじめ妻子一族は残らず斬罪に処されます──と彼にいわせてごらんなさい」

「なるほど。……孔明は情に悶え、玄徳は義理に悩もう。……その計は大いによい。しかし瑾は、この孫権に仕えてからまだ一ぺんの落度すらない誠実な君子。なんでその妻子を獄に下せようか」

「いや。君のお旨を、よく申し聞かせ、計のためなりと、得心の上で、仮の獄舎へ移しておくなら、なんのさまたげもないでしょう」

次の日、諸葛瑾は、君命をうけて、呉宮の内へ召されていた。

臨江亭会談

一

蜀の玄徳は、一日、やや狼狽の色を、眉にたたえながら、孔明を呼んで云った。

「先生の兄上が、蜀へ来たそうではないか」

「昨夜、客館に着いたそうです」

「まだ会わんのか」

「兄にせよ、呉の国使として参ったもの。孔明も蜀一国の臣。私に会うわけにはまいりません」

「何しに見えたのであろう」

「もとより荊州の問題でしょう」

孔明は、座へ寄って、玄徳の耳もとへ、何かささやいた。

「……そういうお気持で」

「む、む。わかった」

玄徳はいささか眉をひらいた。

その晩、孔明はふいに、客舎にある兄を訪ねた。孔明に会うと、諸葛瑾(しょかつきん)は、声を放って、大いに哭(な)いた。

「兄上。いったい、どうなすったのです」

「聞いてくれ、亮(りょう)。わしの妻子一族がみな呉で投獄された」

「荊州を還さぬという問題をとらえてですか」

「そうじゃ。亮……察してくれよ」

「お気づかいには及びません。荊州さえ還せばみな獄から解かれましょう。兄上の妻子にまでご災難の及んでゆくのを、なんで孔明が坐視しておりましょう。君へ申しあげて、きっと荊州は呉へ還します」

「おお……そうしてくれるか」

諸葛瑾(しょかつきん)は、涙を喜色にかえて、弟に謝し、次の日ひそかに玄徳へ会った。そして、

「これは、呉侯からのご書簡ですが」

と、孫権からの一書を呈すると、玄徳はそれを披見(ひけん)して、たちまち色を作(な)した。

諸葛瑾は、はっとした。側にいた孔明も、眼をみはった。玄徳の手にその書簡は引き

裂かれ、その眸は、天の一方を見て、独り語にこう叫んだ。

「無礼なり孫権。――もとより荊州はいつか呉へ還さんとは思っていたが、汝、いたずらに小策を弄し、わが夫人を欺いて、呉へ呼び返すなど、玄徳の面目を無視し、夫婦の情を虐げ、いつかはこの恨みをと、骨髄に刻んでいた玄徳の心を知らないかっ。――むかし一荊州にありし時だに、汝ごときは物の数としていたわれでない。いわんや今、蜀四十一州を併せて、精兵数十万、肥馬無数、糧草は山野に蓄えて、国人みな時にあたるの覚悟をもつ。汝、いかに狡智を弄すとも、力をもって荊州を取ることを得んや」

胸中の憤怒を一時に吐いたような玄徳の激色に、ふたりは打たれたように一瞬沈黙していたが、そのうちに孔明が卒然と面をおおって哭きかなしんだ。

「もし兄上をはじめ、妻子一族まで、呉侯のために誅せられたら、孔明はどんな面をして、独り世に生き残っておられましょう……哀しいかな、この絆。ああ苦し、この事の処置」

仰いでは、涙をのみ、伏しては肩を打ちふるわせた。

玄徳は、なお怒気忿々と、色を収めなかったが、次第に感情を抑制して、孔明の心も不愍と察しやるかのように、

「そう嘆かれては、予の胸もつらい。さりとて荊州は還し難し、軍師の悲嘆は黙し難し。……そうだ、ではこうしてつかわす。荊州のうち長沙、零陵、桂陽の三郡だけを呉へ還してくれる。それなら呉の面目も立ち、瑾の妻子も助けられよう」

「かたじけのう存じます」と孔明は拝謝し、また感激して、

「では、その趣を、ご書簡にしるして、兄上へおさずけ下さい。――兄上はそれをたずさえて荊州へ赴き、関羽と談合の上、移譲の手続きを運びましょうから」と、いった。

玄徳はすぐ書簡を書いて、瑾へ渡したが、

「予の義弟の関羽は、心性率直、情熱は烈火に似、われすらなお懼るるほどの男だから、衝突しないように、よく気をつけて語るがいいぞ」

と注意してやった。

諸葛瑾は、成都を去って、山覊舟行数十日、荊州へ着くや、すぐ城を訪れて関羽に対面した。

二

関羽のそばには、養子の関平が侍立していた。

諸葛瑾は、玄徳の書簡を示して、さて、

「このたび荊州の内、三郡だけを呉へお還し給わることになりましたから、早速、そのお手配をねがいたい」と、いった。

関羽は、うんもすんもいわない。瑾を睨めつけているのだ。瑾がかさねて、

「もし将軍がおきき入れなく、三郡すらお還し下さらぬときは、瑾の妻子は立ちどころに誅せられ、私も呉へ帰る面目はありません。どうか、苦衷を察してください」と、泣

訴した。

関羽は、剣の柄を叩いて、

「ならんっ。断じて還さん。それはみな呉の計略というもの。ふたたび無用な口を開くと、この剣が答えるぞ」

と、大喝した。

関平は父をなだめた。

「このお方は、孔明軍師の兄上です。およしなさい」

「知っておる。孔明の兄でもなければ、生かして帰すところじゃない」

と、関羽はなお恐ろしい形相をおさめないのである。

諸葛瑾は、とりつくしまもなく、ここを去って再び蜀へもどり、玄徳へ訴えようとしたが、その玄徳は折から病中とあって典医が面会を許さず、弟の孔明に会おうとすれば、その孔明は郡県の巡察に出張して、しばらくは成都に帰るまいという。

千里の往来も空しい旅となって、瑾はぜひなく一応、呉へ帰って来た。呉主孫権は、それもこれもみな策士孔明のからくりにちがいないと、足ずりして怒ったが、

「さりとて、汝にも、汝の妻子にも罪があるわけではない」

と、仮に獄中へつないでおいた瑾の家族はみな家へ帰した。

孫権はまた、諸官吏を、荆州へ派して、

「すでに玄徳が還すといった長沙、零陵、桂陽の三郡は、臣下の関羽が、なんと拒もう

と、まさしく呉が接受すべきものである。強硬に交渉して、関羽の下の地方官吏を追い払い、汝らの手で郡の政庁を奪って代れ」と、厳命した。

もちろん軍隊もついて行った。しかしほど経てからそれらの官吏はみな逃げ帰ってきた。反対に関羽の部下に追い払われてきたのだという。しかも軍隊などはほとんどひどい目に遭わされて、生きて帰ってきた兵は三分の一しかなかった。

「とても、尋常一様な手段では荊州は還りますまい。私にご一任賜るなら、遠く溯って、陸口（漢口の上流）の塞外、臨江亭に会宴をもうけ、一日、関羽を招いてよく談じ、もしきかなければ、即座に彼を刺し殺してしまいますが……いかがでしょう、お任せ下さいますか」

これは魯粛の進言である。

呉中一といっても二と下らない賢臣の言だ。反対者もあったが、孫権は然るべしと、その計を採用することに決し、

「いまをおいて、いつの日か荊州をわが手に取り還さん。はや行け」と、励ました。

船に兵を積み、表には、親睦の使いととなえて、魯粛は、揚子江を遠く溯って行った。そして陸口城市の河港に近い風光明媚の地、臨江亭に盛大な会宴の準備をしながら、一面、呂蒙だの甘寧などの大将に、「もし関羽が見えたときは、かくかくにして」と、すべての計をととのえていた。

臨江亭は湖北省にある。荊州はいうまでもなく湖南の対岸。――魯粛の使いは、舟行

して江を渡った。しかもその使いは、ことさら華やかに装い、従者に麗しい日傘をかざさせて、いかにも悠暢に、会宴の招待にゆく使いらしく櫓音も平和に漕いで行った。

彼はやがて、荊州の江口から城下に入り、謹んで、書を関羽に呈した。書面の内容はもとより魯粛の名文をもって礼を尽し、蜜の如き交情をのべ、どうしても断れないように書いてあった。

三

「参る。よろしくいってくれ」

簡単に承諾して、関羽は使いを返した。

関平は驚いた。かつ危ぶんで、父に諫めた。

「魯粛は、呉でも、長者の風のある人物とは聞いていますが、時局がこんな場合、いかなる陥穽を構えているか知れたものではありません。千金の重き御身を、そう軽々にうごかし遊ばすのは、如何と思いますが」

「案じるな」

関羽はあくまで簡単にいう。

「供は、周倉一名をつれて行く。そちは精兵五百人に快舟二十艘をそろえ、こなたの岸に遠く控えておれ。――そしてもし父が彼方の岸で旗をあげて招くのを見たら、初めて船を飛ばして馳せつけて来い」

「かしこまりました」

関平は、父の命に従うしかなかった。

その日になると、関羽は、緑の戦袍を着、盛冠花鬢、一きわ装って小舟にのった。供の周倉は、面は蛟のごとく青く、唇は牙をあらわし、腕は千斤も吊るべしと思われる鉄色の肌をしている。その周倉が、桃園の義盟以来、関羽が常に離すことなき八十二斤の青龍刀を持って、主人のうしろに控えていた。

また、小舟には、紅の旗を一すじ立てていた。「関」の一大文字が書いてある。江風はゆるやかに、波は凪いで、舟中の関羽は眠くなりそうな眼をしていた。

「……や、ひとりで来る」

「あれが関羽か？」

対岸では、呉の人々が、眩しげに手をかざし合っていた。てッきり関羽は、大勢の兵をつれて来るだろう。――そう予期していたものらしい。もし大兵を連れてきたら、鉄砲を合図に、呂蒙と甘寧の二軍でふくろ包みにしてしまおう。これが、魯粛の備えておいた、第一段の計であった。

ところが案に相違して、関羽は常にもなく華やかに装い、供ひとりを従えてきたので、

「さらば、第二段の計で」

と、はやくも眼くばせを交わし合っていた。

会場臨江亭の庭後には、屈強な武士ばかり五十人を伏せて、ここへ関羽を迎えたのである。もちろん沿道の林間、園内随所の林泉の陰にも、雑兵は充満している。ひとたびここへ入ったからには、天魔鬼神でも生きて出ることはできないようになっている。とはいえもちろん客の視野には、一すじの素槍の光だに、眼にふれないように隠してあった。亭は花や珍器に飾られ翠蔭しきりに美鳥が啼いていた。はるばる呉から船載してきた南方の美味薫醸は、どんな貴賓を饗するにも恥かしいものではなかった。

魯粛は、拝伏して、関羽を上賓の席に請じ、さて、酒をすすめ、歌妓楽女をして、歓待させたが、話になると、眸を伏せた。関羽の眼をどうしても正視できなかった。

しかし酒半酣の頃、ようやく、やや打ちくつろいだ態を仕向けて云った。

「将軍もよくご存じでしょう。むかし荊州の問題で、呉侯の命をうけ、たびたび劉皇叔の御許へ、交渉の使いにまいりましたが、いやはや、えらい目に遭いました。あればかりは忘れられませんよ」

「どうしてです」

「すっかり翻弄されたようなものでしたからね」

「そんなことはないでしょう。わが主劉皇叔はかりそめにも信義には背かないお方です」

「けれどついに、今もって荊州はお返しして下さらないではありませんか」

「あははは」

「笑いごとではありません。ために、呉侯からこの問題について使いを命じられたものはみな実に面目を欠いています。――やがて蜀四十一州を取ったら返すなどと宣いながら、いま蜀をお手に入れても実行なさらず、わずかに荊州の内三郡だけを返すといわれたかと思えば、羽将軍が妨げて、故意にそれすらお返しなさらない」

「考えてもごらんなさい。わが皇叔以下、われわれ臣下は、かの烏林の激戦に、みな命をなげうち矢石を冒して、血をもって奪った地ではないか。地下の白骨に対してもそういいそれと他国へ譲れるものかどうか。――もし足下がわれらの立場としたらどうでしょう」

「待って下さい。……過去をいうならば、この当陽の戦に、将軍たちをはじめ皇叔一族も、惨澹たる敗北をとげ、帰るに国もなく、拠るに味方もなく、百計尽き果てたところを助けてあげたのは、どこの誰でしたろう、呉の恩ではなかったでしょうか」

四

魯粛も呉の大才である。こう口を開いて、この会談の目的にふれてくると、その舌鋒は、相手の急所をつかんで離さなかった。

「いや、恩着せがましく申しては、ご不快かも知れぬが、あの折、敗亡遁竄の果て、ご一身を容るる所もなき皇叔に、愍れみをかけた御方は、天下わが主おひとりであった。後なお、莫大な国費と軍馬を賭して、曹操を赤壁に破ったればこそ、皇叔にも、ふたたび時に遭うことができたというもの。——しかるに、蜀も取りながら、まだ荊州をお返しなきは、いわゆる飽くなき貪慾、凡下だに恥ずる所業といわれても仕方がありますまい。ましてや人の師表に立つ御方ではないか。将軍はどうお考えになりますか」

「…………」

理の当然に、関羽も答えにつまって、頭を垂れていたが、なお、急所を押されると、苦しまぎれに、

「家兄の皇叔には、べつに正当なご意見があることでしょう。それがしの与り知ることではない」

と、云いのがれた。

魯粛はすかさず、なお語気に攻勢をとって、

「皇叔とあなたは、むかし桃園に義をむすんで、心もひとつぞ、生死も共にと、お誓い合った仲と承る。なんで、与り知らぬで世間が通しましょうぞ」と、たたみかけた。

すると、関羽の側に立っていた周倉が、主人の旗色悪しとみたので、突然、

「天上地下、ただ徳ある者が、これを保ち、これを政するは当然、豈、荊州を領する者、汝の主孫権でなくてはならぬという法があろうかっ」

家鳴りするような声でどなった。

はっと、色を変じながら、関羽は席から突っ立った。そして周倉に持たせておいた偃月の青龍刀を引ったくるように取ると、

「周倉、だまれっ。これは国家の重大事である。汝ごときが、みだりに舌をうごかすところではない！」と、叱りつけた。

騒然と、亭中は色めき立った。関羽がやにわに巨腕を伸ばして、魯粛の臂をつかんで歩きだしたのみでなく、周倉が亭の欄まで走って、そこから江上へ向って、しきりに、赤い旗を振ったのを見たからである。

「さあ、来給え」

関羽は、大酔したふうを装いながら、次第に大股を加え、

「すくなくも一国の大事を、軽々と酒間に談じるのは、よろしくない。かつは甚だしく久闊の情をやぶり、せっかくの酒興を傷つける。ご返礼には、他日また、それがしが湖南に一会を設けてご招待するが、きょうはひとまずお別れとしよう。酔客のために、江岸の舟まで送って来給え」

人々が、あれよと立ちさわぐ間に、もう亭を降り、園を抜け、門外へ出ていた。魯粛の肥えた体も、関羽の手にはまるで小児を提げて行くようであった。

魯粛は、酒もさめ果て、生きた空もない。耳のそばを、ぶんぶん風が鳴ったと思うと、たちまち、江岸の波打ちぎわが見えた。

ここには呂蒙と甘寧とが、大兵を伏せて、関羽を討ち漏らさじと鉄桶の構えを備えていたのであるが、関羽の右手に、見る眼もくらむばかりな大反の偃月刀が持たれていることと、また片手に魯粛がつかまれているのを見て、

「待て」

「迂闊に出るな」

と、制し合っていた。

そのまに、周倉が寄せた小舟へ、関羽はひらりと飛び乗ってしまった。そして初めて、魯粛を岸へ突っ放し、

「おさらば」

と、一語、岸を離れてしまった。

甘寧、呂蒙の兵が、弓をならべて、矢を江上へ射ったが、一舟は悠々帆を張って、順風を負いながら、対岸から出迎えにきた数十艘の快舟のうちへ伍して去った。

交渉、ここに破れ、国交の断絶は、すでに避け難い。

魯粛のつぶさな書状を捧じて、早馬は呉の秣陵へ急ぎに急ぐ。

呉の国都には、これと同時に、べつな方面から、魏の曹操が、三十万の大軍をもって、南下しつつあるという飛報が入っていた。

冬葉啾々

一

魏の大軍が呉へ押襲せてくるとの飛報は、噂だけにとどまった。

嘘でもなかったが、早耳の誤報だったのである。

この冬を期して、曹操が宿望の呉国討伐を果たそうとしたのは事実で、すでに南下の大部隊を編制し、各部の諸大将の任命も内々決定していたのであるが、参軍の傅幹という者が、長文の上書をして、

一、今はその時でない事
一、漢中の張魯、蜀の玄徳などの動向の重大性
一、呉の新城秣陵の堅固と長江戦の至難
一、魏の内政拡充と臨戦態勢の整備

等の項目にわたって諫言したので、曹操も思い直して出動を見あわせ、しばらくはなお、内政文治にもっぱら意をそそぐこととした。

新たに、文部の制を設け、諸所に学校を建てて、教学振興を計った。

彼がこうして少し、善政を布くと、すぐそれを誇大にたたえて、お太鼓をたたく連中もできてくる。

宮中の侍郎王粲、和洽、杜襲などという軽薄輩で、

「曹丞相はもう魏王の位に即かるべきだ。魏王になられたところで、何のふしぎもな

い」

と、運動をしはじめた。

うわさを聞いて、荀攸が固く止めた。さすがに曹操を扶けてきた賢臣である。お太鼓連をたしなめてこういった。

「さきに九錫の栄をうけて、魏公の金璽を持たれたのは、いわゆる人臣の位を極めたというもの。その上なお、魏王の位に進まれたら、俗にいう、天井を衝いて、人心の反映は、決して、曹丞相によい結果はもたらさないでしょう。あなた方にしても、それでは贔屓のひき倒しということになろう」

これが人伝てに、曹操の耳へ入ったのである。もちろんその間に、為にする者の肚も入っているから、曹操は非常な不快を感じた。

「荀攸もまた、荀彧に倣おうとするのか。ばかなやつだ」

非常に立腹して、そう罵ったと聞えたから、それをまた、人伝てに耳にした荀攸は、いたく気に病んで、門を閉じて自ら謹慎したまま遂に、その冬、病死してしまった。

「五十八歳で世を去ったか。……彼も功臣のひとりだったが」

死んでみると、曹操は、痛惜にたえないように呟いて、盛んな葬祭をとり行った。

で、魏王に即く問題は、しばらく沙汰止みになっていたが、このことは、宮廷の諫議郎趙儼から、帝のお耳へも入っていた。

「……趙儼が、市へひきだされて、斬られたそうです。おそろしい曹操」

玉座へこう告げにきた。

帝も、玉体を震わせ給うて、

「つい今朝までも、禁裡に仕えていたものが、夕べにはもう市で命を失うていたか。朕(ちん)も后(きさき)も、いつかは同じ運命に遭うであろう。曹操の増上慢が極まることを知らない限りは」

幽宮の秘窓に、おふたりの涙は渇かなかった。事実曹操の威と、許都の強大が、旺(さかん)になればなるほど、朝廷の式微(しきび)は、反比例に衰えを増し、ここに献帝のおわすことすら魏の官民は忘れているようだった。

「こうして朝夕、針の莚(むしろ)にあえなく生きているよりは、わたくしの父伏完(ふっかん)に、ご決意のほどを、そっとお降しあれば、父はきっと、曹操を刺す謀をめぐらしましょう……。穆(ぼく)順(じゅん)なれば確かです。あれをおつかわし遊ばしませ」

伏皇后は、ついに思いきって帝の御意をこう動かした。

もとより献帝のご隠忍は年久しいことだったので、胸中の埋(うず)み火は、たちまち、理性の灰を除いてしまった。きびしい監視の眼をしのんで秘勅の一文をしたためられた。

これを穆順(ぼくじゅん)という一朝臣にあずけて、そっと、伏皇后の父君にあたる伏完のやしきへ持たせてやったのである。忠節無二な穆順は、御詔書を、髻(もとどり)の中にかくして、この命がけの使いに、一夜禁門から出て行った。

二

朝臣のうちにも、曹操のまわし者たるいわゆる「視(み)る目嗅(か)ぐ鼻」はたくさんいる。すぐ密告して、曹操の耳へこう伝えた者がある。

「何かそくさした様子で、穆順が内裏(だいり)を出て、伏完の宅へ使いに行ったようです」

勘のよい曹操には、すぐ何かぴんと響くものがあったに違いない。彼は、わずかな武士をつれて、自身、内裏の門にたたずみ、穆順がもどって来るのを待っていた。

もう深更だった。

穆順は何も知らずに、帰ってきた。門の衛士には、出るとき賄賂をやってある。あたりに人影はない。すたすたと内裏の門へさしかかった。

「待て待て」

ふいに物蔭から呼び止める声がした。ふと横を見れば、曹操が立っているのだ。穆順はゾッとして毛孔(けあな)をよだてた。

「何処へ参った」

「は。……はい」

「はいではない。返辞を求めるのだ。今頃、何処へ使いに出たか」

「実はその、お后(きさき)さまが、夕刻からにわかにご腹痛をお催しあそばしたので、てまえに医師をつれてこいとの仰せに、医師を求めに参りました」

「うそをつけ」

「いえ。ほ、ほんとです」

「宮中にも典医はおる。なにしに市へ医を捜しにゆく要があろう。ほかの医者だろう、汝が、求めに行ったのは」

闇のほうへさしまねいて、武士達を呼び、「こいつの体を検めろ」と、曹操は命じた。

武士達は、穆順の衣服を剝いで、足の先まで調べたが、一物も出ないので、科めるかどもなく、遂に、彼を放した。

虎の口をのがれたように、穆順は衣服を着直すとすぐ走りかけた。

すると、頭にかぶっていた帽子が、夜風に落ちた。

あわてて拾いかけると、

「こらっ、待て」

曹操は、自分でその帽子を取って、仔細に検めた。

帽子の中からも、何も出なかった。汚い物を捨てるように、

「行け」

と、投げ返してやると、穆順は、両手に受けて、真蒼になった顔の上に、それをかぶった。

「いやいや、まだ行くな」

曹操は、三度呼びとめた。そして今度は、穆順がかぶり直した帽子を引きちぎって、

その下の髻を、髪の根まで掻きわけた。

「果たして！」

曹操は舌を鳴らした。一通の紙片があらわれたのだ。細字で綿密に書いてある。伏完の筆蹟で、むすめの伏皇后にあてたものであった。

――こよい秘かな内詔を拝して涙にくれた。何事も時節であるから、もうしばらく時を待つがよい。自分には期するところがある。遠き慮りを以て、蜀の玄徳と語らい、漢中の張魯を誘い、魏へ侵略の鉾を向けしむれば、曹操はかならず国外へ出て、兵事政策もすべて一方へ傾く。その虚を計って、内に密々同志を結び、一挙に大義を唱えて大事をなすならば、きっと成功を見るは疑いもない。帝のご宸襟もそのときには安んじ奉ることができよう。それまではかならず人に色を気どられ給うな。

文意はあらまし右のようなものだった。怒りの極度というものはかえって氷塊の如く冷やかである。曹操は一笑をたたえて、伏完の返簡を袖に納めると、

「そいつを拷問にかけろ」と、命じて、府へ立ち帰った。

夜明け頃、獄吏が、階下にひざまずいて、

「穆順を拷問にかけて、夜どおし責めましたが、一言も吐きません」

と、吟味に疲れた態で云った。

一方、伏完の宅を襲った兵達は、帝の内詔を発見して持ってきた。曹操は冷然と、武将に命をさずけた。

「伏完以下、彼の三族を召し捕って、獄につなげ。縁故の者は一名も余すな」

さらに、御林将軍の郗慮に命じては、内裏へ入って、皇后の璽綬を奪りあげ、平人に落して罪をあきらかにせよといった。

三

「魏公の命だ――」

ということは彼らにとって絶対だった。世はまさに逆しまである。鎧うた御林の兵（近衛軍）は大将の郗慮を先頭に禁園犯すべからざる所まで、無造作になだれこんで行った。

折ふし、帝は外殿に出御しておられたが、物音におどろかれて、

「何事ぞ」と、侍従たちを顧みられた。

郗慮が、ずかずかとそこへ来た。そして無礼極まる態度をもって、

「仔細これあり、今日、魏公曹操のお旨により、皇后の璽綬を奪り収めらる。さようお心得ください」と、いった。

愕然、帝は色を失われた。

「さては」と、早くもお胸のうちに、穆順の捕われたことを覚られたからである。

すでに内裏のほうではただならぬ震動のうちに女官たちの悲鳴がながれていた。土足で後宮を馳けまわる暴兵たちは、口々に、

「皇后はどこへ隠れたか」と、罵り罵り捜していた。

伏皇后は、いちはやく、宮女に扶けられて、内裏の朱庫の内へかくれておられた。ここには二重壁があって、壁の中へ身を塗りかくしてしまう仕掛けがしてあった。

郗慮も来て、

「この中が怪しい。尚書令の華歆を呼んでこい」

と、協力をうながし、共に朱庫の扉を破って、内部へおどりこんだ。

けれどもここにも見えなかった。郗慮は外へ戻ろうとしたが、尚書令はその職掌がらこの構造を知っているので、剣を抜いて壁を切り開いた。たちまち壁は鮮血を噴き、その中から伏皇后には悲鳴をあげて転び出られた。

忌むべし、眼をおおうべし。朝廷とか臣道とかの文字はあっても、自ら「道の国」と称しても、ひとたび覇者の自我が振うときはこの国にはこんな非道が平然と行われたのであった。華歆は、后の黒髪をつかんでひきすえ、后が、

「助けよ」と、呼ばると、華歆は、

「直接、魏公に会って哭け」とばかり取り合わなかった。そして素足のまま引っ立てて、曹操のまえに連れてゆくと、曹操は、はッたと后を睨みつけて、

「われかつて、汝を殺さざるに、かえって、汝われを殺さんと謀る。この結果は、いまに思い知らしてやる」と、いった。そして、武士に命じて、鞭や棒で乱打を加えたから、皇后はもだえ苦しみながら遂に息絶えてしまった。

その悲鳴や曹操の罵る声は、外殿の廊まで聞えてきたほどだった。帝はお髪をつかみ、身を慄わせて、天へ叫び、地へ昏絶された。

「こんなことが、天日の下に、あってもいいものか、この地上は、人間の世か、獣の世か」

　血も吐かんばかりな有様に、郗慮は武士の手を借りて、むりやりに帝を抱えまいらせ、秘宮のうちへ閉じこめた。

　曹操は、毒に酔える人みたいに、もうどんなことでも平然とやってのけた。伏完の一門から穆順の一族縁類の端まで、総計二百何十人という男女老幼を、この日たった半日のまに残らず捕えて、宮衙門の街辻で、首斬ってしまった。

　とき建安十九年十一月の冬、天もかなしむか、曇暗許都の昼を閉じ、枯葉の啾々と御林に哭いて、幾日も幾日も衙門の冷霜は解けなかった。

「陛下。承れば供御の物も、連日おあがりにならない由ですが、どうかもう宸襟を安んじていただきたい。臣も、なにとてこれ以上、情けのない業をしましょう。本来、無情は曹操の好んですることではないのですが、ああいう問題が表面化しては、捨ておくわけには参らないではありませんか」

　曹操は、一日、朝へ出て、幽愁そのものの裡に閉じ籠っておられる帝へ奏した。

　そしてまた、自身の女を、強いて皇后にすすめ参らせた。帝も拒むお力はなく、彼の言に従われて、ついに翌春の正月、晴れて曹操の一女は、宮中に入り、皇后の位に即いた。当然、それとともに曹操もまた、国舅という容易ならぬ身分を加えた。

漢中併呑

一

(——急に、魏公が、あなたと夏侯惇のおふたりに内々密議を諮りたいとのお旨である。すぐ府堂までお越しありたい)

賈詡からこういう手紙が来た。使いをうけたのは、曹操の一族、曹仁である。

「なんだろう?」

曹仁は、洛中の邸から、すぐ内府へ急いだ。

ここの政庁の府でも、曹仁は魏公の一門に連なる身なので、肩で風を切るような態度で、どこの門も、大威張りで通った。

すると、曹操のいる中堂の入口まで来ると、

「こらっ、待て」と、何者かに誰何された。

見ると、許褚が、狛犬のように、剣をつかんで、番に立っている。咎めるのはもちろ

ん彼である。

「なんだ、許褚」

閣下には、どこへお通りあるつもりか」

「魏公にお目にかかりに来たのだ。わしの顔を知らぬ貴様でもあるまいに、なんで咎めるか」

「魏公にはただ今、お昼寝中である。通ってはならん」

「余人なら知らぬこと、わしが通るに、なんでさしつかえがあろう。お昼寝中でもかまわん」

「いや、いかん」

「何だ。上官に対して。――おれは魏公の肉親だぞ」

「たとい、どれほど親しいお方であろうと、断じて、君のおゆるしを仰がぬうちは、ご身辺へ寄せることは相ならぬ。許褚、身は微賤なりとはいえ、君の内侍を承り、ご身辺の警固を仰せつけられて、ここに在るからには、その職権を以て、固く拒む。……魏公がお目ざめ遊ばしたら、内意を伺って、ご案内する。それまでは外でお控えなさい」

どうしても通さない。頑として曹仁を入れなかった。

やむなく、待っているうちに、ようやく曹操は昼寝から起きたとある。曹仁はやっと通されて、魏公に会うと、

「いや、きょうはひどい目にあった。許褚というやつは、実に頑固な男ですな」

と、ありのまま話した。曹操は聞くと、

「それは、虎侯(許褚)らしい。彼のような男がいればこそ、予も枕を高くして臥すことができる」と、かえって、彼の忠誠を大いに賞めた。

間もなく、夏侯惇も来た。賈詡も顔をだした。

「ほかでもないが」と、曹操は、三名を揃えてから、きょうの用向きを語りだした。

「近ごろ、よくよく考えると、どうも蜀をあのまま放っておくのは、将来の大患だと思う。何とか、いまの内に、玄徳を蜀から切り離す方法はないだろうか」

夏侯惇がすぐ答えた。

「それをなすには、まず問題は、漢中ということになるでしょう。漢中は西蜀の扉のようなものですから」

「大きにそうだが、漢中の状況はどうだ」

「いまならば、一鼓して打ち破れましょう。漢中には、どこといって、支持する国がほかにありませんから」

「では、西征の大旅団を、至急編制して、まず張魯を討つとするか」

「あそこを取れば蜀の兵は、扉の口を封じられた糧倉の鼠みたいなもので、中で居喰いをつづけていても、その運命は知れたものです」

それは賈詡の言だった。

漢中は、まもなく、騒動した。就中、張魯とその一門は、連日、軍議に追われた。

「――魏の大軍が、三手にわかれて来るとある。一手は夏侯惇、一手は曹仁、一手は夏侯淵と張郃。そして曹操は自身、その中軍にあるという」

「どうして防ぐか」

「まず、漢中第一の嶮要、陽平関を中心に、守るしかあるまい」

張衛を大将に、楊昂、楊任など、続々、漢中から前線へ発した。

陽平関は、その左右の山脈に森林を擁し、長い裾野には、諸所に嶮岨もあり、一望雄大な戦場たるにふさわしかった。

関をへだつこと十五里。すでに魏の西征軍の先鋒は、陣地を構築しはじめていた。

二

この陽平関の序戦では、魏の先鋒が、大敗を喫した。

敗因は、魏の兵が地勢に暗かったことと、漢中軍がよく奇襲を計って、魏の先鋒を、各所で寸断し、その孤立した軍を捉えては殲滅を加えるという戦法に出たことが、奏功したものと見えた。

「若い若い。汝らの攻撃を見ていると、まだまるで児戯にひとしい」

曹操は、自己の中軍へ、前線からなだれ打って逃げてきた先鋒の醜態に怒って、その大将夏侯淵と張郃にそういった。

そして自身、先陣を編制し、許褚と徐晃を従えて、一高地へ上った。

陽平関の敵が見える。曹操は鞭をさして、

「あれが張衛の陣か、程の知れた布陣、何ほどのことがあろう」と、いった。

そのことばと同時に、背後の一山から、驟雨のように矢が飛んできた。愕いて急に振りかえると、敵の楊昂、楊任、楊平などの旗じるしが、攻め鼓に士気を振って、

「網中の大鵬を逃がすな」と、麓の退路を断ちにかかった。

この日から次の日の戦争にかけて、魏軍はまたしても莫大な兵を損じた。三日目にも挽回がつかず、曹操も苦戦に陥ちて、万死のうち一生を拾って逃げ帰ったほどである。

陣を七十里ほど退いて、対峙すること五十余日、曹操も、容易に抜き難いことをさとったか、

「ひとまず許都へ還って、さらに出直そう」

と、布令た。

一夜のうちに、魏の旌旗は、忽然とかき消えた。漢中軍の帷幕では、

「いまこそ退く魏兵を追って、徹底的に殲滅すべし」となす楊昂の説と、

「いやいや、曹操は謀計の多い人物だ。うかとは追えない」

という楊任の説とが対立していたが、結局、楊昂は我説を張って、遂に、五寨の軍馬を挙げて、追撃に出てしまった。

漢中の破滅はこれが重大な一因を成した。せっかくこれまで勝ちつづけていたものを、曹操の計に乗って一ぺんに無にしたものであった。

なぜならば、その日、霧風（むふう）といって、大陸的な気流の烈しい中に、咫尺（しせき）もわかたぬほど濃霧がたちこめていたのである。楊昂の軍勢が出た夕方、

「開門っ、開門っ」

と、陽平関の下で、軍馬がひしめき叫ぶので、必定、味方が帰ったものと考え、門をひらくとともに、何ぞはからん、魏の夏侯淵が三千の精鋭をつれて、どっと突き入ってきたのだった。

奇襲好きな漢中軍へ、こんどは逆手を取って、奇襲したものである。魏兵は城内へ混み入るなり八方へ火をかけた。夜に入るし、留守は手薄であったため、焔の城頭たかく、たちまち、魏の旗が立てられてしまった。

総司令の張衛（ちょうえい）は、いち早く、南鄭（なんてい）（陝西省（せんせいしょう）・漢中の一部）へ逃げ落ちてしまい、楊昂は、後方の火の手に愕いて、追撃を止め、あわてて引っ返してくるとその途中、

「待っていた」とばかり隠れていた許褚の手勢に捕捉されて、完膚（かんぷ）なきまでに粉砕され、楊昂自身も、敵なく屍（かばね）を野にさらしてしまった。

残る楊任も、張衛のあとを追って南鄭関（なんていかん）へと逃げのびて行ったが、このみじめな敗戦に、漢中の張魯は激怒して、

「それ以上、退く者は、即座に首を刎ねる」

と、厳重な督戦令を出した。そのため楊任（ようじん）は、ふたたび陽平関さして、戦いに帰って行ったが、途中、猛進してきた夏侯淵と出会って、これもまた敵なく路傍に戦死してし

まった。

曹操の大軍は、切りひらく先鋒の快足につづいて、陽平関を抜き、続いて、南鄭関までひと息に来てしまった。

漢中の府は、すでに指呼のあいだにある。張魯は、事態の重大に、震えあがって、

「いまや存亡の最後に迫った。誰かこの危急に当って、漢中を救うものはないか」

と、文武の百官に大呼した。

「それは龐徳しかありますまい。馬超がこの国へ連れてきたあの龐徳、字を令明というあの人物しかありません」

漢中の一将、閻圃はさけんだ。

三

「馬超はすでにこの国にいないのに、馬超の一族の龐徳だけが、どうしてひとり漢中に残っているのか」

人々の中では、いぶかる者もあったが、張魯はもちろん知っていた。

馬超が、蜀の葭萌関へ征くとき、龐徳だけは、病のために、行を共にしなかったのである。その後、病も癒えて、近頃は元気だとも聞いている。

「なるほど、彼ならば！」

と、張魯は膝を打って、閻圃の進言を容れ、すぐ呼びにやった。

龐徳は、これへ来て、重大な命をうけるや、

「この国へ来て、一日の恩養をこうむる以上、この国の難を傍観しては義に反く」

と、一言のもとに伏して、張魯の手から将旗を受領し、兵二万余騎を併せうけて、直ちに前線へおもむいた。

——龐徳来る！

と、聞くと曹操は、

「彼は、西涼の勇将でまた、馬超の股肱であった者。何とかして手捕りになし、魏の味方にしたいものだ。各々その心得あれよ」と、全軍の諸将へ内示した。

「さらば彼を気労れさせん」と、諸軍はもっぱら神経戦をたくらんで、一番二番三番四番——と数段に備えを立て、いわゆる車掛りとなって、順番に接戦してはたちまち退き、また新手が出てはすぐ次へ代る——という戦法をとった。

しかし龐徳は疲れない。就中、この間にさえ、許褚と馬を駈け合せ、烈戦五十余合に及んで、勝負なしに引き分れながら、なお余裕しゃくしゃくとして、次の備えに当っていた。

「さすがは、西涼の龐徳。近ごろ見ない絶倫な武芸者だ」

敵ながら天晴れなと、魏の全軍中で、大きな評判になった。

「さもあらん」と、曹操もほくそ笑んで、あたかも森林の中で、美しい小禽でも追い廻している少年のような心理に似て、

「何とか、生捕れんか」と、爪を噛んだ。

賈詡が一計をさずけた。

そのせいか、翌る日の戦では、魏軍は崩れ立って、十数里退いた。

龐徳は魏の陣屋を占領したが、いつになく敵の勢いに手ごたえがないので、決して油断はしていない。

果たせるかな、その夜半、魏の大軍が四方から起ってきた。龐徳は、「その策には乗らぬ」とばかり、鮮やかに、南鄭城内へ引揚げた。

占領した陣屋には、たくさんな兵糧や軍需品があったので、それらの鹵獲品はみな先に城内へ搬入させ、漢中の張魯へは、「莫大なる戦利品を獲、かつ曹操の一陣営を占領す」と、吉報を知らせておいた。

ところが、この戦利品搬入の雑軍の中に、魏の間諜が変装してまじっていたものとみえ、城内に住む楊松の邸へ、その男がそっと訪ねてきた。

「てまえは、魏公曹操の腹心の者ですが——」と、男は怯みもなく正面を切って、さて、自分の肌に着けてきた黄金の「心当」と、曹操直筆の書簡とを取りだして、

「まず、ご一覧ください」と、いった。

楊松は漢中の重臣だが、つねに賄賂を好み、悪辣な貪慾家としては有名な者だったから、黄金の「心当」を見るとまず眼を細めて、（……ほう。大した物）と、垂涎せんばかりな顔いろを示した。

めてある。

　のみならず曹操の文には、彼が夢想もしなかった恩爵の好餌をもって、裏切りをすすめてある。

「よろしい。畏まった」

　一も二もなく、楊松は、内応を約した。

　彼は、漢中へ行って、すぐ張魯へ讒言を呈した――すなわち龐徳の行動をである。

「馬超の身内は、やはり馬超の身内でしかありません。彼は本気で戦っていないのです。せっかく、魏の陣屋を占領しながら、たちまち、それを敵に返し、態よく南鄭城へ引っこんでいるという調子です。察するところ、曹操と内通しているかも知れません。ひとつお調べになる必要がありましょう」

　張魯はこの佞弁にのせられて、すぐ龐徳を呼び返した。

四

　何事かと、取るものも取りあえず帰ってみると、張魯は、龐徳のすがたを見るや否や、

「この忘恩の徒め。よくも曹操と内通して、わが軍を売ったな」

と、思いもよらぬ怒り方で、果ては首を刎ねんと罵った。

「まず、まず、そうお怒り遊ばしては、実も蓋もありません。一応、龐徳の陳弁を聞いて、身の潔白をとなえるなら、再度、功を立てさせてみたら如何なものでしょう」

これは、かたわらに在った閻圃のとりなしであった。

結局、張魯は、閻圃の諫めに従って、

「――では、一命をあずけておくが、再び前線へ出て、大功を立てぬときは、必ず軍律に照らして、その首を陣門に梟けるであろうことを、よく胸に銘記しておけよ」

と、ひとまずゆるした。

龐徳の胸中には察すべきものがある。彼は、怏々と楽しまぬものを抱いて、ぜひなく再び戦場へ出た。

「つらいかな一日の恩!」

彼は、あえて無謀な戦闘へ突入した。悲壮な自滅を覚悟したものとみえる。単騎、敵陣へ深く斬り入って帰ろうとしなかった。

そのとき一つの丘の上に、曹操のすがたが見えた。曹操は、そこから呼びかけた。

「龐徳龐徳。どうして急に犬死を焦るか。なんで我に降伏して大丈夫の生命を完うしようと思わないのだ」

「なにを!」

龐徳は、丘へ向って、馬を躍らせた。まさしく、またなき死出の道づれと眼をつけたものであろう。

しかるに、彼は忽然と、丘のふもとで、その影を地上から失ってしまった。深さ二十尺もある陥し穽の底へ、馬もろとも落ちてしまったのである。

美禽はついに曹操の籠に入ったのだ。龐徳は、降伏して、その日から曹操の一臣に列した。

——伝え聞いた張魯は、

「楊松のいったとおりだ」と、いよいよ楊松を信頼して、何事も彼に諮ったが、もう南鄭も落城し、漢中市街は、曹軍の鉄環につつまれんとしていた。

すでに外郭の防禦も抛棄して、味方は四散しだしたと知ると、張魯の弟の張衛は、

「全市全城を焼き払おう」と、焦土戦術を主張し、楊松は反対して、

「すみやかに降伏し給え」と、無血譲渡をすすめた。

張魯は、顛倒の中にも、

「国財は、民の膏血から産れた国家の物である。私にこれを焼棄するは、天を怖れぬものだ」

と、よく事理を分別して、城内の財宝倉廩に、ことごとく封を施し、一門の老幼をつれて、その夜二更の頃、南門から落ちのびた。

占領後、曹操は、

「官庫の財宝を封印して、兵火や掠奪から救い、そのまま、次代の司権者に渡すとなした張魯の行いは、けだし張魯一代の善行といえよう。神妙な仕方というべきだ」

人を巴中に派して、もし降参するなら、一族は保護してやろうと云い送った。

楊松は、すすめたが、張衛は何としてもきかない。勝ち目のない抗戦をつづけ、我か

ら求めて討死してしまった。

残敵を掃蕩しながら、曹操が巴中へ出馬して来たおりに、張魯は城を出て、ついにその馬前に拝伏した。

もちろん楊松が側についていた。楊松は内心、自分の功を、非常に高く評価している顔つきである。

それには眼もくれず、曹操は馬を降って、張魯の手を取った。そして慰めていった。

「倉廩を封じて、兵燹から救われたことは、まさに天道の嘉すところである。曹操は、そのお志に対し、足下を鎮南将軍に封じるであろう」

なお、旧臣のうち、五人を選んで、列侯に加えたが、その中に、閻圃の名はあったが、楊松の名は洩れていた。

楊松は、ひそかに自負すらく、

「おれには、もっと大きな恩爵が、やがて沙汰されるにちがいない」——と。

漢中平定の祝賀日。

街の辻に、首斬りが行われた。罪人の首は細々と痩せている。見物人は物を喰いながら、早く細首を落せと面白そうに騒いでいた。うらめしげに罪人は、見物人を見まわした。なんぞはからん、それが楊松であった。

剣と戟と楯

一

司馬懿仲達は、中軍の主簿を勤め、この漢中攻略のときも、曹操のそばにあって、従軍していた。

戦後経営の施政などにはもっぱら参与して、その才能と圭角をぽつぽつ現わし始めていたが、一日、曹操にこう進言した。

「魏の漢中進出は、西蜀を震駭させ、玄徳をおそれ惑わせているようです。彼の性は、遅にして鈍重、もし丞相がこの時に、疾風迅雷のごとく蜀に入り給えば、玄徳の緒業は、瓦を崩すが如く砕け去るにちがいありません」

重臣の劉曄も、

「仲達の意見は、まったくわれわれの考えを代表しています。年月を経ては、文治に孔明あり、武門に関羽、張飛、趙雲、黄忠、馬超などの五虎あり、以前とちがって、錚々たる勇将を揃えているので、もうめったに玄徳を破ることは難しくなると思います。討つなら、今のうちでしょう」

と、しきりに云った。

これが以前の曹操だったら、一議に及ばぬことであろうが、赤壁の頃から、すでに彼も老齢に入る兆しが見えていた。この時も、

「隴を得て、またすぐ何か、蜀を望まん。わが軍の人馬も疲れている。まあ、もうすこし休息させる必要もあろう」と、急に動く気色もなかった。

一面。蜀の実情は、魏軍の目ざましい進出に対して、たしかに深刻な脅威をうけ、流言蜚語は旺に、今にも曹操が、蜀境を突破してくるようなことを流布していた。

何分にも、更生の蜀は、玄徳によって、新秩序が立てられてから、まだ日も浅いので、玄徳自身、多大の危惧を感ぜずにいられなかった。

その対策について、相議する時、孔明は明確に、方針を説いた。

「魏が膨脹を欲するのは、たとえば伸びる生物の意欲みたいなものですから、その意欲をほかへ向けかえて、ほかへ伸展し、ほかへその精気をそそがしめれば、即ち当分のうちは、蜀は無事を保ち得ましょう。そのあいだに国防を充実することです」と、前提してから、「それには今、能弁な士を呉へ使いに立てて、先に約した荊州三郡を、確実に呉へ返し、かつ、時局の険悪と、利害を説き、孫権をして、合淝の城（安徽省・合肥）を攻めさせるのです。――ここは魏にとって重要な境なので、さきに曹操が張遼を入れて守らせてあるほどですから、魏はたちまち、そこに神経をあつめ、必然、蜀よりはま

ず南方へ伸びて行こうとするに違いありません」

「計は甚だ遠大だが、さて、そんな外交的手腕を、誰が任じてゆくか」

玄徳が、座中を見まわした時、ふと一人の者と眼を見あわせた。その者はすぐ起って、

「私が行きましょう」

と、神妙にいった。諸人が、誰かと見ると、それは伊籍であった。

「伊籍ならば」と、孔明もうなずいたし、満座もみな彼に嘱した。即ち玄徳の書簡をのせて、伊籍は遠く長江を下った。

呉へ着く前、伊籍は、荊州へ上陸して、ひそかに関羽に会った。もちろん玄徳の内意と孔明の遠謀を語って打合せをすましておくためである。

呉では、この交渉をうけて、諸論区々にわかれた。ある者は、過日の関羽の無礼をなお憤っていて、

「断じて受けるな」といい、ある者は、

「それを拒んだら、荊州全体の領有まで、呉から棄権したこととなろう。三郡だけでも受取っておくべきだ」と主張する者も多い。

また、使者の伊籍が説くには、

「――それと共に、呉が合淝をお攻めになれば、曹操は漢中にいたたまれず、急遽、都へ引揚げましょう。玄徳は、直ちに、漢中を取ります。そして関羽を召し返して、漢中

に入れ、荊州全土は、そっくり呉へ返上申す考えである」というのだった。

だから、三郡を受取るには、条件付のようなものだった。結局、張昭や顧雍などの意見も、みなそれに傾いたので、孫権もついに肚をきめて、伊籍からの交渉を全部容認し、ふたたび魯粛を荊州接収のため現地へ派遣した。

二

荊州の領土貸借問題は、両国の国交上、多年にわたる癌であったが、ここにようやく、その全部とまではゆかないが、一部的解決を見ることができた。

そこで、三郡の領土接収が無事にすむと、呉と蜀とは、初めて修交的な関係に入り、呉は、大軍を出して、陸口（漢口上流）附近に屯し、

「まず、魏の皖城を取って、つづいて合淝を攻めん」

と、大体の作戦方針をそうきめた。

しかし皖城の攻略は、決して楽でなかった。

呉としては、呂蒙、甘寧の二大将を先手とし、蔣欽、潘璋の二軍を後陣に、しかも中軍には、孫権みずから、周泰、陳武、徐盛、董襲なんどの雄将と智能を網羅した優勢をもってそれに臨んだのであるが、それにしても皖城ひとつ落すために払った犠牲はかなりなものであった。

満城の血潮もまだ乾かぬ中で、孫権は、占領の日、旺な宴をひらき、

「戦はこれからだ。しかも幸先はいい」と、士気を鼓舞していた。

ところへ、余杭の地から、遅れ馳せに、凌統が着いて、中途から宴に加わった。

「残念なことをした。もう二日も早く着いていたら、この一戦に間に合ったものを」

と、凌統が左右の人々に語っていると、

「いやいや、まだ先には、合淝の城がある。合淝を攻めるときは、それがしの如く、一番乗りをし給え」と、上座のほうから慰め顔にいった者がある。

見ると、甘寧であった。

甘寧は、こんどの皖城陥落の際、一番乗りをしたので、きょう祝賀の宴に、呉侯孫権から錦の戦袍を拝領し、座中第一の面目をほどこして、いちばん酔いかがやいていたのである。

「……ふふん。甘寧か」

凌統は、鼻さきで笑った。さっきから上機嫌な甘寧の容子は、たれの眼にも武功自慢に見えた。――のみならず凌統は、彼と眸を見あわせたとたんに、亡父のことを思い出していた。むかし甘寧に討たれて死んだ父のことがふと胸を掠めた。

(……うぬ)と思ったせいか、甘寧のほうでも、

(この青二才が)

といわぬばかりな眼光を与えて、

「凌統。何を嘲うか」

と、色を変えた。――いや、凌統が無意識に手をかけた剣の柄を、咎めるように睨めつけた。

凌統はハッとした。まったく時も場所がらも忘れて、剣にかけていた自分の手に、気がついたからだった。

「――あいや、私にはまだ武勲がないので、せめて座興に、剣の舞でも舞って、諸兄の労をお慰め申さんかと存じまして」

いいながら彼はすぐ起って、剣舞をしはじめた。甘寧もさてはと、うしろの戟をとるや否、

「いや面白い。君が剣をもって舞うなら、それがしは戟をもって興を添えん」

と、両々たがいに閃々たる光を交え、舞うと見せて、実は、心中の遺恨を刃にふくんで、隙あらば父の仇を果たさん、隙あらば返り討ちに斬り捨てんと――虚実を尽くし合っていた。

「やあ、ちと面白すぎる。まるで炎と炎のようだ。俺が水を差してやろう」

すわ、大事と見たので、呂蒙が楯を持って、ふたりの間へ飛びこんだ。そして巧みに、戟の舞と、剣の舞を、あしらいつつ、舞い旋り舞い旋り、ようやく事なくその場を収めた。

初めは、何気なく見えていたが途中から孫権も気づいて、酔も醒めんばかりな顔していた。しかし呂蒙の機転に、ふたりとも血を見ずに、座へもどったので、彼はほっとし

ながら、

「さてさて、鮮やかに舞ったな。ふたりとも優雅なものだ。杯を与える。揃って、わが前へ来い」

と、さしまねき、両手の杯を、同時にふたりの手に授けて、

「いまや、呉は初めて、魏の敵地を踏んだところだ。呉の興亡を担(にの)うている御身らには、毛頭私心などあるまいと思うが、わたくしの旧怨などは、互いに忘れてくれよ。いいか、ゆめ思うな」

と、くれぐれ諭(さと)した。

遼来々(りょうらいらい)

一

合淝(がっぴ)の城をあずかって以来、張遼(ちょうりょう)はここの守りを、夢寐(むび)にも怠った例(ためし)はない。

ここは、魏の境、国防の第一線と、身の重責を感じていたからである。

ところが、呉軍十万の圧力のもとに、前衛の皖城(えんじょう)は一支(ひとささ)えもなく潰(つい)えてしまった。洪

水のような快足をもって、敵ははや、この合淝へ迫ると、急を告げる早馬は、櫛の歯をひくようだった。

また、漢中に出征中の曹操からも、変を聞いて、薛悌という者を急派してきた。これは曹操の作戦指導を、匣に封じて、もたらして来たものだった。

「丞相の作戦には、守備とあるか、籠城せよとお示しあるか。はやくお開き」

同じ城にある副将の楽進と李典は、固唾をのんで、張遼の開ける匣を見ていた。

「では聞き給え、読み聞かせよう。……呉ノ積極ニ出デ来レル所以ハ、要スルニ予ノ遠ク漢中ニ在ルノ虚ヲ窺ウモノナリ。故ニ、呉ノ勢ミナ魏城ヲ軽ンズ。戦ワズシテタダ守ラバ、イヨイヨ彼等ヲ誇ラスノミ。マタ、出テ十万ノ寄手ト野戦ヲ構ウルハナオ拙ナリ。即チ、敵近ヅカバ、ソノ序戦ニ於テ、彼等ノ鋭気ヲ一撃シテ挫キ、味方諸人ノ心ヲマズ安泰ニ固メ置キテ後、固ク城ヲ閉ジ、防備第一トシテ、必ズ出テ戦ウ勿レ。おわかりか。こういうご指令であるが」

「…………」

李典は、日頃、張遼と仲がわるい。そのせいか、黙りこんだまま返辞もしない。

一方の楽進は、すぐ云った。彼の意見は反対である。

「由来、守る戦で、勝てた戦はない。ましてこんな小勢で」

張遼はみなまで聞いていなかった。この際、議論は無用と肚はきまっていたからである。

「議論がやりたいなら、一人で議論してい給え。余人は知らず張遼には、私心をもって君の言をやめることはできない。――漢中からのご指揮どおり、我はまず城を出て、一戦に敵の出鼻をたたき、その後は、静かに籠城にかかるのみだ」

云い捨てて馬を呼び、はや戦場へ馳せ向おうとした。

すると、それまで黙然としていた――日頃は彼と不和な李典が、ぬっくと起って、

「そうだ、これは国家の大事、豈、わたくしの心にとらわれんや」

と決然、張遼につづいて、城門から馳け出して行くのを見て、楽進もひとりで議論していくわけにもゆかず、続いて城外へ馬を出した。

呉の大軍は、すでに逍遙津（安徽省・合肥附近）まで来ていた。先鋒の甘寧軍と、魏軍の楽進とのあいだに、小戦闘が行われたが、魏兵はたちまち潰走したので、呉侯孫権は、

「われに当る者あらんや」

といよいよ勝ち驕って前進をつづけていた。

そして、逍遥津の地を離れかけた頃、突然、蘆荻のあいだから連珠砲を轟かして、右からは李典、左からの軍は張遼の旗が現れ、ふた手が渦巻いて、孫権の中軍へ不意討ちして来た。

先手の呂蒙や甘寧の軍は、あまりに敵を急追して、その快足にまかせたまま、中軍とへだたり過ぎている。

後陣の凌統は、まだ逍遥津の一水を、全部渡河しきっていないらしい。

だが、はるかに、中軍の旗が、裂かれる如く、乱れ立ったのを見て、凌統は、

「すわ、何事か、凶事か？」と、部下をも置き捨て、単騎、これへ馳けつけて来た。

見れば、孫権以下、中軍の旗本七百ばかりは、敵の奇襲に包囲されて、まったく殲滅寸前の危機にあった。

凌統は、声をあげて、乱軍のなかの孫権へ叫んだ。

「君っ、君っ、わが君。雑兵ごときを相手となし給わず、ひとまず小師橋を渡って、お退きあれ」

耳へとどいたか、孫権はふり向いて、

「おお、凌統か。案内せよ」

と云いながら、こちらへ向って、一目散に馳けてきた。

だが、二人して小師橋まで遁れてきたはいいが、すでに橋の南一丈ばかりは、敵の手に破壊されていた。

二

「やあ。しまった」

馬は、水におどろいて、竿立ちになっていななく。

うしろからは、張遼の兵、三千ほどが、ふたりの影を認めて、雨のごとく、箭を射て

くる。

「凌統。何としたものぞ」

孫権は、馬と共に、鞍上で身を揉んだ。

「いや、おさわぎになるには当りません。てまえのするようにして、後から続いておいでなさい」

凌統は、水ぎわから遠くへ、馬をかえして、改めて、勢いよく馳け出した。そして破壊された橋の水ぎわへ近づくや否、鞭も折れよと、馬のしりを打った。

馬は高く跳び上がって、水面を飛びこえ、後方の橋の端へ立った。孫権も、その技にならって、難なくそこを飛び越した。

河の上に、後陣の徐盛や董襲の船が見えた。凌統は、半分になっている橋の上から、

「主君をここへ置いてゆくから確とお守りをたのむぞ」と、声をかけて、ふたたび前の所を飛び、岸へ上がったと思うと、敵の矢風へ向って、まっしぐらに馳け向ってゆく。

遠く先へ出過ぎた甘寧と呂蒙もにわかに後へもどって、魏軍と接戦していたが、何分にも、虚を衝かれたため、その備えは、中軍や後陣と一致せず、各所で魏軍に包囲されたり、寸断されたりして、おびただしい戦死者を出してしまった。

わけて、惨たる潰滅をうけたのは、凌統の隊だった。孫権の急場を救うために、まったく隊形を失い、主将を見失っている間に、魏の李典軍の包囲下に圧縮されて、これはほとんど一人の生存者もなかったほど、ひどい屍山を築いてしまった。

隊長の、凌統も、二度目に引返してきたときは、すでに部下の大半以上討たれていたので、その苦戦ぶりは言語に絶し、ついに全身数ヵ所の鎗瘡を負い、満身朱にまみれて、よろよろと、小師橋附近までのがれて来た。

もう彼には、馬に鞭を加えて、そこを一跳びに越すような気力などがとうていなかったし、流れ入る血しおに、眼もかすんで、河も水も見えないような姿だった。

河中の舟から孫権が、その姿を見つけた。孫権は舟べりを叩いて、

「あれ助けよ。凌統に違いない」と、声も嗄るるばかり叫んだ。

ようやく一つの舟が、岸へ寄って、彼を拾ってきた。そのほか敗残の味方も、次々に河の北へ収容した。敵に追われて、舟を待ついとまもなく、無慙に討たれる者や、河へ飛びこんで溺れ去ってゆく者を見ても、どうにもならないような状態だった。

「不覚、不覚。なんたるまずい戦をしたものか」

孫権は、敗軍をまとめて、その損傷の莫大なのに、胆をすくめながら、無念そうにくり返してばかりいた。

重傷の凌統は、全身の瘡をつつんで、なお君前にいたが、

「思い合せれば、婉城の勝ち軍が、すでに今日の敗因を醸していたものです。部下の端までが、あまりに勝ちに驕って、敵を甘く見くびり過ぎた結果でしょう。わけてこの際、君には、よいご教訓となったことと思われます。御身すなわち呉の万民の主たることを、くれぐれお心に、ご銘記あるようおねがいします。今日、お体だけでも無事だっ

たのは、まったく天地神明のご加護というもの。むしろ歓ぶべきことと存じます」と、歯に衣着せずいった。

「慚愧にたえない。一生の戒めとする」

孫権も涙を流してつぶやいた。

しかし、大事はここに一頓挫をきたした。呉軍は、新手を加えて、再装備の必要に迫られ、ついに大江を下って、呉の濡須まで引返してしまった。

遼来々。遼来々。

呉の国では、幼い子どもまでが、魏の張遼の名を覚えて、子が泣くと、母はそういって、泣く子をすかした。

以ていかに、張遼の勇と、その智が、呉兵の胆にふかく刻みこまれたかがわかる。

張遼は、みずから、

「これは、望外な奇捷だ」と、いっていた。

すぐ急使を漢中に送り、ひとまず戦況を報告して、なお他日のために、大軍の増派を要請した。

「このまま、蜀へ進まんか。ひとたび還って、呉を討つがよいか」

曹操も、この二大方向の去就に、迷っていたところだった。

鵞毛の兵

一

いま漢中は掌のうちに収めたものの、曹操が本来の意慾は、多年南方に向って旺であったことはいうまでもない。

いわんや、呉といえば、あの赤壁の恨みが勃然とわいてくるにおいてはである。

「漢中の守りは、張郃、夏侯淵の両名で事足りなん。われは南下して、直ちに呉の濡須にいたらん」

曹操は決断した。壮図なお老いずである。江を下る百帆の兵船、陸を行く千車万騎、すでに江南を呑むの概を示して、大揚子江の流れに出で、呉都秣陵の西方、濡須の堤へ迫った。

「来れ、遠路の兵馬」と、呉軍は待ち構えていた。彼が長途のつかれを討つべく。

その先陣を希望して、われに、自分にと、争った者は、またしても、宿怨ある甘寧と凌統だった。

「ふたりで行け、凌統を第一陣に、甘寧を二陣として」

孫権も、他の諸大将と、輪陣を作って、堂々、あとから押出した。

濡須一帯は、戦場と化した。曹操の先鋒は、泣く子も黙る張遼と見えた。功にはやった凌統は敵の見さかいもなくそれに当った。巌に砕ける浪のように、ぶつかったほうの陣形が微塵になって分離するのが、遠く、孫権の本陣からも見えた。

「凌統が危ない。呂蒙呂蒙、馳せ行って、凌統を救い出せ」

「おうっ」

と、呂蒙は一軍を率いて駈け出した。

そのあとへ、甘寧が来て、

「案外、敵は堅固です。総勢約四十万、さすがにどの陣も、疲労を見せておりません。これに、長途の疲労あるものと、正面からかかっては、大きな誤算となりましょう。てまえに、屈強の兵百人をおさずけ下さい。今夜、曹操の本陣を脅かしてごらんに入れます」

「わずか百人で」

「仕損じたらお嘲い下すってもかまいません」

「おもしろい」と孫権は彼の希望を容れた。特に直属の精鋭中から百人を選んで与えた。

甘寧は夕方、その百勇士を自分の陣所に招いて、一列に円くなって坐り、酒十樽、羊

の肉五十斤を供え、

「これは呉侯からの拝領物だから、存分に飲ってくれ」

と、まず自身、銀の碗で一息にほして、順々にまわした。

肉を喰い、酒をあおり、百名は遺憾なく近来の慾をみたした。そこで甘寧は、

「もっと飲め、もっと喰え。今夜この百人で、曹操の中軍へ斬込むのだ。あとに思い残りのないようにやれ」と告げた。

一同は顔を見あわせた。酔った眼色も急にうろたえている。こんな百人ばかりの勢でどうして?――といわんばかりな顔つきだ。

甘寧は、さッと、剣を抜き、起って、慨然と、叱咤した。

「呉の大将軍たる甘寧すら、国のためには、生命を惜しまぬのに、汝ら身を惜しんでわが命令にひるむかっ」

違背する者は斬らんという前触れである。ここで死ぬよりはと、百勇士はことごとく、剣の下に坐り直して、

「ねがわくは将軍に従って死をともにしたいと思います」

と、ぜひなく誓った。

「よし。ではめいめい、合印として、これを盔の真向へ挿してゆけ」

と、白い鵞の羽を一本ずつ手渡した。

夜も二更を過ぎると、この一隊は筏にのって水路を迂回し、堤にそい、野をよぎり、

忍びに忍んで、ついに曹操の本陣のうしろへ出た。

「それっ、銅鑼を打て、鬨の声をあげろ」

柵へ近づくや、立ちどころに哨兵を斬り捨て、わっと一斉に、陣中へ入った。

たちまち、諸所に火の手があがる。

暗さは暗し、曹操の旗本は、右往左往、到る所で、同士討ちばかり演じた。

甘寧は、思う存分、あばれ廻った。時分はよしと、百人を一ヵ所にあつめ、一兵も損ぜず、風のごとく引返してきた。

「将軍の胆は、さだめし曹操の魂を挫いだであろう。痛快、痛快」

孫権は、刀百口、絹千匹を贈って、彼を賞した。甘寧はそれをみな百人に頒けた。

魏に張遼あるも、呉に甘寧あり——と、呉の士気は、ために大いに振るった。

二

昨夜の雪辱を期してであろう。夜が明けるとともに、張遼は一軍を引いて、呉の陣へ驀然、攻勢に出てきた。

「きょうこそは、華々と」

呉の凌統も、手に唾してそれをむかえた。甘寧が昨夜すばらしい奇功を立てて、君前のお覚えもめでたいことは、もう耳にしている。で、勃然、（彼如きに負けてなろうか）という日頃の面目も、今日の彼には、充分意中にある。漠々とけむる戦塵の真先に、張遼のすがた、その左右に、李典、楽進など、呉の兵を蹴ちらし蹴ちらし馳け進んできた。

凌統は、馬上、刀をひっさげて、疾風のように斜行し、

「来れるは、張遼か」

と、斬りつけた。

「おれは、楽進だ」

とその者は、槍をひねって、直ちに応戦してきた。

人違いか——と、舌打ちしたが、もうほかを顧みるいとまもない。楽進を相手に、五十余合も戦った。

すると、彼方の張遼のうしろから、曹操の御曹司曹丕が、鉄弓を張って、ぶんと矢を放った。

凌統を狙ったのだが、すこし外(そ)れて、その馬にあたった。

「しめたっ」

と楽進は、槍を逆しまにして、地上へ向けた。凌統が勢いよく落馬していたからである。

ところが、その時また、どこからか一本の矢がひょうッと飛んできた。楽進の真眉間(まみけん)に立ったので、楽進は、槍を投げて、鞍上(あんじょう)からもんどり打った。

呉の将も倒れ、魏の将も傷ついたので、両軍同時にわっと混み合って、互いに味方を

助けて退いた。

「またしても、不覚をとりました。残念でなりません」

孫権の前に出て、凌統が面目なげに詫びると、孫権は、

「兵家のつねだ」と慰めて、「きょう汝を救った者は誰ぞと思うか」といった。

凌統は、座の左右を見まわした。甘寧が黙ってひかえている。はっと思うと、孫権はかさねて、「楽進の眉間を射たものはそこにいる甘寧だ。日頃の友誼をさらに篤く思うだろう」といった。

凌統は、涙をたれて、甘寧の前に手をつかえた。以来ふたりは、まったく旧怨をわすれ、生死の交わりをむすんだという。

次の日、魏の軍は、前日に倍加した勢いで、水陸から、呉陣へ迫った。

「さては曹操も、焦躁立って、総攻撃にかかって来たな」

呉陣も、それに応ずる大軍を展列して、濡須に兵船の墻を作った。

この日、目ざましかったのは、徐盛、董襲などの呉軍だった。そのため、魏陣の一角――李典の兵は駆けくずされ、そのまま、曹操の中軍まで、すでに危険に陥るかとすら思われたが、たちまち、大風が吹き起って、白浪天を搏ち、岸辺の砂礫は飛んで面を打ち、陽もまだ高いうちなのに、天地も晦くなってしまった。

しかも董襲の兵船は、河の中で沈没し、そのほかの兵船も、帆を裂かれ、彼方此方の岸にぶつけられ、さんざんな目に遭ったところへ、新手の魏軍が、徐盛の兵を包囲し

て、その半ばを、殲滅してしまった。

「あれ、救え」

と孫権の指揮をうけて、陳武が呉陣から馳け出して来ると、魏の一軍が、堤の蔭からつと起って、

「ひとりも余すな」と、またまた、ここに小鉄環（しょうてつかん）を作って、みなごろしを計った。この手の大将は、漢中から従ってきた魏軍の中では新参の龐徳（ほうとく）だ。

かくて、この荒天の下、呉の旗色は、急に悪くなって、今は、総敗軍のほかなきに至ったが、若い孫権は、

「何事かあらん」

と、自身、中軍を引いて、濡須の岸へ、繰りだしてきた。ところがここには、張遼、徐晃の二手が待ちかまえていた。

休　戦

一

曹操は百戦練磨の人。孫権は体験少なく、ややもすれば、血気に陥る。いまや、濡須の流域をさかいとして、魏の四十万、呉の六十万、ひとりも戦わざるなく、全面的な大激戦を現出したが、この、天候が呉に利さなかったといえ、呉は主将孫権の軽忽なうごきによって、その軸枢をまず見失い、彼自身もまた、まんまと張遼、徐晃の二軍に待たれて、その包囲鉄環のうちに捉われてしまった。

曹操は小高い阜の上から心地よげに見ていた。

「今ぞ。孫権を擒にするのは」

それは自分を励ました声と、許褚は彼のそばを去るや否、馬をとばして、そこへ馳けつけ、叫喚一声、血漿けむる中へ躍り入った。

呉兵の死屍はいやが上にも累々と積まれて行った。ために、濡須の流れも紅になるかと怪しまれ、あまりの惨状に、主将孫権のすがたすら、どこにいるのか誰が誰なのか見分けもつかぬばかりだった。

呉の一将周泰は、その中をよく奮戦して、一方に血路をひらき、河流の岸までのがれて来たが、顧みると、主君孫権はなお囲みから出ることができず、彼方にあって揉みつつまれている様子。

「周泰はここにいますっ。周泰はこれにありっ。早く此方へ来給え」

呼ばわりつつ、周泰は敵の背後へまわって、その包囲を脅かし、一角の崩れを見ると、

「いざ、いざ、こうなっては、何事もあとに任せて」

と、孫権と駒を並べ、ほとんど、わき目もふらず、敵の矢道を走り抜けた。

そこへ折よく、呂蒙の一軍が、中軍の大敗を案じて引っ返して来た。周泰は、

「舟をっ。舟をっ」と水へ向って声を嗄らし、ともあれ孫権を、舟へ移した。

けれど、あとの戦場は、なお土煙や血煙に、濛々としている。孫権は、悲痛な声してさけんだ。

「徐盛はどうしたろう！ 徐盛は……？」

「見て来ましょう」

周泰は、ふたたび戻って、むらがる魏の人馬の中へ、没していった。孫権は、思わず、ああと、嘆賞して、

「自分を救い出すため、血路をひらいては、またあとへ戻ること三度。さらにまた、徐盛を助けるために、敢然、死地へ入って行った。――天よ、わが忠勇の士に、加護をたれ給え」

眉をふさいで、禱るが如く、しばしそこに待っていた。

周泰は帰ってきた。しかも徐盛を扶けて。

けれど二人とも、満身朱にまみれ、そこの水際まで来ると、「残念」といいながら、はや歩む力もなく坐ってしまった。

呂蒙はその間に、射手百人の弓陣を布いて、追い迫ってくる敵を喰いとめ、さらに、

その弓陣を、船上に移し、孫権の身を守りながら、徐々と下流へ退陣した。

ここに悲壮な討死をとげたのは、呉の陳武だった。彼は龐徳の勢につつまれて、退路を失い、次第に山間の狭隘へ追いこまれた末、ついに龐徳と闘って首をとられた。それも鎧の袖を灌木の枝にからまれて、あなやという間に、最期の善戦も充分にせず、龐徳の一撃に討たれたのであった。

曹操は、前夜、自己の中軍を攪乱された不愉快な思いを、きょうは万倍にもして取り返した。孫権がわずかな将士に守られて、濡須の下流へ落ちて行くと見るや、

「あれ見失うな」と、自身江岸に沿って、士卒を励まし、数千の射手に、絶好な的を競わせたが、この日の風浪は、この時には孫権の僥倖となって、矢はことごとく黒風白沫にもてあそばれ、ついに彼の身にまでとどく一矢もなかった。

その上、いよいよ広やかな河の合流点まで来ると、本流長江のほうから呉の兵船数百艘がさかのぼって来た。これなん一族の陸遜がひきいて来た十万の味方だった。

孫権は初めて蘇生の思いをなした。

二

十万の味方を見ても、孫権以下の諸将は、みな重軽傷を負っているので、

「きょうの戦もこれまで」

と、退くことしか考えていなかったが、陸遜は、断じて、その唸きに活を入れた。

「このまま総退軍しては、曹操は呉に対して、いよいよ必勝の信念を持つ。また味方の兵も、魏は強しと、ふかく彼を恐れ、勝ちを忘れるにいたるであろう。――退くにせよ、呉にもなお後備の実力のあることを示してからでなければならん」

陸遜は壮語して、孫権や重傷者は船中にのこし、その余の残兵にこれを守らせておき、新手の十万をすべて岸へ上げて、呉のために死せよと命令した。

まず、曹操は、この新手の堅陣が射る確かな矢風に射立てられ、

「こはそも如何に」

形勢の悪化に、狼狽せざるを得なかった。

「敵はみだれ出したぞ」

陸遜は、彼の怯み立った一刹那、総突撃を敢行した。果然、十万の兵は、背を見せる魏兵へ咬みついた。突く、蹴る、撲る、踏みつぶす、折重なる、組み合ったまま水へ溺れる。

何しても、その兵数において、その新手の精気において、陸遜軍は圧倒的にすぐれていた。打ち取った盔首だけでも七百余級、雑兵に至ってはかぞえるにもかぞえきれない。分捕りの馬匹だけでも千余頭あった。

かくて陸遜は、魏の勢を遠く追って、完全なる呉の勝利を取りかえしたばかりでなく、きょう孫権が大敗した戦場まで行って、味方の死体や旗やおびただしい陣具まできれいに収容して来た。

その結果、部下の陳武は討たれ、董襲(とうしゅう)は水中に溺れ、そのほか日頃の寵臣も無数に亡き数に入ったのを知って、孫権は声をあげて哭き、

「せめて、董襲の死骸なりともさがし求めよ」

と、水練に長じた者を入れて、その屍(かばね)を求め、篤く船中に祭って、引揚げたという。

さて、濡須城(じゅしゅじょう)に帰るや、彼はまた一日、営中に宴をもうけて、みずから盃を取り、

「周泰。汝は呉の功臣だぞ。今日以後、われは汝と栄辱(えいじょく)を倶(とも)にし、生命のあるかぎりこの度の働きは忘れない」

と云い、その盃を彼の手に持たせた。

そしてまた、

「先頃の傷はどんなか」と、肌を脱がせて、その痕(あと)を見た。周泰は、大勢の中なのではばかったが、主命のままに肌を脱いで示した。見れば満身縦横に腫(は)れている創口(きずぐち)は、まだ熱と紅色をふくんで、触るるもいたましいばかりである。

「ああ、この創痕(きずあと)の一つ一つがみな汝の忠魂と義心を語っている。みなも見よ。武人の亀鑑(きかん)を」

と、孫権は周泰の背をなでて、果てしなく彼の誠(まこと)をたたえた。

彼は、周泰の功を平常にも耀(かがや)かすべく、羅(うすもの)の青い蓋(がい)を張らせ、「陣中に用いよ」と与えた。

もちろん陸遜以下そのほかの諸将にも、各〻、恩賞は行われ、依然、濡須(じゅしゅ)の堅塁を誇

って、

「呉の強さはかくの如し。北国の魏賊、何かあらん」

と、全軍の末輩にいたるまで、意気いよいよ昂かった。

対陣一ヵ月の余になった。

曹操は、そのあいだみだりに動かなかったが、黙々と、戦備を充実し、兵力を加え、さらに大規模な次期の作戦をえがいているように思われた。

呉の老臣、張昭がいった。

「決して、楽観をゆるしません。何といっても、曹操は曹操です。如かず、歩のよいところで、和議をおはかりあっては」

孫権のほうから、やがて歩隲が、その使いに立った。曹操も、この辺がしおどきと考えたか、

「中央の府に対し、毎年、貢ぎを献じるというならば」と案外、受けやすい条件を出して答えたので、和睦はたちまちまとまった。

けれど、真の平和の到来でないことは、魏にも呉にも分っていた。曹操は全軍を引いて都へ帰り、孫権は秣陵へ引揚げたものの、その前線濡須の口も、魏の境界、合淝の守りも、双方ともいよいよ堅固に堅固を加え合うばかりだった。

柑子と牡丹

一

呉に年々の貢ぎ物をちかわせて来たことは、遠征魏軍にとって、何はともあれ、赫々たる大戦果といえる。まして、漢中の地が、新たに魏の版図に加えられたので、都府の百官は、曹操を尊んで、「魏王の位に即いていただこうじゃないか」と、寄々、議していた。

侍中の王粲は、曹操の徳を頌した長詩を賦って、これを侍側の手から彼に見せたりした。

「そう皆がいうなら……」

と、曹操も王位に昇ろうという色を示していた。ところが諸人の議場で、尚書の崔琰が、

「ご無用になさい。そんなばかなことをおすすめするのは」と、媚態派の人々を諫めた。

諸官は怒って、

「ばかなこととはなんだ。貴様も丞相から睨まれて、荀彧（じゅんいく）や荀攸（じゅんゆう）みたいな終りを遂げたいのか」

崔琰（さいえん）も、負けていずに、

「およそ、媚（こ）びへつらう輩（やから）ほど、主を害するものはない。むかしから君を亡ぼす者は、敵でなくて――」

「何だと」

大喧嘩になった。

曹操の耳に聞えた。もちろん媚態派の佞臣（ねいしん）からである。曹操は憤怒して、

「舌でも噛め」と、獄へほうり込ませた。

崔琰は、曳かれながらも、

「漢の天下を奪う逆賊は、ついに曹操ときまった」

と、大声で罵りちらした。

それを聞くと曹操は、さっそく廷尉（ていい）に命じて、

「やかましいから黙らせろ」と、いいつけた。

崔琰の声はもう聞えなくなった。廷尉が棒をもって獄中で打ち殺してしまったのである。

建安二十一年五月。もろもろの官吏軍臣は、帝に奏して、詔（みことのり）を仰いだ。

――魏公曹操、功高ク、徳ハ宏大ニシテ、天ヲ極メ、地ヲ際ル。伊尹周公モ及バザルコト遠シ。ヨロシク王位ニススメ、魏王ノ位ヲ賜ワランコトヲ。

と、いうのである。

帝はやむなく、鍾繇に詔書の起草を命じ、すなわち曹操を冊立して、魏王に封じ給うた。

詔に接すると、曹操は固辞して、辞退の意を上書する。帝はまた、かさねて別の一詔をおくだしになる。そこで初めて、

「聖命もだし難ければ」

と、曹操は王位をうけた。

十二旒の冠、金銀の乗用車、すべて天子の儀を倣い、出入には警蹕して、ここに彼の満悦なすがたが見られた。

さっそく、鄴都には、魏王宮が造営された。ここにはすでに玄武池がある。曹操の親衛隊は、ここで船術を練り、弓馬を調練していた。雄大な魏王宮は、玄武池のさざ波に映じて、この世のものと思えなかった。

曹操には四人の子がある。みな男子だった。曹丕、曹彰、曹植、曹熊の順だ。けれども大妻丁夫人の子ではなかった。側室から出た者ばかりである。

このうちで、曹操が、(わが世嗣は、彼に)と、ひそかに思っていたのは三番目の曹植だった。曹植は子建と字し、幼少から詩文の才に長け、頭脳はあきらかで、また甚だ

上品な風姿をもっている。

嫡男の曹丕は、

（……怪しからん）と、不満に思った。曹家は自分が嗣ぐべきであるときめているからだ。中大夫の賈詡をそっと招いて、何かと相談した。

「……こうなさいませ」

賈詡はささやいた。その後、曹操が遠い軍旅に立つ時がきた。三男の曹植は、詩を賦して、父との別れを惜しんだ。

だが曹丕は、賈詡にいわれたとおり、ただ城外まで見送りに立って、涙をふくみ、黙然、父が前を通るとき、眸をこらして見送った。

曹操は、あとで考えた。

「詩は巧み、珠玉の字をつらねているが、曹植のその才よりも、曹丕の無言のほうが、もっと大きな真情をもっているのじゃないかな？」

それから彼の子をみる眼がまたすこし変った。

二

曹丕はその後も、父曹操の近習たちへ、特に目をかけて、金銀を与えたり、徳を施したり、歓心を得ることにぬかりなく努めたので、

「ご嫡男にはもう仁君の徳を自然に備えておいで遊ばされる」

と、もっぱら彼の評判はよかった。

曹操もやがて、すでに魏王の位にも昇ると世嗣のことが、彼の意中にさし迫る問題となっていた。そこである時、思いあまって、賈詡を召した。

「――曹丕をあとに立てるべきだろうか。それとも曹植がよかろうか」

賈詡は、黙然たるままで、敢て明答を欲しないような顔色だった。が、再三、曹操から問われるに及んで、ただこう答えた。

「それは、私にお質しあるよりは、さきに亡んだ袁紹だの劉表などがよいお手本ではありませんか」

劉表も袁紹も、世子問題では、大きな内政の癌を作っている。いずれも正統の嫡男を立てていない。

「いや、そうか。曹操は大いに笑い、人間というものは、案外、分りきっていることに分別を迷うものだ。はははは、よし、よし」

心は決したのである。その後間もなく、

――嫡子曹丕ヲ以テ我ガ王世子ト定ム

と、発表した。

冬十月。魏王宮の大土木も竣工した。その完成を祝う祝宴のため、府から諸州へ人を派して、

「各州、おのおの、特色ある土産の名物菓木珍味を、何くれとなく献上して、賀を表し

候え」

と布達した。

呉の福建は、茘枝と龍眼の優品を産し、温州は柑子(蜜柑)の美味天下に有名である。魏王の令旨とあって、呉では温州柑子四十荷を、はるばる人夫に担わせて都へ送った。

舟行馬背、また人の背、四十荷の柑子は、ようやく、鄴都の途中までできた。そしてある山中で、その人夫の一隊が荷をおろして休んでいると、そこへ忽然と、片目は眇、片足はびっこという奇異な老人がやってきて話しかけた。

「ご苦労さまだな。みな疲れたろうに」

片輪の老人は、白い藤の花を冠にさし、青い色の衣を着ていた。

人夫のひとりが冗談にいった。

「爺さん。助けてくれ。これからまだ千里もあるんだ」

「よしよし」

老人は本気になって、一人の人夫の荷を担った。そして数百人のほかの仲間へ、

「おぬしらの荷は、みなわしが担ってやるぞ。わしのおる限り空身も同様じゃ。さあ続いてこい」

風のように先へ走りだした。

一荷でも失っては大変と、あとの者は、あわてて続いた。ところが、老人のいったと

おり、荷を担いでも、ほんとうに身軽のようで、少しも重さを感じないので、疑い怪しまぬ者はなかった。

別れ際に、人夫の宰領が、老人に素性をたずねた。老人は、答えていう。

「わしは、魏王曹操とは、同郷の友で、左慈、字を玄放といい、道号は、烏角先生とも呼ばれておる。曹操に会ったら、話してごらん。覚えているかもしれないから」

やがて鄴都の魏王宮に着いた。温州柑子が届いたと聞いて、曹操は久しくその甘味を忘れていたので、歓んで早速、大いなる一箇を盆から取って割った。ところが、柑子の実は空だった。怪しみながら三つ四つ取って裂いてみたが、どれもみな殻ばかりで空しい。

「呉の奉行を質してみろ。これは何故かと」

奉行は調べられてもただ慄くばかりで、その何故かを知らなかった。ただ思い当ることとして、途中、左慈という奇異な老人に出会ったことを語った。

「はてな？」と、首を傾けている。同郷の友といえば少年時代のことだ。あまりに渺として思い出すに骨が折れるらしい。

ところへ、王宮の門へ、

「大王にお目にかかりたい」

といってきた一老人があるという。召し入れて見れば、その左慈だった。曹操は、彼を見るや否や、柑子の科を責めた。すると、左慈は一、二本しかない前歯を出して笑い

ながら、

「そんな筈はない。どれどれ」

と、自身で柑子を取って割ってみせた。芳香の高い果肉は彼の掌から甘い雫をこぼした。

三

「大王。まあこの柑子を一つ、召上がってごらんなさい。いま木からもいだように水々としていますから」

曹操は、驚いたが、油断ならずと思ったか、左慈に向って、

「まず、毒味をせよ」と、いった。

左慈は笑って、

「柑子の美味を満喫するなら、てまえは一山の柑子の樹の実を、みな喰べなければおさまりません。ねがわくは、酒と肉をいただきたいもので、柑子は口直しに後でいただきます」と、答えた。

酒五斗に、大きな羊を、丸焼きのまま銀盤に供えて喰わせた。左慈は、ぺろんと平げて、まだ物足らない顔していた。

「これは凡人でない」

と思ったか、曹操も、やや辞をやわらげて、ご辺は、仙術でも得た者ではないかとた

ずねた。

　左慈は、答えて、

「郷を出てから、西川の嘉陵へさまよい、峨眉山中に入って、道を学ぶこと三十年。いささか雲体風身の術を悟り、身を変じ、剣を飛ばし、人の首を獲ることなど今はいと易きまでになり得ました。ところで、大王の今日を見るに、はや人臣の最高をきわめ、これ以上の人慾は、人間の地上では望むこともないでしょう。——どうじゃな、ここでひとつ、一転して身を官途から退き、この左慈の弟子となって、ともに峨眉山に入って、無限に生きる修行をなさらんか」

「……ふむ。それも一理ある言だな。しかし、まだ天下はほんとに治まっていないし、朝廷におかれても、この曹操にかわって、扶翼し奉る人がおらぬ。朝野の安危を見とどけずに、身ひとつ閑地に楽しむのは、曹操の心にそむくことだ」

「その辺は、ご心配ないでしょう。劉玄徳は、天子の宗親。彼にまかせれば、大王がおられるよりも、万民は安んじ、朝廷もご安心になろう」

　見る見るうちに曹操の顔は激色に焦きただれた。老来、これほど露骨に青すじを立てたことは珍しい。

「よく吐ざいた左慈。果たして汝は劉玄徳の廻し者であったことよ」

　有無をいわせず、武士たちは左慈を縛めて、獄へほうりこんだ。数十名の獄卒は、かわるがわるに左慈を拷問した。酷烈な拷問のたび獄庭に聞えるのは、左慈の笑い声だった。

「この上は眠らせるな」

鉄の枷(かせ)で、首をはめて両の足首を鎖(くさり)で縛り、そして牢屋の柱に立縛(たてしば)りに立たせておいた。

ところが、すこし時経つと、すぐこころよげな高鼾(たかいびき)が洩れてくる。怪しんで覗いてみると、鎖も鉄の枷もこなごなに解きすて、左慈は、悠々と身を横にしていた。

曹操は、聞いて、

「食水(しょくすい)を与えるな」と、一切の摂(と)り物を禁じた。しかし七日たっても十日経っても、左慈の血色は衰えるどころか、かえって日々元気になってゆく。

「いったい、汝は魔か人間か」

ついに、獄から出して、曹操がたずねると、左慈は、呵々(かか)と哄笑して、

「一日に千疋の羊を食べても飽くことは知らないし、十年喰わずにいても飢えることは決してない。そういう人間をつかまえて、大王のしていることは、まったく天に向って唾(つば)するようなものですよ」

魏王宮落成の大宴の日が来た。国々の美味、山海の珍味、調わざるなく、参来の武人百官は、雲か虹のごとく、魏王宮の一殿を埋めた。

ときに、高い木履(ぼくり)をはいて、藤の花を冠にさした乞食のような老人が、場所もあろうに、宴の中へ突忽(とっこつ)として立ち、

「やあ、お揃いだね」

と、なれなれしく諸官を見まわした。

曹操は、きょうこそこの曲者(くせもの)を、困らしてやろうと考え、また客の座興にもしてやろうと、

「こら、招かざる客。汝は、きょうの賀に、何を献じたか」

と、いった。左慈は、直ちに、

「されば、季節は冬、百味の珍饌(ちんせん)あるも、一花の薫色(くんしょく)もないのは、淋しくありませんか。左慈は、卓の花を献じようと思います」

「花なら牡丹(ぼたん)が欲しい。即座に、そこの大花瓶に、牡丹を咲かせてみよ」

「てまえも、そう思っていました」

左慈は、ぷっと、唇から水を噴いた。嬋娟(せんけん)たる牡丹(ぼたん)の大輪が、とたんに花瓶の口にゆらゆら咲いた。

藤花(とうか)の冠(かんむり)

一

王宮の千客は、みな眼をこすり合った。眼のせいか、気のせいかと、怪しんだのであろう。

ところへ、各人の卓へ、庖人(ほうじん)が魚の鱠(なます)を供えた。左慈は、一眄(べん)して、

「魏王が一代のご馳走といってもいいこの大宴に、名も知れぬ魚の料理とは、貧弱ではないか。大王、なぜ松江(しょうこう)の鱸(すずき)をお取り寄せにならなかったか」

と、人もなげにいった。

曹操は、赤面しながら、

「温州(うんしゅう)の果実はともかく、鱸といっては生きていなければ値打ちがない。何で千里の松江から活(い)けるまま持ってこられよう」と、客の百官に言い訳した。

「はて、さて、造作もないのに」

「左慈、あまりに、戯れをいって客の興をみだすまいぞ」

「いや、ほんとですよ。釣竿をおかしなさい」

左慈は、一竿を持って、欄の外へ、糸をたれた。玄武池の水は、満々とそよぎ立ち彼の袖がひるがえるたびに、たちまち、大きな鱸が何尾も釣りあげられた。

「大王、何尾ほど、ご入用ですか。松江の鱸は」

「左慈、汝の釣ったのは、みな予が池に放しておいた鱸だ。その鱸ならば、料理番でも釣っておる」

「嘘をおいいなさい。松江の鱸は、かならず腮が四つあります。そのほかの鱸は二つしかありません。見てごらんなさい」

試みに、客が、鱸の腮を調べてみると、どれもこれも、まさしくエラが四枚あった。

曹操も、客も、愕然たらざるはなかったが、なお何かで困らせてくれんものと、

「いにしえから、松江の鱸を鱠にして賞味するときには、かならず紫芽の 薑 をツマに添えるという。薑はあるか」

「おやすいこと」

左慈は、左の袂へ手を入れた。そして幾つかみもの薑を黄金の盆へ盛ってみせた。

「怪しげな？」と呟きながら、曹操は、近侍の者に、盆をこれへと命じた。近侍が、盆を捧げた。しかるに、いつのまにか、薑は一巻の書物に変っていた。

見ると「孟徳新書」という題簽がついている。曹操は、皮肉を感じて、むッとしたが、いずれは、打ち殺さんという肚があるので、さりげなく、

「左慈。これは誰の書いた書物か」と、空とぼけて訊いてみた。

「は、は、は。さて誰の著書でしょうな、どうせ大したものじゃありますまい」

試みに、曹操は手に取ってひらいてみると、自分の書いたものと一字一句も違わないので、いよいよ心中に、この怪士、生かしおくべからずと誓った。

左慈は、側へすすんできて、

「大王に、不老の千載酒をさしあげよう」

と、冠の上の玉を取って、盃の中ほどに一線を描き、その半分をまず自分が飲んで、曹操に献じた。

曹操が、その酒をふくんでみると、まるで水ッぽくて、飲めたものではない。思わず盃を下に置いて、癇癪を破裂させようとした刹那、さっと、左慈は手をのばして、盃を奪い取り、堂の天井へ向ってほうりあげた。

人々は、あッと、眼をあげた。愕くべし、盃は一羽の白鳩と変じ、羽ばたきして殿中を飛びまわっている。或いは、低く降りて、酒をこぼし、花をたおし、客の肩に、顔に、戯れまわって、果てしがない。

あれよ、あれよ、とばかり満座みな怪しみうろたえている間に、左慈のすがたは、いつのまにか消えていた。それと気づいて、曹操が、

「しまった。宮門を閉じろ」

あわただしく、近侍から諸門へ布令させると、何事ぞ、

「青い衣を着、藤の花を冠にさした怪奇な老人は、もう靴を鳴らして、城外の街をうろついている由です」

と、外門の将からいって来た。

「とらえて来い。いかなる犠牲を払っても」

曹操の峻烈な命は、すなわち許褚へ下った。大袈裟にも、許褚は万一を思って、親衛軍中の屈強五百騎をひきいてそれを追いかけた。

左慈のすがたに追いついた。

飄乎として、彼方へ、びっこをひいてゆくのが見える。――にもかかわらず、いかに悍馬に鞭打っても、少しもその後ろ姿に近づくことができなかった。

二

やがて、山の麓へ来た。

とうてい、追いつくべくも見えないので、許褚は、部下の五百騎に、

「射止めろ。弓で」と、大汗で励ました。

五百弓の弦がいちどに鳴った。ところが、彼方の左慈の姿は矢のさきに消えて、悠々と、地上に遊んでいる白雲の如き羊の群れだけがあった。

「てッきり、この中にいる」と、許褚は、そこへ来るや否、数百の羊を、一匹のこらず打ち殺した。

そして、引っ返してくるとその途中、おいおいと泣いている一人の童子に会った。

「こら、子供。何を悲しむか」

許褚が訊ねると、童子は恨めしそうに、

「おらの飼っている羊を、自分の手下にみな殺させておきながら、何を悲しむかもないもんだ。ばかやろう」

童子は、罵って、逃げだした。一人の部下は、あれも怪しいと、矢をつがえて、うしろから放った。

いくら射っても、矢はヘロヘロと地に落ちてしまった。その間に、童子はわが家へとびこんで、もっと大きな声して泣きぬいていた。

翌る日、童子の親が、王宮へ謝まりにきた。——きのう家の腕白が、お城の大将にむかって、羊を殺されたいまいましさの余り、悪口をたたいて逃げたそうですが、今朝起きてみると、一夜のうちに、死んだ羊がみな生きかえって、いつものように牧場で群れ遊んでいる。ふしぎでたまりませんが、事実なので、何はともあれ、小せがれの罪をおわびに参りました——というのである。

今朝、許褚の報告を聞いていたところへ、またこの奇怪な訴えだった。曹操は、悪寒がしてきた。

「どうあっても探しだせ。どうあっても打ち殺してしまわねばならん」

王宮の画工を招いて、左慈の肖像を画かせた。その人相書を原本として、各地へわたり、数千の同じ図を配布した。

「召し捕りました」

「捉えました」

三日もするうちに、各県郡から四、五百人も同じ左慈を差し立ててきた。王宮の獄は、左慈だらけになってしまった。なぜならば、そのどれを見てもびっこで、眇目である。そして藤の花を冠にさし、青い衣を着ている。

「よいよい。いちいち調べるのもわずらわしい」

曹操は命じて、城南の練兵場に、破邪の祭壇をしつらえさせた。そして羊や猪の血をそそぎ、四、五百人の左慈を珠数つなぎにひいて来て、一斉に、首を刎ねてしまった。

すると、屍の山から一道の青気がのぼって、空中に、霧の如く、ひとりの左慈が姿を見せた。左慈はそのとき、白い鶴に乗っていた。そして魏王宮の上を、悠々と飛翔しながら、やがて掌を打ちたたき、

――玉鼠金虎ニ随ッテ、奸雄一旦ニ休マン。

と、宇宙から呼ばわった。

曹操は、諸将に下知して、雲も裂けよと、弓鉄砲を撃ちかけた。すると、たちまち狂風吹き起って、沙を飛ばし、石を奔らせ、人々は地に面をおおい、天に眼をふさいだ。

この日、太陽は妙に白っぽく、雲は酔人の眼のように、赤い無数の虹を帯びていた。

市人も、耕田の農夫も、

「これはいったい何の兆しだろう？」と、おそれ怪しみながら、茫然、天地を仰いでいたが、そのあいだに、城南の練兵場から、黄いろい砂塵が漠々と走って、王宮の門を入って行ったのを見た者があるという。

あとで聞けば。

練兵場に積みあげられた四、五百の屍が、またたく間に、みなむくむく起きだして、それが一かたまりの濛気となり、王宮の内へ流れ入ると、やがて池畔の演武堂にはしり上がり、四、五百体の左慈そのままな姿をもった妖人が、あやしげな声を張り、奇なる手ぶり足ぶりをして、約一刻のあいだも、舞い狂っていたということだった。

さしも豪胆な魏の諸大将も、これにはみな慄えあがり、曹操もまた、諸人に扶けられて、後閣に狂風を避けたが、その夜から彼は、近侍の者に、

「何となく悪寒がする」だの、

「風邪気味のせいか、物の味がわるい」

などと云い始めていた。

神卜

一

太史丞の許芝は、曹操の籠る病室へ召された。

曹操は、起きていたが、以来、何となくすぐれない容態である。

「許都に、卜の上手がいたな。どうも今度の病気はちとおかしい。ひとつ卜者に見てもらおうと思うのだが」

「大王、卜の名人ならば、許都にお求めになるよりは、この近くにおりますが」

「それは倖せだ。何というものか」

「管輅と申せば、世上、神卜の達人として、知らない者はありません」

「徒然だ。なぐさみに先ず聞こう。いったい、その易者の卜は、どれほど神通なのか。何か、例を聞いていないか」

「たくさん聞いております」

許芝は、語りだした。

「――まず、素姓からいうならば、管輅、字を公明といい、平原の人です。容貌は醜く、風采はあがらず、酒をのみ、性疎狂なりと申しますから、ほかに取柄はない人間ですが、ただ幼にして、神童の聞えがありました」

「神童。――神童に、長じてまで神童だった者はないぞ」

「ところがです。管輅は、今もって、その名を辱めません。――八、九歳の頃から天文が好きで、夜も星を見ては考え、風を聞いては按じ、ちと気ちがいじみていたので、両親が心配して、そんなことばかりしていて一体おまえは何になる気か、といったところ、管輅は言下に、

――家鶏(カケイ)野鵠(ヤコク)モオノズカラ時ヲ知リ風雨ヲ知リ天変ヲ覚(サト)ル。イカニ況(イワ)ンヤ人タルモノヲヤ。豈(アニ)、天文グライヲ知ラナイデ人間トイエマスカ。

そう答えたそうです。また長ずるに及んでは、周易(しゅうえき)を究(きわ)め、十五、すでに四方の学者もかなわなかったということです」

「そんなのは、世間、いくらもあるじゃないか。学究というものだ。しかもこの学究、案外、学究のほかではつかいものにならん」

「いや、管輅(かんろ)は左に非ずで、早くから天下を周遊し、日に百冊の古書を読んで、日に千語の新言を吐くという人です」

「すこしは学者らしいところがあるな。しかし、易(えき)のほうでは」

「それが大したもので。――ある折、旅の宿を求めると、家の主が、易者と知って、いまし方、わが家の屋根に、山鳩が来て、いつになくあわれな声で啼き去った。卜(うらな)い給えと乞うと、管輅、易を案じて、

――午(ウマ)ノ刻ニ、主(アルジ)ノ親シキ者、猪(イノコ)ノ肉ト酒トヲタズサエテ、訪(オトナ)イ来ラン、ソノ人、東ヨリ来テ、コノ家ニ、悲シミヲモタラス。

と予言したそうです。果たしてその時刻に、主の叔母聟(おばむこ)なる者が、肉と酒とを土産(みやげ)に

もたらし、主と飲むうち、夜に入って、なお酒肴を求めるため、奴僕に、鶏を射てころせと、命じました。ところが奴僕の射た矢が、隣家の娘にあたったので、大へんな悲嘆やら騒動になったそうです」

曹操はまだそう感心したような顔を見せなかった。

許芝は、かまわず語りつづけて、

「安平の太守王基がそんな噂を聞きましてね、その妻子に病人の多いのを卜わせ、その禍いを除いたこともあり、また館陶の令、諸葛原はわざわざ彼を招いて、衆臣とともに、彼の卜占の神凡を試したこともありました」

「ふうむ……どんなふうに」

「まず燕の卵と、蜂の巣と、蜘蛛とを、三つの盒にかくして、卦を立てさせたのです。——もとより厳秘の下にそれは行われました。さて管輅は、卦を立てて、個々の盒の上に、答えを書付けてさし出しました。

その一には、

気ヲ含ンデスベカラク変ズ。堂宇ニ依ル。雌雄容ヲ以テ、羽翼ヲ舒べ張ル。コレ燕ノ卵ナリ。

その二には、

家室倒ニカカリ。門戸衆多。精ヲ蔵シ、毒ヲ育イ、秋ヲ得テスナワチ化ス。コレ蜂ノ巣ナリ。

その三には、

轂觫トシテ脚ヲ長ウシ、糸ヲ吐イテ網ヲナス。羅ヲ求メテ食ヲ尋ネ、利ハ昏夜ニアリ。コレ、蜘蛛ナリ。

一つもはずれていないのでした。これにはみな驚嘆したということです」

「……それから？」

曹操は、いくらでも、例話を聞きたがった。病中のつれづれには、またなく興味をひいたらしい。

二

「――管輅の郷土に、牛を飼っていた女がいました。ある折、牛を盗まれたので、管輅のところへ泣いてトを乞いにきたそうです。そこで管輅が一筮していうには、

――北渓ノ西ヘ行ッテミナサイ。下手人ガ七人オル。皮ト肉トハ、未ダアルダロウカラ。

と。――そこで女が行ってみると、果たして一軒の茅屋に、七人の男が車座で、牛を煮て喰いながら酒もりしていたそうです。すぐ所の役人へ訴えたので、七人の泥棒は捕まり、皮と肉は、女の手へ戻されたそうです」

「おもしろいものだな。易というものは、そんなにもあたるものかの」

「今申し上げた牛飼の女のことが、太守に聞えたので、管輅を召し、山鶏の毛と、印章

の嚢を、べつべつな筥にかくして卜わせてみたところ、寸分たがわず、あてたと申しまする」

「ふふむ……」

「それから趙顔の話は、もっと有名です。ある春の夕べ管輅が道を歩いていると、ひとりの美少年が通りかかりました。管輅は、人を見ると、すぐ人相を観ることが習癖のようになっているので、思わず口走ったものとみえます。――ああ、少年、惜しいかな、三日のうちに死せんと。――それが凡人の言なら、戯れとも聞き流しましょうが、評判な卜の名人の言でしたから、少年は泣き泣き走り去って、父親に告げました。父親も蒼くなって、何とかして三日のうちに、死ぬことのないように、禍いをまぬがれる工夫はないものでしょうかと、管輅の家へ泣きついて来たのですな」

「それだ」と、曹操は、待っていたように、

「過ぎ去ったことだの、筥の中にかくしてある物をあてたところで、何の世人の益にもならない。未然の禍いを防ぐということができるものか否か、わしはさっきから聞きたかったのだ。で、管輅は何といった？」

「人命はすなわち天命、人事及びがたし。――断ったのです。けれど老父も美少年も泣いてやみません。あわれを覚えて、つい管輅が教えました。一樽の佳酒と、鹿の脯を携えて、あした南山を訪えと。そして、南山の大きな樹の下に、碁盤をかこんで、碁を打っている二人があろう。ひとりは北へ向って坐し、紅衣を着、容姿もうるわしい。また

ひとりは、その貌、極めて醜いけれど、共に、貴人であるから謹んで近づき、酒をささげて、希いを乞うがよい。ただし管輅が教えたなどということは、おくびにも出してはいけないぞ。——そうかたく戒められた上、老父と少年は翌日、酒を携えて、南山へ行きました。幽谷をさまようこと五、六里、果たして一樹の下に、碁を打っている二仙がいました。これなりこれなりと思ったので、静かに傍に侍り、二人の興に乗じているところへ、酒をすすめました。二人とも夢中になって飲みかつ語り、また碁に熱していましたが、やがて打ち終った様子に、老父が初めて、ねがいの趣を泣いて訴えると、紅衣の仙も、白衣の仙も、急にびっくりして、これはきっと、管輅の仕業だろう、困ったものだと、呟いていましたが、やがてふところから各〻の簿を取出し、——相かえりみて——すでに人間の私的な施しをいま受けてしまったのだからもう仕方がない。この少年は本年で人生を終ることになっていたが、十九の上に、九の一字を加えてとらせん。いかにというと一方も、うなずき笑って、九の字を書き加え、たちまち中天から鶴を呼んで、それに乗って飛び去ってしまったということです。——後に、少年の老父が、管輅に謝して、一体、あの碁を打っていた二人は誰ですかと訊ねたところ、管輅がいうに。……紅き衣を着たひとは南斗、白い衣を着て容貌の醜いほうが北斗だよといったそうです。……何しても、そのため、十九歳で死ぬところだった少年が、九十九までは生きることになったというので、たいへん人々に羨まれていますが、そのことあって以来管輅は、われ誤って天機を人界に洩らすの罪大なりと、自らふかくおそれつつしみ、以来、誰が何といっても、決して卜筮を取らないことにしているそうです」

——誰が何といっても今は観ないと聞くと、曹操は急に、眼を爛とかがやかして、

「呼んでこい、ぜひ、その管輅を魏宮へつれて来い。どこにいるのか、今は」

「平原の郷里にかくれています」

「おまえが行ってこい。迎えの使いに」

「かしこまりました」

許芝は、倉皇と退出した。

三

管輅はかたく召しを拒んだ。けれど許芝が再三の懇望と、魏王の命というのにもだし得ず、ついに伴われて、曹操の前に出た。

曹操は、まずいった。

「卜聖。ひとつ予のために、予の人相を卜って観てくれぬか」

管輅は笑って答えた。

「大王はすでに位人臣を極めたお人。何の今さら、相を観る余地がありましょう」

「しからば、予の病について卜え。何か妖者の気でも祟っているのではないか。そのへんのことをひとつ」

と、彼は近頃しきりに気になっている左慈の事件を仔細にはなした。

すると管輅はなお笑って、

「それはみな世にいう幻術というものです。幻語幻気を吐いて、巧みに人の心眼を惑わし、即妙の振舞をして見せるものですが、もとより実相のものには非ず、大王何ぞ御心に病むことやある。奇妙というにも足らないではありませんか」と、いった。

曹操は急に気のはれ上がったような顔をした。本来の彼の知識も彼を醒(さ)ました。

「いや、そうか。そういわれてみると、濛気(もうき)の開けるような心地がする。――さらば、小さな私事を離れて、さらに大きな問題についてたずねたいが、いったい将来の天下はどうなるだろう」

「茫々たる天数*、何で、小さい人智を以て、測り得ましょう。訊くほうがご無理です」

管輅はあえて天眼を誇らない。むしろ凡々と装って、そういう大事に語を避けた。

けれど曹操が、世間ばなしの如く、打ちとけた態をもって、諸州の形勢をものがたり、玄徳、孫権などの噂に及び、それとなく各国の軍備や兵力、また文化の進展などについて、飽くなく話しかけると、管輅もそれにつられて、自己の見解をのべ、天数運行の理をもって、事ごとに、判断を下した。

曹操はすっかり傾倒してしまった。彼も天文や陰陽学には並ならぬ興味をもっているので、管輅が世の常のいわゆる売卜(ばいぼく)の徒でないことを早くも認めて、

「汝を太史官(たいしかん)に補(ほ)して、つねに魏宮に置きたく思うが、どうだ、予に仕えないか」

と、心をひいてみた。

管輅は、首を振って、

「折角ですが、私の人相は、官吏になる相ではありません。額に巠骨なく、眼に守睛なく、鼻に梁柱なく、また、脚に天根なく、腹に三壬なし。もし私が官吏になったら身を敗るのみです。如かず、泰山にあって、鬼を治すべし。生ける人を治する器ではありません」

「さすがによく己を識るものだ」と、曹操はいよいよ彼を信じて、その人を治すものは、どういう器だろうか。たとえばわが臣下のうちでは、誰と誰であろうかなどと問うたが、管輅は、

「それは、大王のお眼鑑のほうが、はるかに確かでおいででしょう」

とのみで、あえて、明答しなかった。

曹操はかさねて、

「このところ、呉の国の吉凶はどうだろう」

と、敵の運命を質した。

管輅は言下にいった。

「呉では、誰か有力な重臣が死ぬと思われます」

「蜀は？」

「蜀は兵気さかんです。察するに、近日、界を侵して、他を犯すこと必然です」

すると、幾日もたたないうちに合淝の城から早馬が来て、

「呉の功臣魯粛が、病にかかって、過ぐる日、病死いたした由」と、報らせてきた。

さらに、曹操を驚かせたものは、漢中からの使者による、

「蜀の玄徳、すでに内治の功をあげ、いよいよ馬超、張飛の二軍を先手として、漢中へ進攻の気勢を示す」

という情報であった。

管輅の予言は、二つとも、的中していた。曹操はすぐ出馬を計ったが、管輅はふたたび予言して、

「来春早々、都のうちに、かならず火の禍いがありましょう。大王はめったに遠くへ征くべきでありません」

と、告げたため、彼は、曹洪に五万騎をさずけてさし向け、身は、鄴郡にとどまっていた。

正月十五夜

一

漢中の境を防ぐため、大軍を送りだした後も、曹操は何となく、安からぬものを抱いていた。

管輅の予言に。――明春早々、都のうちに、火の災いあらん――とあるそのことだった。

「都というからには、もちろん、この鄴都ではあるまい」

夏侯惇をよんで、兵三万を附与した。そして、

「許都に入らず、許都の郊外に屯して、不慮の災いに備え、また長史王必を府内に入れて、御林の兵馬は、すべて彼の手に司どらせよ」と命じた。

司馬懿仲達が、側で眉をひそめた。

「王必を御林軍の師団長に任ずるのはいかがなものでしょうか。彼は酒を好み、弛みのある男ですから、悪くすると、軍の統率を誤るかもしれません」

「いや、王必の短所は、予も知っているが、あれも長らく麾下にあって、予と艱難を共にし、まずまず忠実に勤めてきた者。今日、御林軍の師団長ぐらいに挙げてつかわしても、そう破格なこともあるまい」

曹操には、曹操にもあるのかしらと思われるような、こういう一面の寛度と情味もあった。ここらが、彼に仕える人物が長く彼を離れないでいる一つの理由というよりはうま味というものであったろう。

ともあれ、命をうけた夏侯惇は、兵をひきいて、許都の府外に宿営し、王必はそうい

うわけで、御林軍の長となって、日々、禁門や市街の警備にあたり、その営を東華門の外においていた。

これは曹操にしてみれば災いを未然に防ぐ消極的な一工作に過ぎなかったが、皇城を中心として、彼の魏王僭称以来、とみに激化していた純粋な朝臣たちには、かなり大きな刺戟を与えた。

「近衛の司令を、王必に替え、府外に三万の兵を待機させておくは、何か容易ならぬ企みがあるに違いない」

「おそらく、曹操がこの次に望んでいるものは、魏王以上のものだろう。近いうちに、不逞な実行をあえてして、おのれ漢朝の世代を継いで皇帝を名乗らんとする下心にちがいない」

早くもこういう見解が、一派の漢朝の忠臣間にささやき伝えられた。さなきだに曹操が魏王を称して、天子にひとしい車服儀仗を用いるを眺めて、切歯扼腕していた一派の輩は、

「捨ておくべきでない」と、同志のあいだに、密々、連絡をとっていた。

ここに、耿紀字を季行という者があった。侍中少府に奉仕し、つねに朝廷の式微を嘆き、同志の韋晃と血をすすり合って、

「いつかは」と、時節を期していたところが、この情勢なので、当然、大きな衝動をうけ、

「われら漢朝の旧臣たるもの、豈、曹操と共に大悪をなすべけんや」

と、ひそかに友の韋晃に心中を洩らしていた。

韋晃もいった。

「坐して、その大悪を見ているにも忍びない。むしろ、彼らの機先を制し、かねての大事をこの時に挙げるに如くはあるまい。――それには、もう一名、有力な味方も見つけておいた」

「それは頼もしいが、魏王に媚びざれば、人でないかのような今、そんな人がいるだろうか」

「漢の金日磾の末裔――あの金禕だ。実はその金禕と自分とは、友人以上の情をもって交わっている」

「そりゃあ、あてにならん」

耿紀は失望したばかりでなく、かえって、同志のひとりがそんな者と親しいのを、非常に不安がるような顔をしていった。

「金禕といえば、王必の親友じゃないか。その王必は、曹操の股肱だ。――君ひとりが金禕にとって無二の友だなんてうぬぼれていると、大きな間違いの因になりはせんか」

二

「いやいや。王必の交わりと、自分との交わりとは、まったく意味がちがう」――と、

韋晃は自信をもって、

「試みに、君と僕と、ふたりして金禕を訪問し、彼の心をひいてみるのが一番いい」

と、いった。

「さらば、金禕の志を、試したうえで」と、二人は早速、その邸へ出向いた。家園は郊外に近い閑静なところにあり、主の風雅と、清楚な生活ぶりがうかがわれる。

「これはおめずらしい。せっかくのお越しでも、何もないが、ゆるりと茶でも煮て語りましょう」

「いやご主人。きょうは友人の耿紀と一緒に、ちと俗なお頼みで来たので。詩画の談はあとにして下さい」

「わしに、お頼みとは？」

「余の儀でもありませんが、近いうちに、魏王曹操には、いよいよ漢朝の大統をみずからお継ぎになろうとするのではありませんか。――何となく情勢から推してそんな気がするのですが」

「ふむ。……そうかの」

「――と、なれば、きっと、尊台にも、ご栄職につかれ、いよいよ官位もお進みになりましょう。その折には、ぜひわれら両名にも、何か役儀を仰せつけ下すって、日頃のよしみにお引立てくださるよう。今からお願い申しに来たわけです」

ふたりが揃って頭を下げると、金禕はその間に、黙って席を立ってしまった。そし

て、ちょうどそこへ、召使いが茶を運んでくると、

「こんな客に茶など出さなくてもよい」

と、盆ぐるみとり上げて、庭園へほうり捨てた。

むっとした色を見せて、韋晃も立ち上がり、耿紀も席を蹴った。

「こんな客とは何だっ、こんな客とは！」

「客というもけがらわしい。疾く帰り給え。人なりと思えばこそ、客として室に迎えたものの、君らは人間ですらない」

「怪しからぬ暴言を。――ははあ読めた。やがて自分の出世も約束されているので、もう高位顕官を気どり込み、われわれ如き末輩とは同席もならんというわけか。はてさて日頃の誼みなどというものは頼りにならんものだ。おい耿紀、こんな所へ引立てを頼みに来たのが誤りだ、帰ろう」

するると今度は、主の金禕が、扉の口に立ちふさがって通さなかった。

「待てっ、虫けらどもっ」

「虫けらとは、聞き捨てならん。汝こそ、常日頃の友達がいも知らぬ犬畜生。いてくれといっても、もういてやるものか。そこを退け」

「たれが、引止めるものか。しかし一言いって聞かせることがある。よく聞け。そもそも、汝の如き若輩でも心の友よと、ひそかにわしがゆるしていたのは、ただただ互いに漢朝の旧臣たり、また、年久しき帝の御悩みやら、朝儀の御式微を相嘆いて、いつかは

この浅ましき世を建て直し、ふたたび回天の日を仰ぎ見んものという志を同じゅうする者と思えばこそであった。——しかるに何ぞや、いま黙って聞いていれば、魏王がやがて漢朝の代を奪(と)ることも近いであろうから、そのときには、よき官職に取立ててくれと？ ……よくそんなことが漢朝の臣としていえたものだ。実に聞くだに胸がむかついてくる。卿らの祖先はいったい、曹操の下僕(しもべ)だったのか。いやしくも歴代朝門に仕えてきた人々の末裔(すえ)ではないか。泉下の祖先たちはおそらく慟哭(どうこく)しているだろう。——そしてこの金禕(きんい)がかく罵ることばを、よくいってくれたと、せめて慰めているにちがいない。ああ、いうだけのことをいって胸がすうっとした。もう用はない。絶交だ。とっとと裏口からでも何処からでも出て行くがいい」

「…………」

耿紀(こうき)、韋晃(いこう)のふたりは、思わず眼を見あわせた。

そして、うなずきあうと、

「今のおことばはご本心ですか」

と、左右からすり寄った。

金禕は、なお怒りを醒まさず、

「あたりまえだ。本心でなくてこんなことがいえるか。さあ、文句をいわずに出て行き給え」

と、身をひらいて、扉(と)口を指さした。

三

「先刻からの無礼はおゆるし下さい。実は、あなたのお心を試したのです。鉄石の如き忠胆（ちゅうたん）、いつに変らぬ義心、よく見とどけました」

韋晃も、また耿紀も、そういって、彼の足もとへひざまずいた。

金禕は茫然としていた。

そこで初めて、二人は意中を打明けた。今にして日頃の素志を貫かなければ、ついに曹操の大野望は、難なくここに実現を見ることになろうと、近時の形勢から推論して、

「まず、彼に先んじて、王必（おうひつ）を刺し殺し、御林の兵権をわれわれの手に収めてから、天子を擁（よう）して、急使を蜀へはしらせ、蜀の玄徳に天子を扶（たす）けよと、綸旨（りんし）を伝えるならば、この際、曹操を伐（う）つことは決して難事ではないと考えられます。どうか、あなたはわれわれの上に立って、禁門方を指揮して下さい」と、涙をたれて赤心を吐いた。

金禕（きんい）はもとよりそれにも勝（まさ）る憂いを抱いていたので、互いに手を取って朝廷のために哭（な）き、

「誓って国賊を除かん」

と、恨気天（こんき）を衝（つ）くものがあった。

以来、日々夜々、同志は人目をしのんでは、金禕の家に会していたが、ある折、金禕が二人に諮（はか）った。

「卿らも、或いはご承知だろうが、亡き太医吉平に二人の遺子がある。兄を吉邈といい、弟を吉穆という。父の吉平は、知ってのとおり、国舅の董承と計って、曹操をのぞかんとし、かえって事あらわれて、曹操に斬られた者だ。――いま、その兄弟をよんで、われらの企みを話してやれば、おそらく、彼らは、勇躍して、父の仇を報ぜんというであろう。そしてかならず味方の一翼となること疑いないが、卿らはどう思われるか」

「それはぜひ呼んで下さい」

「異存なければ」と、金禕はすぐ使いを出した。

若い凛々しい男が二人、夜に入ってやってきた。太医吉平の子である。父を曹操に殺され、世にも出ず、人の情けで育てられてきたこの多感な若者たちが、金禕、韋晃などから大事を打明けられて、「時こそ来れり」と、感奮したことはいうまでもない。

かかるうちにその年も暮れた。そして正月十五日の夜は、毎歳、上元の佳節として、洛中の全戸は、紅い燈籠や青い燈を張りつらね、老人も童児も遊び楽しむのが例になっている。

一同は、この夜を、大事決行の時と、手ぬかりなく、諜しあわせていた。

その手筈は。

東華門の王必の営中に、火がかかるのを合図に、内外から起って、先ず彼を伐ち、すぐ一手になって、禁裡へ馳せつけ、帝に奏して、五鳳楼へ出御を仰ぎ、そこへ百官を召し集めて、劃期的な宣言をする。同時に、帝の綸旨を、請う。

一面、吉邈兄弟は、城外に火を放って、声々に、

（天子の勅命によって、こよい国賊を伐つ。民は安んじて、ただ朝廷をお護りし奉れ。若き者は、錦旗のもとに馳せつけ、一かたまりとなって、鄴都へすすめ、鄴都には悪逆無道、多年、天子を悩まし奉り、汝らを苦しめたる曹操があるぞ。蜀の玄徳も、すでに曹操を討つべく、西より大軍をさし向けつつあるぞ。行けや、行けや、時を移すな）

と呼ばわらせ、御林軍のほかに、民兵も大いに集めて、気勢を昂げようというのであった。

各〻、秘密をちかい、天地に祈って、血をすすり、待つほどに、その日は来た。正月十五日の黄昏どき。

耿紀、韋晃たちは、前の日から休暇を賜わって、各〻の邸にいた。手飼いの郎党から召使いの奴までを加えると四百余人はいる。また吉邈兄弟も、親類一族をかりあつめ、約三百余人の同勢を作って、

「郊外へ狩猟に行く」

と称し、ひそかに武具を揃え、馬をひきだし、物見を放って、街の空気をうかがわせていた。

さて、もう一名の同志金禕は、王必と交わりがあるので、夕方から彼の招待をうけて、東華門の営へ出かけていた。

御林の火

一

街は戸ごとに燈火をつらね、諸門の陣々も篝に染まり、人の寄るところ、家のあるところ、五彩の燈にいろどられているため、こよい正月十五日の夜、天上一輪の月は、なおさら美しく見えた。

王必の営中では、宵の口から酒宴がひらかれ、将士はもとより、馬飼の小者にいたるまで、怪しげな鳴物を叩いたり、放歌したり、踊ったり、無礼講というので、いやもうたいへんな賑いだった。

「もう、もう……飲けません。ぼつぼつ、おいとまを」

金禕は、大酔を装って、酒席を退がりかけた。王必が、眼ばやく見つけて、

「いつになく、早いじゃないか。酒宴はこれからだ。まあ座に戻り給え。おいおい、金禕を帰してはいかんぞ」

盃を持った手を高くあげて、遠くから声をかけていると、そのとき営中の二ヵ所から

火が出たと告げる者があって、酒席は一瞬のまに暗黒となった。

「どこだ」「何事か」「過失か、放け火か」「喧嘩だろ」「いや、謀叛人だ」

騒然たる口々の声もすでにむせるような煙につつまれだした。火はまさしく営内のすぐ裏と南門の傍から燃えだしている。

金褘のすがたはいつの間にか見えなくなった。さては企む敵こそあれと、王必は、あわてふためいて、馬に打ち乗り、南門の火の手を望んで、奔り出して行ったかと思うと、その肩へ、矢があたって、彼は馬上から勢いよくころげ落ち、馬はそのまま、煙の中へ馳けこんでしまった。

そのとき西門、南門から営中へ斬り込んできた一隊の叛乱軍がある。王必を射たのは、その先頭に立ってきた耿紀だった。ところが耿紀は、自分の射た敵が、まさか王必とは思わなかった。王必はもっと営中の奥深くにいると信じていたために、

「余人や雑兵に眼をくるるな」

と、見す見す落馬していたものを馬蹄の下にして、先へ奔迅してしまった。

王必は、そのため、命びろいしたようなものである。混乱の中に馬をひろい、燃えている南門の外から市街へ逃げ出した。彼の想像では何万という敵が足もとから起ったように感ぜられたに違いない。

わっわっと、後ろから黒い人影が追ってくる。彼の部下なのだ。しかし彼はそれすら、敵ではないかと、生きたそらもないらしい。

郊外にある夏侯惇の陣地まで急を告げに行くつもりだったろう。ところが、道を間違えて、彼方此方、馳けまわるうち、肩の痍からあふれ出る血しおに、眩暈をおぼえて、また馬を捨ててしまった。

「そうだ、金褘の邸は、たしかにこの辺……。金褘の家で痍の手当をして行こう」

蹌踉と訪ねあてて、あわただしく、門を叩いた。

すると、邸のうちには、門番もいなければ、奴僕もいないらしい。程なく答えがあって、奥のほうから、燭の光がうごいてきた。金褘の妻が自身そこを開けに近づいてくるようだった。

金褘の妻は、心のうちで、門を叩いているのは、良人が帰ってきたものとのみ思っていたのである。近づいて、扉の閂を内側からはずしながら、

「オオ。お帰り遊ばせ。今すぐに開けまする。……王必は首尾よくお討ち取りになりましたか」

「えっ？」

王必は仰天した。

さては、こよいの叛乱は、金褘が張本人だったかと、初めてさとったので、

「いや、門違いした。ご免」

と云い捨てるや否、倉皇と馳け出して、こんどは、曹休の邸へ行った。

曹休の郎党は、みな物具をつけて、戸外に整列し、火の手を見ながら、主人の命を待

っていたところである。

「王必が、血まみれになって来ました」

と、家人の取次ぎに、曹休はすぐ彼に会った。そして仔細を聞き取ると、

「それは容易ならぬ計画のもとに行われた仕事に違いない。すぐ宮中へ行って、帝の御座を護れ」

と、居合わす一族と郎党をひきいて、火の粉の降りしきる下を禁門へ向って馳け出した。

二

市中といわず、禁門の中といわず、火の狂うところには、

「逆（ぎゃく）、曹賊を殺して、順、漢室の復古を扶（たす）けよ」

という声があった。

また、諸声（もろごえ）あわせて、

「死ねや死ねや。漢朝のために――」

と、悲壮な叫びが聞えた。

けれど、曹休をはじめ、曹氏の一族は、市街に戦い、禁門に争い、これもまた、命を惜しまず、叛乱兵と斬りむすび、よく宮中を守っていた。

かかるうちに、火は東華門から五鳳楼（ごほうろう）へ燃えてきたので、帝は御座所を深宮に遷（うつ）さ

れ、ひたすら成行きを見まもっておられた。

そのうち城外五里の地に屯している夏侯惇の三万騎も、

「ただならぬ空の赤さ。何事か洛内に異変があるぞ」

と、早くも出動を開始して、続々、市街へ入ってきた。

こうなってはもう金禕、韋晃、耿紀などの計画も、その成功を期することは覚束なかった。何よりは、帝の御動座を促して——と、禁中へ入ろうとしたが、すでに曹休が軍馬を並べており、王必を討ち取って、これへ合流する筈の金禕、耿紀などはいつまでも来ない。

当然、韋晃は苦戦に陥ったのみならず、こういう手違いと情勢の不振を見たため、御林軍の多くは、二の足を踏んでしまい、予定のとおり錦旗の下に集まって、反魏王、反曹一族の声明をすることすら避けてしまった。

あわれを止めたのは、太医吉平の子、吉邈兄弟である。民衆に檄を伝えて街頭から義兵を糾合するつもりで、大いに活躍していたが、たちまちこれへ殺到した夏侯惇の大軍に出会うや、ひとたまりもなく剿滅され、吉邈も吉穆も、兄弟枕をならべて討死してしまった。

騒擾は、暁まで続いた。しかし余燼のいぶる朝空に、陽が昇った頃には、

「昨夜、洛内を騒がした反り忠の者ども、首謀者以下、あらまし召捕り終んぬ。ねがわくは、ご安堵あらせ給え」と、夏侯惇の口上をうけた急使やら、戦況を告げにゆく早馬

やらが、鄴都へ向って頻繁に立っていた。

曹操は、この訴えに、

「さてこそ、管輅の予言はこのことであったか」

と、思い当ると共に、朝廷の内深くひそんでいる漢朝旧臣派の根づよい結束に身の毛をよだてて、

「こういう時は、根を刈らねばならん。およそ漢朝の旧臣と名のつく輩は、その位官高下を問わず、一束にして、鄴都へ送りよこせ」と、厳達した。

もちろんそれは、今度の魏王顚覆計画の実際運動には加盟していない者だけであったが、いやしくも金禕や耿紀の徒と、少しでも交渉があったとか、日頃の言動がくさいと睨まれている者は、ことごとく、市に引出して、その首を刎ねてしまった。

熱血児耿紀は、うしろ手に縛されて、大路をひかれて行きながら、天を睨んで、

「曹操曹操。今日、生きて汝を殺すあたわずとも、死して鬼となり、かならず数年のうちに、汝を鬼籍に招いてやるぞ。待っておれっ」

と、罵ってやまなかったという。

同志の韋晃は、刑場に坐って、すでにその頭へ、刃の下らんとする刹那、

「待てっ」

と、刑吏をにらみつけて、からからと自嘲を洩らしたと思うと、

「恨むべし、恨むべし。天にあらず、微忠のなお至らざるを」

と、大きく叫んで、頭上の一閃も待たず、自らその頭を大地へ叩きつけて、歯牙も頭蓋骨もこなごなに砕いて死んでしまった。

金褘の三族も、すべて死をこうむった。燈籠祀りのあとは昼も晦く、燃えいぶった宮門禁裡の奥深く、冬木立に群るる寒鴉の声もかなしげだった。

わずかに、心から市人の胸を慰めたものは、御林軍の大将王必が、矢瘡がもとで、これも間もなく死んだということだけであった。

三

代々漢朝の臣であり、累代の朝廷に仕えてきた公卿だという理由だけで、たくさんな官人たちは車に盛られ、馬の背に乗せられ、まるで流民のように、許都から、鄴都へさし立てられた。

ここへ来て、彼らは初めて曹操の魏王宮を見、その華麗壮大なのに、呆っ気にとられた。

そして、心ひそかに、

「ああ、もう都は、許都にはなく、鄴都にあるようなものだ……」

と、つぶやき合った。

曹操は、この汚い百官の群れを、その壮麗な魏宮の庭園に立たせ、

「先頃の乱のとき、汝らのうちには、門を閉じて、ただ慄えあがっていた者もあろう

し、また、敢然出て火を鎮めんと、働いた者もあるであろう。いちいち調べるのは、面倒くさい。あれに紅白二旒の旗が立ててあるから、火を防ぎに出た者は、紅の旗の下に立て、また、門を閉じて、出なかった者は、白い旗の下にかたまれ」と、云いわたした。

まるで児童あつかいである。あわれや、衰えたりといえ、朝夕、禁裡に仕える身なるものをと、悲涙をのみ、憤怒を抑えていた者もあろうが、色にでも、そんな気ぶりを現わしたら、すぐ首が飛んでしまう。

「……？」

官人たちは、お互いに右をみ、左をみ、どっちへ行こうかと、迷っているふうだったが、期せずして、全人員の八割までが、ぞろぞろと、紅い旗の下へ馳け集まった。

これは、各〻が、

「もし、門を閉じて、出なかったといえば、きっと過怠なりといって、咎めを受けるにちがいない。都下の騒擾とともに、火を防ぎに出たといえば、何の罪科にも触れはしまい」

という心理であった。

ところが、曹操は、高台の上からそれを見届けるや、叱呼して、武将に命じた。

「よしっ。紅の旗の下に集まった輩は、残らず、異心ある者と見てよろしい。一人のこらず引っくくって、漳河の岸へ引っ立てろ。もちろんみな打ち首だ」

驚いたのは、四百余名の官人たちである。彼のいる高き台を仰いで、悲鳴を放った。

「罪なし、罪なし。われらに、何の罪があってぞ」

「非道ではないか」

「無情ぞや、魏王」

しかし曹操は、耳のない人のように、いや涙すらない巨像のように漳河の水のほうを見ていた。

残るわずかな官人——白旗の下に立った者だけは、これを赦して、許都へ返させた。

同時に宮廷の侍側、閣員、内外の諸官人などに、大更迭が行われた。

鍾繇を相国に。

華歆をして御史大夫に。

また曹休を、王必亡きあとの、御林軍総督に任じ、さらに侯位勲爵の制を、六等十八級にさだめて、金印、銀印、亀紐、鐶紐、紫綬などの大法を、勝手に改めたり、それを授与したり、ほとんど、朝廷を無視して、魏王の意のままとなした。

従って、曹操の一族とか、その一族に附随する者どもとかの専横、独善、依怙、驕慢ぶりなどは、推して知るべきものがあった。まことに、曹氏の縁につながりなくんば、人と生れても人にはあらず、と誰やら慨嘆したことはそのまま、許都の常識とまでなりつつあった。

その曹操も管輅の卜にはひどく、傾倒もし、感謝もしていたらしく、

「実に、よくあたった。実に汝の予言に従わず、予が漢中に遠征していたら、大事はもっと大事と化し、それこそ一夜に消せない火の災いとなっていたろう。――褒美をやる。管輅、何なりと望め」と、いった。

すると、管輅は、

「私には、火を防ぐ力も、水を支える力もありません。大王が鄴都（ぎょうと）にとどまったのも天の定数です。許都の乱も約束事です。また私が大王に見出されて、予言申し上げたのも、おそらく天意でしたろう。こう考えると、私が大王から恩爵をいただく理由はちっともない。拝謝いたします。ご褒美の儀はごかんべん下さい」

どうしても彼はそれを受けなかった。

陣前公用（じんぜんこうよう）の美酒（びしゅ）

一

四川の巴西（はせい）、下弁（かべん）地方は、いまやみなぎる戦気に、雲は風をはらみ、鳥獣も声をひそめていた。

魏兵五万は、漢中から積極的に蜀の境へ出、その辺の嶮岨に、霧のごとく密集して、

「寸土も侵させるか」と、物々しくも嘯いていた。

正面の敵は、馬超だった。——馬超は下弁方面に、張飛は巴西から漢中をうかがって来たのだ。

そして、魏のほうの総大将は曹洪、その下に張郃、兵力と装備においては、圧倒的に、魏のほうが優れてみえる。

序戦は、その主力と馬超の部下、呉蘭、任双の兵とから開始され、その第一戦に、任双は討たれ、呉蘭は敗走した。

「なぜ、敵を軽んじるか。以後は嶮を守って、めったに動くな」

馬超は、呉蘭の軽忽な戦を大いに叱った。彼は、魏兵のあなどり難い強さを、骨身に沁みるほどよく知っていた。

曹洪は、怪しんで、

「どうしたのだろう。いくら攻めても、馬超は動かん。あの精悍な男が、こうじっとしたままでいるのは、何か謀略かも知れぬぞ」

緒戦の戦果を、後の大きな損害の代償にすまいと、曹洪は大事をとって、一応、南鄭まで兵を退げた。

張郃は面白くない顔をした。

「将軍、何だって、せっかくの勝運を、図に乗せないで、退がったのですか」

「都を出るとき、管輅に卜を観てもらったら、彼がいった。——このたびの戦場では、ひとりの大将を失うであろうと。故に、あえて入念に作戦しているわけだ」

「あははは。これは意外。閣下もすでに、五十に近いご年齢。しかるに、卜などに心を惑わし給うとは。しかも鬼神も避けしめるという武将でありながら。——あははは、どうも人にはどこか弱いところがあるものですな」

それから後、張郃はまた、

「てまえに、兵三万をお頒ち下さい。巴蜀のほうに、のこのこ頭を出してきた張飛の軍を、一叩き叩いて後の憂いを断ってきますから」と、いった。

曹洪は、彼が、張飛をあなどっている様子を、かえって危うく思い、

「めったにはなるまい」と、容易にゆるさなかった。しかし張郃は、自信満々で、

「人はみな張飛をひどく恐れますが、てまえの眼には、小児のようにしか見えない。もし将軍が少しでも彼を恐怖するようだと、士卒までが、張飛と聞いただけで、負けるものときめてしまいますよ。それでもよろしいのでござるか」

と、嫌味まじりに、なお執こく、自説の実行を求めるのだった。

曹洪も、そこまでいわれては、自分が戦って見せるか、彼の乞いを許すしかない。しかし、なお一抹の不安を抱いて、

「そんなにいうが、もしそういう貴公が敗れを取ったらどうするか」

「ご念には及びません。もし張飛を生捕ってこなかったら、軍法に正して、どう罰せら

れても、恨みとは存じ申さん」

「よろしい。軍誓状を書き給え」

「もちろんどんな誓紙でも書きます」

ついに、張郃は、三万の兵を乞いうけた。自分が総指揮官となって、意のままに作戦し、思うように戦ってみたかったのである。意気揚々、巴西へ向った。

この巴西方面から閬中（重慶の北方）のあたりは、山みな峨々として、谷は深く、嶮峰は天にならび、樹林は千仭の下にうずもれ、いったいどこに陣し、どこに兵馬を歩ますか？——ちょっと見定め難いような地勢ばかりだった。

張郃は、三ヵ所に、陣地を構築した。——というよりも、天嶮へ拠って、巣を作るようにたて籠った。

一ノ陣を、宕渠寨とよび、二ノ陣を蒙頭寨と号し、三ノ陣を、蕩石寨ととなえた。

「いかにやいかに。敵も見よ」

と、まずその布陣を誇って、兵力の半数をそこに置き、あとの一万五千をひきいて、みずから敵の巴西間近へつめよせた。

二

張飛は、部下へ諮った。

「どうだ雷同。——来たそうだが」

「来たのは、張郃だそうで」

「一万五千。蟻のように、踏みつぶしてみたいな。守って戦うか。出て行くか」

「地勢のけわしい所です。出かけて行って、不意をついたほうが、面白いかもしれません」

「よかろう。出陣だ」

各〻、五千ずつの兵力をひッさげて、張飛、雷同の二隊は、巴西を発していた。

はからずも、この軍と、魏の張郃の兵とは、閬中の北三十里の山間で、約束したようにぶつかった。

「見たぞ、張郃の姿を」

張飛は、獅子を飛ばすように、馬を使って、渓谷や山間の敵を蹴ちらし始めた。

張郃は、予期しなかった敵にぶつかったのと、峰谷々のすさまじい鬨の声に、

「はてな？」と、自分の位置を、危惧し出した。

振りかえってみると、後方の山にも、蜀の旗が立っているし、はるか下のほうにも、蜀の旗が見える。彼は、退路に、危険を感じた。

こういう心理が首脳にうごいたとき、もう全軍は支離滅裂であった。いや張郃自身すら、

「おおいッ、待たんか」と、呼ばわり呼ばわり追いかけてくる張飛にうしろを見せていた。

つい先頃、曹洪の前で吐いた大言を、彼はとたんにどこかへ忘れ飛ばしていた。それに張飛が飲み友達でも呼ぶように、暢気に呼ばわってくる声が、雷鳴に似た烈しさよりも、かえって不気味に聞えるのだった。

「退けや、退けや。ひとまず退け」

部下にも、逃げることのみ励ました。そして、蜀の旗が見える山は避けて廻ったが、それはみな擬兵に過ぎなかったことがあとで判った。先廻りした雷同が、諸所へ兵を登らせて、やたらに旗ばかり立てていたのである。

――が、そう知ったときは、すでに遅い。いちど崩れた陣形は、すぐ立て直しがつかなかった。ことに嶮岨な山岳地帯では。

「寨門を閉じろ」

辛くも、たどりついた一寨――宕渠寨のうちへ味方を収めると、彼は、きびしく岩窟の門をふさぎ、渓谷の柵門を固め、また絶壁の堅城にふかく隠れて、

「戦うなかれ」

を、旗じるしにしてしまった。

張飛もまた、彼方の一山にまで来て、山陣を張り、ここに山と山と、人と人と、相対して、

「いざ、来い――」の態勢をとった。

ところが、張郃は、絶対に戦わない。こっちの山陣から小手をかざして見ていると、

宕渠寨の高地へのぼって、毎日、莚をのべ、帷幕の連中と共に、笛を吹いたり、鼓を打ったり、酒をのんだりしている様子である。

「味な真似をしおるぞ」

張飛は、むずがゆい顔して、その態を、遠望していた。

「――おい、雷同。見たか」

「癪ですな。御大将」

「ひとつ、思い知らして来い。だが、いずれあんなことを誇示するときは、敵に計略があるときときまっている。下手な手に乗るな」

「心得ました」

雷同は、一手の勢をひきいて、向うの山の下へ迫った。そして、声かぎり、口のかぎり、張郃を悪罵し、魏兵に悪たれ口をたたいた。

「――いかんわい。何の手ごたえもありはしない。出直そう」

いたずらに、口ばかりくたびれさせてしまった。――戦うなかれ、の敵の鉄則はひどく固い。

次の日も、繰り返した。

そして、前の日にも勝るほど、声をそろえて、彼を罵り辱めた。けれど、宕渠の一山は、頑固な唖のごとく、うんもすんも答えない。

「かかれっ！　攻め登れッ」

とうとう雷同は癇癪を起して、まず渓流を踏みこえ、沢辺の柵門へかかった。ばりばりとそこらを踏み破る。声をあわせて、山の肌に取っつく。

そのときたちまち万雷の一時に崩れてくるかのような轟きがした。巨木、大岩石、雨のごとき矢、石鉄砲など。

「待っていた」と、ばかり浴せかけて来たのである。蜀兵の死者数百人、過日の勝ちを、この日に埋め合されて、戦は五分と五分となり、またまた山と山は睨み合いに入ってしまった。

三

張飛の心は甚だ安らかでない。この上はみずから乗り出すよりないと、翌る日、向うの山の下へ部下を伴って迫り、雷同に命じたように、自分でもまた、声かぎりにさまざまな悪罵をあびせた。

張飛の悪口となると、なかなか雷同などの比ではなく、辛辣をきわめたものであったが、依然、敵は緘黙を守りつづけている。

「敵もさるもの。よく辛抱する。これでは壁に唾、馬に説法。……どうもならん。少し推移をみてやろう」と、張り合い抜けの形で、彼はすごすごもとの山陣に戻った。

幾日かすると――。

何としたことか、今度は、張部の陣から、こちらの山に向って、悪罵が飛んできた。

遥かに望めば、魏兵が山上にうち揃い、一せいに大声を発し、悪たれをついているのだ。雷同はこれを眺めて切歯した。

「なかなか憎い致し方、この上は一挙に……」

と、真っ赤になっていきまくのを、張飛は、

「いまこちらが動いては、まんまと敵の術中に陥るというもの、しばらく待て」と、おさえた。

しかし、こんな状態が五十日余りも続いては、部下の兵士も安らかではない。不穏な形勢さえ見えてきたので、張飛は一策を案じてまた山を下って敵前に陣を構えた。そしてそこへ酒を運ばせ部下とともに酒宴を張り、大いに酔っては、山上に向って悪罵すること、前よりもはげしかった。いい気持になって部下ども、大いに声を張り上げて、張飛に和して罵りつづけた。

だが、張郃はこのさまを見て、

「張飛も遂に自暴になったわい。必ず手だしをすな」

と、命じたので、山中はかえって静まりかえってしまった。

成都にあって、軍勢如何を案じていた玄徳は、使者を張飛のもとに送り、復命を待った。

やがて、使者のもたらした報告は、

「張飛の軍、閬中の北方に於て、張郃の兵とぶつかり、双方対陣のまま五十余日に及び

ますが、張郃いかに謀れども出でて戦わず、ために張飛は敵を欺くと称し、山を下って敵前に構え、毎日酒を飲んで、敵を罵りおります」というのである。

玄徳は驚いて、早速、孔明をよび、張飛が悪い癖をだしている様子であるが、どうしたものかと問うた。

委細を聞いて、孔明はカラカラと笑い、

「閬中にはおそらく良い酒はありますまい。成都の美酒をあつめ、五十樽ほどを、車にのせて、早速送り届け、張飛に飲ませたらばよろしかろうと存じまする」と、いった。

「とんでもないこと、大体、張飛は今までも、酒のために色々と失敗をしている。その上、成都の美酒を送れとは、解せぬことを申すものかな。彼美酒に酔うて、ついには張郃に害められるに至ろうも知れぬ」と、忿懣の色を顔にみなぎらせた。

孔明は、またニコリとして、

「あなたは、張飛とはずいぶん長い年月、兄弟のように交わっていられながら、彼の本当の胸のうちをまだご存じないと見えます。張飛が、いつぞや、蜀に入る時に、厳顔をゆるして味方としたことを覚えておいででしょう。その折の計の深さは、とても、ただの勇武だけではできないことでした。いままた、宕渠の山前で、張郃と対陣し、しかも五十余日に及び、ちか頃は酒を飲んで張郃を罵り、辱めているということですが、こんな傍若無人ぶりは、彼の本心ではありますまい」

孔明の言葉は、玄徳を見つめたまま、熱をおびていた。

「必ずや、張部をあざむくための、深慮遠謀あってのことと信じます。ただちに援けられたほうがよろしいと思います」と、一気に云った。

玄徳はうなずいて、

「そうは思うが、どうも不安でならないのじゃ。言葉にしたがって、魏延を派遣して、援けるとしようぞ」と、孔明の説に動かされた。

四

孔明は玄徳の命をうけると、魏延を呼びよせて、

「成都の名酒五十樽を早速に調達せよ」と命じた。魏延は何事があるかといぶかりながらも、ただちに集めて、孔明に示せば、孔明は黄色の旗に「陣前公用の美酒」と書きつけ、

「これを三輛の車に立て、ただちに宕渠の陣にある張飛がもとに届けよ、とく行け」

と、急がせた。

魏延はかしこまって、酒の輸送にあたった。

沿道の住民は、この異様な車輛に、目をみはって、何のおめでたかと噂し合った。

宕渠の陣に着いた魏延から、この贈物をうけた張飛は、大いに喜んで、その酒樽を拝した。

「わが事、これにて成就疑いなし」

といって、魏延と雷同を呼び、

「魏延は、わが右翼にあれ、また雷同は同じく左翼に陣せよ、軍中紅き旗振るを合図として、その折は、全力をもって討って出よ」

と命じ、陣中に美酒を迎え、肴をあつめて、前にもました大酒宴をはじめた。

久しく軍旅にあって、口にしたくもできなかった、成都の銘酒、宴ははずむばかりで、笑声山間に鳴るの感があった。

この様子をつぶさに眺めた張部の見張りは、これを張部に報じた。

「珍しきこともあるかな、どれ」

と、張部は山上に現れ、遥かに張飛の軍を眺めやれば、張飛は中軍に陣して平坐、痛飲している様子。そして、二人の童子に相撲をとらせては、しきりと喜んでいるのが分った。

対陣も久しきにわたっているし、心もそぞろ安らかでなくなっていた張部は、

「張飛のやつ、いい気になって、あまりにも小馬鹿にした振舞い、よし、今夜は山を下り、一気に敵陣を蹴散らして、目にもの見せてくれようぞ」と、蒙頭、盪石の二将に戦闘用意を命じ、これを左右とし、月明を利して、山を下り、張飛の軍に迫った。

敵前に近づいてから、なお眺めれば、依然として張飛は酒を飲んでいる。

折もよし、

「突っこめ！」の命とともに二ヵ所の勢、喊をつくって雪崩れ、鼓をうち、銅鑼を鳴ら

して、突っ込んで行った。

張郃は馬上にあって、目ざすは張飛、今宵こそはといきまいて迫って行けば、酔いしれてわれを失ったか、目ざす張飛の影は動こうともしない様子、馬を躍らせて手もとにとびこみ、

「やあ！」と、一鎗に突き通した。

しかし、その手応えに、張郃は、はっとしてしまった。たしかに張飛と思ったのは、人に非ず草で作った人形だった。

「しまった」と、あせり気味で後に退こうとすると、突然、鉄砲が響いた。それと同時に、一人の大将を先頭に、一群の兵が道をふさいだ。

先頭の大将は、と見れば、虎鬚（とらひげ）さかさまに立ち、目は百錬（れん）の鏡に朱（しゅ）をそそいだごとく、その叫ぶ声は雷にも似て一丈八尺の大矛をふり廻し、

「やあ張郃。世にきこえた燕人張飛、ここにまかり出た。勝負ッ」

と云いざま、張郃の驚く鼻先へ切ってかかった。

張郃もとっさにこれをうけ、必死にうち合うこと四、五十合に及んだ。

その間に、雷同、魏延の左右の軍も、それぞれ蒙頭、盪石（とうせき）の二手の勢と闘い、またたく間にこれを追いまくってしまった。

味方の崩れを見ながらも張郃はなお鋭い張飛の矛とうち合っていたが、かくするうちに、山上に、火がかかり、蜀の軍勢は勢いを得て、ますます数を増し、彼の周囲はすべ

て敵となってゆくのが分る。

その上、退路も絶たれる様子に、このまま手間取っては、一命も危うしと感じたか、寸隙をねらって、馬に一鞭をあたえて逃げてしまった。

張飛は、この優位逃すべからずと、全軍になおも追撃をゆるめるなと号令して、遮二無二突進した。

敗将

一

張飛の軍勢はすさまじい勢いで進撃した。魏延、雷同を両翼とした態勢もよかったのだ。逃げ足立った敵を追いまくり、切りふせ、蹴ちらして、凱歌は到るところにあがった。

張郃が自信満々に構えた三ヵ所の陣は、またたく間に打ち破られ、三万余騎の兵力も、遂に二万余人を失って、張郃自身、かろうじて瓦口関（四川省）にまで落ちのびて行った。

痛快極まる勝ち戦は、張飛の鬱積を吹きとばして、なおあまりがあった。早速に早馬を仕立てさせ、使者を成都の玄徳に送った。

玄徳の喜悦もまたひとしおで、

「孔明の明や深遠、清澄。閬中の勝報、わが想外にあり。善い哉、善い哉」と、膝をうった。

瓦口関にまで逃げた張郃は、悲鳴をあげ、曹洪に救援をもとめた。

曹洪はこの報らせをうけると、烈火の如く怒って、

「張郃わが命を用いず、なまじ自信をもった戦をして、要害を奪われたのだ。今はわれに救援に送る兵なし、すべからく逆襲して、もとの本陣を奪取すべし」

と、峻烈な命を返してよこした。

曹洪の怒りを聞いて、張郃の驚き、怕れはひと通りでなく、新たに計をたてて、まず残兵を集めて二手に分け、瓦口関の前に伏せ、本陣はなおも退却と見せかければ、張飛必ず追いくるに違いなし、そのとき一せいに打って出で、敵の退路を遮断すれば、挽回の端緒を得べしとなした。

「ものども、ぬかるなッ」と、厳命して、自ら一隊を率い、敵前に進み出た。

これを見た蜀の大将雷同、馬を飛ばして来て張郃にうってかかった。

御参なれ、と二、三合うち合った上、予定の如く張郃は逃げにかかった。雷同は猛って、逃がさじと追ってくる様子に、張郃ひそかに喜び、ころもよしと合図をすると、魏

の伏勢一度に起って、雷同の退路を断った。

「図られたかっ」と、気づいて、馬をかえそうとするところを、張部はにわかに追いかかって雷同を斬ってしまった。


　このさまを見ていた張飛は、怒髪天をつき、馬を走らせて張部に迫った。張部は味をしめ、張飛としばしわたり合っては、逃げて誘おうとしたが、今度はこの計略もきかず、追ってこない。やむなく、張部は戻りかえって刃を合わせては、一間でも二間でも引込もうと骨を折ったが、張飛は限度をこえて深追いせず、そのうち馬首をめぐらして本陣に帰ってしまった。

　引上げた張飛は、早速魏延を呼びよせ、

「張部め、まんまと計りおって、雷同の勢い立って深入りしたを、伏兵をもってあざむき殺してしまった。いま一戦を交えて、雷同の仇を討とうとしたが、敵に計のあるを見て引返した。敵の計には計を以てせねばならぬと考えるが」

「して、そのお考えは」


　魏延は友将を失って、気色ばんで訊ねた。

「うむ、われは一軍を率いて、明日、また正面より張部にいどむ、汝は精兵をすぐり、敵の伏兵が、われの深入りを機会に、わが退路を断たんとするとき、山間に伏せて急に兵を二手に分け、敵の伏兵にあたり、一手は車輌に乾し草を山と積んで小路をふさぎ、これに火をつけよ。張部を擒にして必ず雷同が仇を討ってみせる」

魏延は喜び勇み、配下の精鋭をすぐって、配備についた。

翌日。

張飛堂々と軍を進めて魏軍の正面を攻めた。

張郃はこれを見て、こりずにまたやって来おったかとばかり、みずから馬を進め、交戦十合ほどにして、きょうも、逃げの手をつかった。しかるに、来まいと思った張飛は、兵と一緒になって追ってくる様子である。張郃はひそかに喜んで、伏兵の配陣よろしき地勢まで逃げた。

ここは山の腰のあたり、路は一筋、退路を断てば、敵の首筋を握ったと同然の地の利である。

「よし」と、思わず息をはずませ、馬首をめぐらし、追い寄せきた張飛の軍めがけて、一度に逆襲の形をとった。

二

雷同を討って、全軍気をよくしている矢先である。きょう目ざすは張飛だ。張郃の下知は、水ももらさず行きわたって、見事にみえる。

本軍と意気を合わせ、伏兵もたちまち左右から起って、張飛の後ろをさえぎろうとしたが、なんぞはからん、目の前に立ちふさがったのは蜀の兵であった。逆に虚をつかれた張郃の兵は、たちまち乱れ、さんざんに打ち破られ潰え、谷の中に追い込まれてしまった。

その上に、柴の車をもって細道をふさぎ、一斉にこれに火をかけたので、火焔は天に冲し、草木に燃えうつって、黒煙は土をおおい、張郃の兵は山中を逃げまどったが、森林地帯ではあり、思うに任せず、遂に一人も残らず焼死してしまった。

この一戦は、終始張飛の圧倒的な優勢裡にすすめられて、残り少ない敗残の手兵をあつめ、張郃は、命からがら瓦口関にのがれ、よじ登って、あたふたと門を閉じて、ここを死守すべく厳重に守った。

魏延を率いて、ここまで追いつめた張飛は、一気にこの関も破るべく、数日にわたって攻めたが、さすが、名ある瓦口関である。要害は堅固で、また地勢嶮岨を極めて、揺ぎもしない。

張飛は正面攻撃をあきらめ、二十里後方に退いて、陣を構え、みずから手兵数十騎を選び伴い、山路の偵察を行った。

ある日。

山道からふと見ると、百姓らしい男や女が幾人か、背に荷を負い、藤蔓にしがみつき、あるいは葛にとびついたりして、山を越えてゆく姿が張飛の眼にとまった。

張飛はこれを見て、魏延を側に招き、馬上に鞭をあげて、

「魏延、あれを見たか。瓦口関を破る策は、あの百姓たちが訓えてくれるに違いない。それよりほかに破り得ることは不可能だ」と、確信にあふれた言葉。

魏延は直ぐには、この意味が解し得ない様子で、

「…………」

遥かに山上に姿を消してゆく人影を見送るばかりであった。

「誰か、直ちにあの百姓を追いかけ、驚かさぬようにして、ここへ連れてこい」と張飛は命じた。

間もなく、兵は六名ほどの百姓を連れてきた。若い者も、老人もまじっていて、いずれも何かおびえた顔を土につけた。

張飛は、静かに、つとめて優しく、

「お前たちは、どうして、こんな嶮しい山路をたどって、この山を越えようとしているのか」

と、訊ねた。

年のいった百姓は、代表の格で幾分たじろぎながら、

「はい、わたくしたちは、みんな漢中のものでございますが、いま、故郷へ帰ろうと此処まで参りますと、なんでも、本道には激しい合戦があると聞きましたために、蒼渓をすぎて、梓潼山の檜釿川から漢中へ出ようと相談致しまして、この山へかかった訳でございます」と答えた。

「うむ」

大きくうなずきながら、張飛は再び質問を発した。

「この路は、瓦口関とよほど離れているか」

「いや、それ程ではございません。梓潼山の小路は、瓦口関の背後に通じております」

老人の答えは、思ったよりはっきりしていた。この答えに、張飛はいかばかり喜んだか知れなかった。百姓たちを本陣に連れて帰り、それぞれ褒美を与え、酒をふるまってねぎらった。

張飛は魏延を呼び寄せ、

「早速に兵を率い、瓦口関正面に攻めかかれ、われは、あの百姓を案内とし、精兵五百あまりをひきつれ、小路を走って敵が背後に廻り、一気に張郃の軍の残余を潰滅せしめよう」

と、全軍に下知し、張飛はすぐりの兵をつれ、魏延と瓦口関に勝利の再会を約して、左右に別れて発足した。

三

瓦口関に構えて一息ついていた張郃は、幾度かの敵襲も、堅固な関の救いに小揺るぎもなく、事なくすんだが、さて援軍が来なければ、此処から一歩も動きがとれない。ひたすら援軍を待つばかりであった。

しかし、待てど、暮せど、友軍の来そうな気配が見えない。

日の経つにつれて、追々と心細くなってくるのを、どうすることもできない。物見を四方に立て、一刻も早く援軍来るの報を得ようと焦っている矢先。

「只今、関の正面に軍馬らしきもの近づいて参りました」と、物見の報告である。

「何、友軍か？」

「しかとは分りませんが、魏延の兵とおぼえます」

「何っ！」

張郃は顔色を変えたが、魏延の軍、いかに攻めようとも、また過日の悔いを再び味わうのみ、と努めて平然と、

「敵であれば、厳重に関を固めよ、そして、一部の兵はわれとともに来れ、堅塁を盾に、なおも一撃を加えてくれよう」

と、魏延の兵と一戦を交えようと、みずからも関を下って攻めかえそうとした。

その時、瓦口関の背後、八方から火の手があがり、たちまち燃えひろがる様子。

その煙の中を使者が駆け来って張郃に報告するには、

「いずこの兵か分りませんが、突如火を放ち、背後から攻めてきて、関の兵は残念ながら乱れたっております」

張郃は馬首をかえして、瓦口関に戻り、敵はと見れば、旗をすすめて馬上にあるは、まぎれもない張飛の姿である。

彼は色を失った。

闘志はとうになくなっている。逃げることだけが彼のすべてであった。

関の横を通じている小路をめがけ、馬を走らせたが、歩いて通るのもやっとの道であり、岩石が多く、馬は蹄を痛め、脚をすべらせ、思うようには動けない。もどかしくも鞭をあげて逃げる。

そこを逃しはせじと、張飛はひたむきに追いかけてくる。

これまで、と、馬を乗り捨て、張郃は転ぶように、木の根にすがり、岩にかじりつき、生きた心地もなく、すり傷だらけになって逃げに逃げた。

やっと、追手をのがれてあたりを見ると、自分とともに助かったものは、情けなくも十四、五人、すごすご南鄭にたどりついた時は、われながら、哀れな姿であった。

曹洪は張郃の敗戦を聞き、火の如く怒って、

「われ再三、出ることなかれと命じたるに、汝は、勝手に軍令状を書いて、無用なる戦をなし、あまっさえ敗戦あまたたび、貴重なる兵三万を失い、しかもなお汝のみ生きて帰るとは言語道断である。引出して首を刎ね、この罪を謝さしめん」という。

曹洪の怒りを聞いて、行軍司馬の官にあった太原陽興の出身で郭淮字を伯済と称していた者が曹洪を諫めて、

「三軍は得やすく、一将は求め難し、と古人のことばにもございます。張郃がこの度の罪は、まことに許しがたいものがありましょうけれど、しかし、魏王が前から愛されていた大将でございます。しばらく一命を助けられ、もう一度、ご寛大な心から、五千余騎を彼に与え、葭萌関を攻めさせられたならば、蜀の軍勢は、この重要な関を守り固め

るため、ことごとく引返して参るに違いありません。さすれば、漢中はおのずから平安になるでありましょう」

郭淮(かくわい)の理をつくした言葉に、曹洪の怒りも幾分かやわらいできた様子だ。彼はなおも、

「もし、この度のご命令もまた失敗するようでありましたならば、その時になってやむを得ぬことでございます。二つの罪によって、彼を誅(ちゅう)すればよろしいでございましょう」

曹洪はこの言を容れ、張郃の一命は特に助けとらし、五千の兵を分ち与えて、蜀の葭萌関の攻撃を命じた。

老将(ろうしょう)の功(こう)

一

郭淮(かくわい)の進言に面目をとどめた張郃(ちょうこう)は、この一戦にすべての汚名を払拭(ふっしょく)せんものと、意気も新たに、五千余騎を従えて、葭萌関(かぼうかん)に馬を進めた。

この関を守るは、蜀の孟達、霍峻(かくしゅん)の両大将であった。

張部軍あらためて攻めきたるの報を得て、軍議を開いた。

霍峻の説は、

「天然の要害にある葭萌関を、わざわざ出でて戦うは愚である。関をたのんでよく守るが良策と思う」であった。

孟達はこれに反し、敵の来攻を待つは戦略の下(げ)である、すべからく関を出でて、即決進撃をはばむべしと称して退かなかった。

いく度かの議は凝(こ)らされた結果、ついに孟達の議をとり、蜀兵は葭萌関を出陣して、張部の軍と戦闘を交えた。孟達もみずから張部にいどんだが、これはさんざんに敗れてしまった。

孟達が逃げ戻ってきたのを見て、霍峻は驚き、成都に向って救いの早馬を送った。

玄徳はこれを聞き、孔明を呼んで、策を議した。

孔明は全軍の大将を集めて、

「只今、葭萌関から急使があった。一刻も早く誰か閬中(ろうちゅう)に馳せ、張飛にこの旨を告げ知らせ、張飛の軍を葭萌関に回らせては如何」と口を切った。

これに対し、法正が立って、

「お説ではありますが、私の思いますに、張飛はいま瓦口関に兵をとどめ、閬中をすべて守っています。閬中はもちろん大切なところです。もし張飛を召しかえされると、必ず何か変事が起るに違いありません。閬中は只今のまま厳しく守らせ、誰かほかの大将をして葭萌関の危機を救援せしめ、張郃を防がるるが良かろうと思います」

と、説をのべた。孔明はこれを聞いて笑いを浮べ、

「張郃は張飛のため敗れたりといえ魏の名将です。尋常の男ではない。私の思うには、張飛でなくては彼と太刀打ちできるものはありますまい」

この言葉の終るか終らぬうち、激しく気色ばんだ老将の一人が立ち、声も荒々しく、

「軍師、貴殿は何ゆえあって人を芥の如く軽んじられるのか、我ら、不才とは申せ、命あらば断じて征きて戦い、張郃の首を斬って参る覚悟があります。お言葉、非常に残念です」

と、一気にいった。

一座の瞳は、思わず彼に集まった。老将は即ち、黄忠であった。

孔明は、ゆっくりとうなずき、

「あなたのお言葉、まことに勇壮です。しかしながら、あなたは年すでに老い、とても張郃の相手にはなりますまい」と、いってのけた。

黄忠は怒りに燃え、白髪さかしまに立てて、

「それがし、年老いたりとは申せ、膂力いまだ衰えは見せぬ。三本の弓一度に引き得べく、身は千斤の力をもっています。どうして老いたりと称してお用いにならぬのですか」

「いや、貴殿はすでに七十に近いのです。誰が老いていないと申せようか」

頑とした孔明の返事に、黄忠は業をにやし、つかつかと堂を下って、長刀を手にとり、これを水車の如く右に左に、上に下に、いと鮮やかに振り廻し、つづいて壁に掛けてあった強弓二張をはずし、一息にこれを折って見せた。

黄忠のこの意気を眺め、覇気をみとめて孔明は、

「よろしい、では貴殿を救援に差し向けましょう。しかし、必ず副将をつれてゆくことを命じます」

黄忠はいたく喜び、

「かたじけなし。厳顔はそれがしと共に、年老いています。共に参って、必ず敵を破り、万一あやまちあれば、老将二名、いのちに未練はありません。白髪の首を奉りましょう」

と、覚悟のほどを申しのべた。

終始、孔明と黄忠の論をうかがっていた玄徳は、老将の言葉にいたく満足して、黄忠の進発を許した。

二

玄徳の英断を、意外に思ったのは並いる諸将であった。わけても趙雲たちは面白からず思って、

「いま張郃は兵を集め、葭萌関を攻めようとしている。まことに危急の時、何を好んでこんな老人を用いられ、子供の火遊び如きをなされますか、葭萌関にもしものことがあれば、蜀中に災いを起し、またもし幸いに張郃を破った場合は、彼らは図にのって、きっと漢中を攻めとるに違いありません。危険なことです。軍師、どうか熟考なさっていただきたい」

と、縷々と述べた。孔明の考えは決まっていた。

「御身たちはみな、この二人の老人を見て軽んじているが、よろしくない。張郃を破って、漢中を取るのをこの二人の思うに任せたらよろしかろう」

孔明の言を聞いて、いうこともなく、冷笑して退散してしまった。

黄忠、厳顔の二将は、兵を率いて葭萌関に到着した。これを見た孟達、霍峻は年老いた将の救援軍を大いに笑い、

「孔明は人を見る明がない。こんな老人は、戦争に出なくとも間もなく死んでしまうものを」

と、嘲って関守の印を渡した。

黄忠、厳顔は、二人の旗を山上に立て、敵にその名を知らしめた。そして黄忠がひそかに厳顔にいうには、

「諸所での噂を聞きましたかな、いずこでも、われら二人の老年を嘲笑しておりますぞ。ひとつ力を合せて、大なる功をあげ、奴らを驚かせてくれよう」

と、誓いも堅く、兵を揃えて出馬した。

この状を見て張郃も馬を出し、黄忠の陣に向って叫んだ。

「汝、その年まで生をむさぼり、なお恥をも知らず、陣前に出て戦わんとするか、笑止、笑止！」

黄忠大いに怒り、

「汝、わが年の老いたるを笑うといえども、手の中の刃は、いまだ年をとらぬ。わが利刃を試みてから広言を吐け」と罵り返し、馬をすすめて張郃にあたった。張郃も鎗をひねって、戦うこと約二十余合、すると突如、張郃勢の背後から、厳顔の兵が小路を迂回して現れ、挟撃したため張郃勢は一度に崩れ、喊の声に追われながら、遂に八、九十里退却してしまった。

曹洪は、この度もまた張郃が敗れたと知って、いそぎ罪を糾さんと怒ったが、郭淮が、

「只今罪を問われるならば、張郃はきっと蜀の軍門に下ってしまうでしょう。かくては取り返しのつかぬこととなります。別に大将を派遣され、張郃を助け、ともに敵をふせぐことが上策と考えます」と諫めて、曹洪をして、夏侯惇の甥にあたる夏侯尚に、韓玄の弟の韓浩を副え、五千余騎を与えて、張郃援助の軍として差向けさせた。

張郃は、新手の勢を見て大いに喜び、諸将を集めて軍議を開き、

「黄忠、年老いたりといえども、思慮深く、勇気もあり、その上厳顔も必死に協力して

いるので、軽々しくは戦えません」

といえば、韓浩が口を開き、

「われ長沙にある折、よく黄忠が人となりに接していた。彼は、魏延と心を合せ、わが兄を殺した憎い奴、今日、ここに会うたは天の御心、必ず仇を報ぜずにはおられません」

覚悟のほどを眉間にあふれさせた。

韓浩は、夏侯尚とともに新手の兵を率い、陣を構えて敵を待った。

黄忠は毎日、あたりの地理を調査しつつあった。きょうも、地勢を調べに歩いていると、厳顔が思い出したように、

「この近くに天蕩山と申す山があります。そこは曹操が兵粮を貯えて、遠大な計をめぐらした所です。もしこの山を攻め取ったならば、魏軍は粮食補給の路を断たれ、すべて漢中にとどまることができなくなる筈です」

と申し出で、天蕩山攻略についての計を、つぶさに黄忠に語った。

三

厳顔は黄忠と攻略手段を打合せ、一軍を率いていずこかに進発して行った。

居残った黄忠は、夏侯尚の軍が寄せてきたと聞いて、陣容を整えてこれを待つと、魏の軍中より、韓浩先頭に立ち現れ、

「逆賊黄忠いずこにありや、見参！」と鎗をかまえて打ってかかった。

黄忠が刀をまわし、立ち出でれば、夏侯尚は彼が背後へ、背後へとまわらんとする。

情勢不利と見て、黄忠は折を測っては逃げ、立ち直っては戦い、また逃げして二十里あまり退がった。

彼の誘導作戦である。

夏侯尚は追いまくって、黄忠の陣を奪取した。

次の日も、同じような戦が行われて、またも二十里ほど進み、夏侯尚の意気は当るべからざるものがある。韓浩も気勢をあげ、これにつづき、先に奪いとった黄忠の陣に着くと、すぐ張郃を呼び、跡の陣屋を守るよう頼んで、なおも進もうとした。

張郃は、この二将がいい気になって前進するのが危なく思われるので、

「黄忠ほどの剛の者が、やすやすと二日にわたって負けているのは解せない。必ず彼に何かの計があるに違いない。軽々と深追いせぬ方がよろしいと思うが」

と注意したが、夏侯尚はかえって怒り、

「汝がごとき、臆病者は、敵をおそれるばかりゆえ、宕渠山の陣を破られ、数多の人馬を失い、見苦しき恥をさらすのだ。黙って、我らが武功を見物していればよろしいわい」

と、張郃の恥入って顔赧らめるを、小気味よげに見送りながら前進してしまった。

次の日も、敵は二十里退去した。

こうして、次々と敗走した形で、とうとう葭萌関に逃げ込んだまま、今度はどうしても出てこなくなった。

夏侯尚は、関前に陣を構えた。

この様子を見た孟達は、大事出来とばかり、玄徳のもとに早馬を飛ばし、黄忠が一戦ごとに負け、五ヵ所もの陣を敵に奪われたと告げた。玄徳も驚いて孔明にこの由を告げると、

「お驚きになることはありますまい。これは黄忠が驕兵の計に違いありません」

と、平然たる答えである。

しかし、趙雲らも、孔明の言を信じられず、玄徳の不安もあって、ひそかに劉封に一軍をつけて黄忠救援におもむかしめた。

劉封の兵が葭萌関に着くと聞いて、黄忠はいぶかり、

「なにゆえに、兵を伴ってここに来たか」と、問うた。

劉封は答えて、

「わが父、将軍の苦戦を知り、わたくしに援軍の命が下ったのです」

黄忠は笑って、

「これは、わしが驕兵の計じゃ。今宵の一戦に、見事敵を叩きのめすであろう。五ヵ所の陣を捨てたは、暫時敵にこれを貸し与え、つとめて兵粮などを貯えさせ、数日間の敗を一日にして取り戻さんためだ。よく見物してゆくがよい」といい、全軍に戦闘準備を

命じていそがした。

その夜半。

黄忠はみずから五千余騎を従え、直ちに門を開いて攻撃の火蓋を切った。

この時、魏の軍勢は、ここ数日敵は静まりかえっていることとて、すっかり心をゆるめ、ことごとく眠っていたので、思いもかけぬ喊の声とともに、五千余騎の攻撃をくらい、武器のありかも分らず奪い合い、馬を乗り違えるなど、大混乱を起し、みじめにも黄忠の軍に踏みにじられてしまった。

夏侯尚も、韓浩も、ともに乗馬さえ見当らず、辛うじて徒歩で逃げて、一夜のうちに、せっかく取った陣のうち、三ヵ所まで奪取され、死傷の数もおびただしく生じた。

四

黄忠は、敵の遺棄していった、兵粮、兵器等を孟達に運搬を命じ、息もつかずなお猛攻を続けた。劉封は、

「配下の兵は、大変に疲れた模様に見受けられます。しばらく、ここで休息を与えられたらいかがです」と進言したが、黄忠は首を振り、

「古より、虎穴に入らずんば虎児を得ずといわれている。身を捨ててこそ、手柄も高名もあがる。息ついてはならぬ。者ども進めッ」と、みずから真ッ先に立って鼓舞した。

五千の精兵、真に飛ぶが如く、追撃に追撃である。勢いにのった鋭さは乱れ立った魏

の勢のよく及ぶところではない。

一ヵ所といえど、よく支える地点もなく、ひたすらな敗走は、自軍の兵の動きにもおびえる始末で、遂に漢水の辺りまで退却のやむなきに至った。

漢水に入って、我に還った張郃は、ふと気づいて、夏侯尚、韓浩に、

「天蕩山は、味方の兵粮を貯蔵しあるところ、米倉山に続き、みなこれ漢中の軍が生命とたのむところである。万一、かの山に敵手が廻っては一大事である。漢中はたちまちにして破れるは必定だが、さて心配なことだ」と尋ねた。

夏侯尚は答えて、

「米倉山には、わが叔父の夏侯淵が大軍を率いて陣取り、定軍山に続いておりますから、少しもご心配はいらぬと思います。また、天蕩山には、わが兄の、夏侯徳が大分前からおる筈です。われわれも参って一緒になり、あすこを守ったがよかろうと思います」

と、張郃、韓浩とともに天蕩山に至り、夏侯徳に会見し、

「……黄忠、驕兵の計を用い、われを関の前におびき寄せ、勢いにのって逆襲し来り、終夜追われたため、兵粮、武具を捨ててこれまで逃げて参った」

と敗戦のさまを語れば、夏侯徳はうなずき、

「よろしい。全山に十万の兵あれば、汝これを分けて、再び押し寄せ、その陣屋を奪取したがよかろう」

といえば、張部は案じ、

「いや、攻めてはならぬ、ただあくまでも、此処を守って、敵の行動を看視するがよろしいと思う」

その言葉の終るか終らぬうち、突如として、鼓の音響き、喊の声が遠く近く聞えだして、陣中は騒然となった。

「黄忠の軍が攻めてきたぞ」

口々に叫び合う声もする。

夏侯徳は、悠然と笑って、

「黄忠、ここに攻め寄せてくるとは兵法を知らざるも甚だしい。勢いにのった蛮勇のみ……」

張部は誡めて、

「いや、さに非ず、必ず侮り給うな、黄忠は、智勇ともに備わった武将ですぞ」

「なんの、蜀軍は遠路を戦いつづけ、終夜軍を進めて疲労甚だしい筈である。それを、軽々しくなお進めて、この重地に攻め入るなどは、兵法を知らざるも甚だしいと思う」

張部はなおも、

「早計に、そう決められるは如何かと思われる。必ず敵に大なる計ありと見て、この陣を固め、必ず守勢を持して、出撃せぬが良策と存ずる」と強硬な態度を示した。

韓浩には、折角のこの言葉も無駄であった。

「われに、三千余騎を与え給え、これより突きすすみ、老将が首をひっさげて帰りましょう」

と、いえば、夏侯徳は健気なりと喜んで、兵を与えた。

韓浩は武者振いして三千余騎を従え、山を下って行った。

一方、黄忠は、ひたむきに馬を進めて、止るところを知らず、日もすでに西山に没し、天蕩山の嶮は、いよいよはげしく前をはばむばかりである。劉封はこの情勢を見て、黄忠に向い、

「日もすでに暮れ落ち、軍勢の疲労もますますつのるばかりです。長追いは無用かと思いますれば、このあたりにて、一応軍を留めては如何ですか」といった。

五

劉封のいさめを、黄忠はあざ笑って云った。

「昔、哲人は時に順って動き、智者は機を見て発す。今、天われを助け、不思議の功を与え給う、受けざるは、これ天に逆らうものぞ」

まっしぐらに上り、鼓を打たせ、喊をつくって勢いをあげた。

韓浩はこれをむかえ、坂路の途中に防ぎ、みずから馬を出して黄忠に挑みかかったが、かえって黄忠の水車の如く廻す刀にかかり、一刀にして斬り伏せられた。

夏侯尚は、韓浩斬らるの報を聞いて急に兵を率いて、黄忠の軍に迫れば、山上より俄

の喊の声、天地を砕くが如く聞え、陣所陣所とおぼしきところより、火の手があがった。

そのうちより一団の軍勢が討って出た。陣中にあった夏侯徳、大いに驚き、手兵に下知して消火につとめていた。これを見た厳顔は、刀をまわして討ってかかり、夏侯徳を馬より下に斬って落した。

かくするうち、諸所より上がった火焔は、みるみるうち、峰を焦し、谷に満ち、凄絶限りがなかった。

計の順調に運びたるを見て、黄忠、厳顔は心を合せ、前後より攻め立てた。張郃、夏侯尚は防ぐことができず、ことに夏侯徳、韓浩が討たれたのを見て力を失い、天蕩山を捨ててわれ先にと逃げ、定軍山に落ちて集まり、夏侯淵と一手になった。

黄忠、厳顔はこの大勝を喜び合い、成都に早速この勝報を伝えた。玄徳は早馬をうけて限りなく喜び、諸大将を招して祝勝の宴を張った。

この席上、法正は進み出て、

「昔、曹操が一鼓の進撃に張魯(ちょうろ)を破り、漢中を平定した折に、その勢いにのり、蜀を攻めることをせず、夏侯淵、張郃二人をその地にとどめて漢中を守らしめ、みずからは都に帰ったことがございます。これは、その志及ばざるに非ず、力の足らざるを知って、よくせざるのみです」

声は堂中にひびき、居並ぶ将星も彼の言葉に聴き入っている。

「……今、曹操は、都のうちにあり、内変のためみずから外征に赴くことができず、いわんや、夏侯淵、張郃の才略にては、まことに一国の将帥としては器量不足を免れませぬ。もし蜀の大軍を起し、君みずから攻め給わば、漢中を攻め取らんこと、掌を反すよりも易いかと存じます」

一座は、かすかながらこの言に動いた。

「漢中攻略の後は、兵粮を貯え、士卒の整備訓練に重点を置き、なお王室を尊んで、固く険阻を守り、曹操打倒の永遠の計をなすべきだと存じます。今日、全く天のわれらに与え給うた好機、必ず失うべからずです」と、熱した頰を振ってのべた。

玄徳は、この法正の言の真なるを感じた。

即刻、十万の兵に動員は下り、よき日を選んで出撃すべく、手配はぬかりなく指令された。

時に建安二十三年秋七月。

玄徳十万の軍は、趙雲を先手とし、葭萌関に出でて、陣を据え、使者を立てて、黄忠、厳顔を天蕩山より呼びよせ、重き恩賞を賜い、

「諸人、汝ら両名を老武者とあなどりたるも、孔明はよくその能を知り、敵軍に向わしめた。果たして世にまれなる勲功を立てたるはわが最も喜ぶところなり。漢中の定軍山はすなわち南鄭の要害、敵の兵站基地である。もしこの山を奪わば陽平の一道は、心にかかるところなし、汝らゆきて、これを攻略すべきか、如何」と問われた。

黄忠は欣然として命をうけ、早速に兵を率いて出発せんとすれば、孔明これをとどめていうに、

「ご辺はまことに勇ありといえど、所詮、夏侯淵が相手ではありますまい。彼は深く韜略に通じ、兵を用うるに卓絶し、機を見ること敏なり。曹操この故にこそ、彼を西涼の鎮守となし、今、漢中に出でしめ陣をとらしめてあるも、曹操が彼の大将の才を知れるからにほかならない。ご辺はすでに張郃に勝ちたれど夏侯淵には及ぶまい。早く荊州に帰り給え。関羽を招いて、夏侯淵と戦わすであろう」

絶妙好辞

一

思いがけぬ孔明の言葉に、老将黄忠の忿懣はやるかたなく、色をなして孔明に迫るのだった。

「昔、廉頗は年八十に及んで、なお米一斗、肉十斤を食い、天下の諸侯、これをおそれ、あえて趙の国境を犯さなかったといいます。まして私は、未だ七十に及ばず、何ゆ

えに老いたりとて、さように軽んじられるのですか、それがしただ一人、三千余騎を率い、必ず、夏侯淵の首を取って参るでしょう」

　孔明は、なお聴かない。黄忠は幾度となく、執念深く許しを乞うので、ついに孔明も折れて、

「強いて行かれるならば、法正を監軍として同伴なさい。そして万事合議して、慎重に事を行うがよろしい。決して軽々になさってはなりません。我もまた兵を以て援助しましょう」

　と条件を附して許した。

　黄忠は文字通り勇躍、兵を率いて出発した。その後、孔明はひそかに玄徳に向い、

「老将黄忠、ただ簡単に許しては駄目なのです、ああして言葉をもって励まして、初めて責任も一層強く感じ、相手の認識も新たにすると申すものです。ただいま出発致しましたが、別に援兵を送る必要がありましょう」といって、許しを乞い、早速趙雲をよびよせ、

「ご辺、一手の兵を率い、小路より奇兵を出し、黄忠に力を添えて欲しい。しかしながら、黄忠の軍勝ちにあらば、決して出ることなかれ、彼が敗色濃きおりを見て援けよ」

と命じ、また劉封、孟達は、ともに三千余騎をひきいて、山中の険阻なる所に、堂々と旗を立て、味方の勢いの壮んなるところを示して、敵の心を惑わすべしと申しつけた。

そして厳顔には、巴西、閬中にゆかせ、張飛、魏延と交代して難所を守り固め、張飛、

魏延は還って漢中攻略をなさんとし、また下弁へ人を派して、馬超に孔明の計を伝える、という完璧の攻略手配を、秩序よく行った。

孔明がひとたび断を下してからの進行ぶりは見事にも鮮やかなものである。

こちらは、天蕩山を追われ、定軍山に逃げのびて来た張郃、夏侯尚の両名は、夏侯淵に見え、

「味方は大将を討たれ、多くの兵を損じたり。その上、玄徳みずから蜀の大軍を配し、漢中を攻めんとの説あらば、即刻、魏王に救援の兵をもとめ給え」

と進言。夏侯淵大いに驚き、この旨を曹洪に向って報じ、曹洪はまた早馬を飛ばして都の曹操に通じた。

曹操はこの報に接し、いそぎ文武の大将を召集して、緊急会議を開いた。

席上、長史劉曄は、

「漢中は土壌肥沃にして生産物多く、民はまた盛んにして、まことに国の藩屛と申すべきところ。万一敗れて、これが敵の手中におちては魏のうち震動するに違いありません。願わくは大王みずから労をはばからず、駕をすすめて全軍を指揮なさるべきでしょう」と、決意をうながした。

曹操は実にもとうなずき、

「さきごろも、汝が言を用いずして、今これを後悔している」

と称し、一議もなく、即時四十万の大軍を起し、七月都を発って、九月には長安に入

った。

ここで陣容を整え、先ず全軍を三手に分った。

即ち、主力の中軍に曹操。

先手陣、夏侯惇。

後陣、曹休。

曹操は白馬にまたがり、黄金の鞍をそなえ、玉（ぎょく）をもってつくられた轡（くつわ）をとる。

錦の袍（ひたたれ）を着した武士、手に紅羅の傘蓋（さんがい）をささげて、左右には、金瓜（きんか）、銀鉞（ぎんえつ）、戈矛（かぼう）をさしあげ、天子の鑾駕（らんが）の偉容を整えさせている。

また、龍虎になぞらえた近衛兵二万五千、これを五手に分け、いずれも五色の旗を持って、龍鳳（りゅうほう）日月の旗を中心に控えた有様は、まばゆきばかりの美しさと、天下を睥睨（へいげい）する威容をつくって、見事なものであった。

二

絢爛たる軍容粛々とあたりを払って、潼関（どうかん）にまで進んだ。

曹操は、遥かに樹木の生い繁った所を見て、

「あれは、いずくぞ」と、従者に問う。

「藍田（らんでん）と申すところです。あの樹林のうちが、すなわち蔡邕（さいよう）の山荘でございます」

近待の答えに、曹操は往事を思い出して、山荘を訪れようといった。

むかし、蔡邕と交わりを深めていた頃の話であるが、蔡邕に蔡琰(さいえん)という娘があった。縁あって、衛道玠(えいどうかい)に嫁いだが、韃靼(だったん)に生虜(いけど)られ、胡(えびす)のために無理に妻とせられてしまった。

蔡琰の悲嘆は、天地も崩れるばかりであったが、ついに胡(えびす)の子二人までも生んだ。しかし明けるにつけ、暮るるにつけ、この沙漠不毛の国に囚れては、故郷恋しく、涙に袖の乾く間もなかった。

とりわけ、胡(えびす)が好んで吹く、笳(か)という笛を聴くたびに、郷愁はますばかりで、ついには、思慕の悲しさから、みずから十八曲を作曲した。

この曲が、いつしか伝え伝わって、中国に流布(るふ)されたのを、偶然曹操が聴き、その心情の哀れさに、韃靼国(だったんこく)へ人をつかわして、千両の黄金をもって蔡琰(さいえん)を渡すよう交渉した。

胡の左賢王も、曹操が勢いの盛んなるを知っていたので、渋々ではあったが、蔡琰を還してよこした。

曹操はよろこんで、董紀(とうき)に、その妻として蔡琰をめあわせた。

いまはからずも、蔡邕の荘と聞き、大軍を先に進ませ、みずからは近習のもの百騎ほどを連れて、董紀の宅を訪れた。

ちょうど主人の董紀は所用で留守であったが、曹操がわざわざの来駕と聞き、蔡琰は驚いてみずから鄭重に迎えた。

曹操は、堂に坐して、健勝をよろこび、堂内をうち眺め、壁に一つの碑文を書した画軸のあるのに気づき、

「これは、いかなるものか」

と訊ねた。蔡琰はかしこまって、

「これは、曹娥と申すものの碑文でございます。昔、和帝の朝、会稽の上虞というところに、曹盱と申す一人の師巫がおりました。この人は神楽の上手な人で、ある年の五月五日、したたか酒に酔いまして、舟の上で舞いますうち、あやまって川に落ち、水に溺れて、とうとう死にました。その人に十四歳になる娘がありましたが、これを哭き哀しみまして、毎日毎夜川のふちをめぐっておりましたが、七日七夜目、とうとう娘も淵に飛び込んでしまったのです」

曹操は、感じ入ったごとく、まじろぎもせず、蔡琰が語るを聴き入っていた。

「……それから五日目のことでございます。その娘が、父の屍を負うて、水面に浮び出ましたので、里の人々は父を思う娘の一念に驚きましたが、この心を憐れに思いまして、岸の辺にねんごろに葬りました。程なく、このことが、上虞の令度尚と申す人から帝に奏され、孝女なりと仰せられ、邯鄲淳に文章を草すべく命ぜられ、石にそのことを刻まれました。邯鄲淳はこのとき年歯わずかに十三歳で、筆を揮ってこの文を作し、一字も訂正しなかったと申します。父蔡邕はこのことを聞きまして、碑のもとに行き、その文を見ようとしましたが、日すでに没し、読むことができませんので、指で石を撫

で、筆画を探って読み、感じて、碑背に八字を書きつけましたが、後になって里人が、その八字を刻みつけました。そちらにございますのが、父の筆の跡でございます」

蔡琰の指すほうの軸を見れば、

「黄絹幼婦。外孫齏臼」

と八字が書かれてあった。

曹操は、この文を読み下して、蔡琰にむかい、

「汝、この八字の書の意味を知るか」と訊ねた。

蔡琰は、頰を染め、

「父が書きました書、その意を知りたくは思っておりましたけれど、未だにその意味を解しかねております」と答えた。

三

曹操は席にあった大将たちに向って、

「誰か、この文意を解したものがあるか」

と見廻したが、誰も解き得ないと見え、揃ってただ首をうなだれて答える者はない。

すると、そのうちから一人、

「それがし、解き得たように存じます」

と立ち上がった者があった。見れば、主簿の役にある楊修であった。

曹操は楊修が、その文意を語りだそうとするのを押えて、

「さようか、しかし、しばらくそれをいわずにおるように、予も考案して見よう」

と馬にまたがり、山荘を出て行ってしまった。

しばらくして、莞爾とした顔を現し、楊修に向い、

「汝の考えを申して見よ」

という。楊修がかしこまって、

「これは確かに隠し詞に違いございません。黄絹と申すは即ち色の糸、文字にしますれば『絶』の字にあたります。幼婦は即ち少き女『妙』の字です。外孫は即ち女の子、これ『好』でありましょう。齏臼は即ち辛きを受ける器で『辞』の字に当ると考えます。これを連ねて『絶妙好辞』これは邯鄲淳の文を賛して、絶れて妙なる好き辞と褒めたものと存じますが」

よどみなく説明した。

曹操大いに愕いて、予の考えも全く同じであった、と楊修を賞した。山荘を出でて本軍を追い、日ならずして漢中に着いた。

漢中にあった曹洪はうやうやしくこれを出迎え、まず張郃がたびたびの戦に敗れたことを語った。

曹操は、

「これは張郃の罪ばかりではない、勝敗は、武士の常の道、とがむることはあるまい」

と、温かい心を示した。

曹洪は目下の情勢を、

「敵は玄徳みずから大軍を指揮致し、黄忠に命じて定軍山を攻めさせた様子ですが、夏侯淵はどうしたことか、大王がおいでになると聞いて、固く守るのみで、戦闘を致さぬ模様でございます」

と報告した。曹操はこれを聞き、

「いや、そんなことをしていてはならぬ。戦を挑まれながら、出でて戦わざるは、臆していると見られる。早く使者をつかわして予が令を伝え、いさぎよく出でて戦うよう計らえ」と命じた。

劉曄はそばから、

「夏侯淵は性急の上に剛直ですから、おそらく敵の計略にかかって痛い目に逢うに違いありません、おやめになったほうがよろしいでしょう」

と諫めたが、曹操は取上げず、手ずから王命を書して、定軍山の夏侯淵のもとに使いを派した。

夏侯淵は、いつか必ず王命のあることと期待していた折であったので、喜んで親書を開いた。それには、

詔シテ夏侯淵ニコレヲ知ラシム。オヨソ将タルモノハ、当ニ剛柔ヲ以テ相済ウベク、イタズラニソノ勇ヲノミ恃ムベカラズ。シカレドモ将トシテハ、マサニ勇ヲモ

ッテ本トナシ、コレヲ行ウニ智計ヲ以テスベシ。モシ只ニ勇ニ任ズル時ハ、コレ一愚夫ノ敵ノミ。吾イマ大軍ヲ南鄭(ナンテイ)(漢中)ニ屯(タムロ)シ、卿ガ妙才ヲ観ント欲ス。二字ヲ辱ムルナクンバ可也(妙才ハ夏侯淵ノ字(アザナ))

とあった。彼は勇躍した。早速に兵を調(ととの)え、張郃を呼んでいうには、

「只今、魏王の大軍は漢中に到着、予に命じて、敵を討たしめんとす。予、久しくこの所を守って、一度も会心の勝負をなさず、髀肉(ひにく)の嘆(たん)をかこちいたり、明日、みずから出でて、思うさま戦い、まず黄忠を生捕って見しょう」

張郃はこれを危なかしく聞き、

「どうぞ軽々しく出撃なさらぬよう。黄忠は智勇ともに備え、加うるに法正と申すは、戦略にたけたる者、この地は幸いにして要害堅固なのですから、進まずに、堅く守られるが賢明と存じます」

と極力思いとどまらせようとした。

一股傷折

一

張郃の言葉を不服そうに聞いていた夏侯淵は、自分の決意はまげられぬというように、

「予がこの地を守り、陣をなすこと久しい。この度の決戦に、万一他の将に功を奪わるるが如きことあらば、なんの面目あって魏王に見えん。御身、よろしくこの所を守り給え、予は山を下りて、決戦せん」と云いきって、さて、

「誰ぞ、制先の勢となって、敵の様子をうかがい来れ」

と下知すれば、夏侯尚は勇んで立ち、

「それがし、先鋒となって進みましょう」

「うむ、汝先陣となるか。されば黄忠と鋒を交え、詐り負けて退却せよ、われに深き計あれば、必ず黄忠を擒にして見せよう」と勇み励ました。

夏侯尚は命の通り、三千余騎を率いて山を下って行った。

その頃、黄忠は兵を従えて、法正とともに、定軍山の麓まで押し寄せ、数度となく攻め挑んだが、魏の軍は固く閉じて現れないため、直ぐにも攻め上ろうとの試みも、山道はなかなか嶮岨であるし、或いは敵に思わぬ計もあるかも知れぬと警戒して、山麓に陣を布き、随所に斥候の兵を出した。

間もなく、その斥候から、山上より魏兵来る、と報告してきたので、黄忠はみずから出陣しようとすると、大将の陳式がこれをとどめ、

「老将軍みずから、なんで敵に当る必要がありましょう。私に千騎を任せられるならば、背後の細道より山上に向い、両方より挟みうちに致して討ち果たしましょう」

という。黄忠は実にもと、これを許した。

陳式は山の後ろに廻って、喊をつくってどっとばかり攻め上げれば、夏侯尚も御参なれとこれを迎えた。

しばらくするうち、夏侯尚は計略通り、わざと負けたふりをして、逃げ上った。陳式はこれを見ていよいよ勢い立ち、逃さじと追って行った。

黄忠はこの様子を見て、敵に計ありと気づき、陳式を救うべく軍を動かしたが、山上から大木を投げ落とし、あるものは鉄砲を撃ち出したりしてきたため、進路をはばまれてしまった。

陳式も敵の気配を感じて、途中から引返そうとしたが、この機をうかがっていた夏侯淵が猛烈に進撃をはじめ、ついに生捕られてしまった。陳式の部下も、意気地なく、魏

軍に降ってしまった。

黄忠はこれを聞いて驚愕した。早速法正と協議すると、

「夏侯淵は性急で、ただ蛮勇ばかりの男です。意気を沮喪（そそう）した味方の軍を、今一度励まして、急がず、次々と陣屋を造り、ゆるりと山上に押してゆけば、夏侯淵は必ず山を下って攻めて参るでしょう。これ反レ客為レ主（きゃくをはんしてあるじとなす）の兵法です。およそ、居ながらにして敵をふせぐということは、はやった兵をもって、疲（つか）れた軍を討つことになり、寄手は弱く、防ぐ力は強いとされています。夏侯淵がもし参らば、必ず生捕ってみせます」

黄忠はこの言に従って、早速諸軍に恩賞を与えて大いに励まし、みずから陣屋をつくり、数日そこに屯（たむろ）しては、また進んで陣屋を構築、一営一営と次第に進んで、山麓に近づいて行った。

夏侯淵はこれを眺めて、敵の近接を知り、そのままにいることはならぬと、すぐにも出撃しようとするのを、張部は引留め、

「これは反レ客為レ主の計に違いありません。必ず軽々しく出てはなりませぬ。出てゆけばきっと敗れましょう」といったが、夏侯淵は耳をかさず、夏侯尚を呼んで、敵にかかれと命令した。夏侯尚は直ちに数千の兵を引きつれ、夕闇をついて黄忠の陣に攻め入った。

しかし、張部のいった通り、まんまと敵の計にのって、夏侯尚は黄忠と一戦を交えたまま、すぐ生捕られてしまった。

魏の兵は乱れて逃げ帰り、夏侯淵に、

「大将夏侯尚どの、敵の擒になられました」と報告した。

「しまった」と夏侯淵は顔色を失った。

二

甥の夏侯尚が敵に捕えられたとあっては、夏侯淵としても放って置くこともならず、さりとて一気に攻めて、かえって夏侯尚を殺められては何にもならず、彼は夜も眠らずに、苦慮した。

そして考えた案は、陳式と夏侯尚との俘虜交換であった。まず黄忠のもとに、

「陳式いまだ生きてわが陣にあり、願わくは夏侯尚と換えんことを」

と申し送った。黄忠からも、

「われもまた望むところなり。すなわち明日、陣前において快くこれを交換せん」

と返事があって、妥協は成立した。

翌日。

両軍ともに、山間の広き場所に出でて、それぞれ陣を張り、黄忠と夏侯淵はみずから馬にまたがって出合い、

「魏の将、夏侯尚をつれ申した」

「蜀の将、陳式、虜となりしをお返し申す」

と、問答の上、武装解除された二人を、素速く交換すると、

「やッ」

とばかり声を合せて、自陣に引上げたが、夏侯尚がまさに、軍列に入ろうとする時、どこからか、一本の矢が飛んできて、彼の背にあたり、ばたりと地上に倒れた。

黄忠の策で、彼の射た矢であった。

夏侯淵は大いに怒り、黄忠めがけて馬を飛ばし、討ってかかって、十余合戦ううち、魏の陣に突如退陣の鉦が鳴り響き、一せいに兵を収めはじめた。

何事か、と夏侯淵は驚きあわてて黄忠との刃合せの隙を見て戻ろうとすれば、黄忠は敵の動揺に感づき、勢いこめてうってかかり、魏の勢もまたさんざんに傷められて逃げ戻った。

本陣に辛うじて着いた夏侯淵は語気も荒々しく怒り、

「ばかめ、何で鉦など鳴らしたのだ」

と詰問した。すると、

「あの時、四方の山の間より、にわかに蜀の兵が起り、蜀の旗が無数に現れたので、おそらく伏兵であろうと思い、軍を収めたのです」

との返事なので、怒りのやりばもなくなってしまった。

それから、夏侯淵は固く守って、出ようともしない用心ぶりを示した。

黄忠は、おもむろに定軍山に迫り、法正としきりに軍議を重ねた。

きょうも、法正を伴って地形を調べていると、法正は遥かな山を指し示して、

「定軍山の西に、巍然として聳えた山がありましょう。あの山容を見ますと、四方みな嶮岨で、容易には上り得ないところと思います、もしあの山を攻め取れば、定軍山の敵陣は、一望にあり、配備、陣容は手にとるように知れましょう。さすれば、定軍山の攻略も易きことと存じます」

という。黄忠もこれを聴きながら、その山を仰げば、相当な高さの山で、頂上はいくぶん平らかに見え、頂上附近にわずかの兵が守っているらしいのが分る。

その夜二更、黄忠は兵を引いて、鉦を鳴らし、鼓を打ち、喊をつくって気勢をあげてこの山に攻め上った。

この山は、魏の副将杜襲が、数百の兵をもって守っていたが、突如蜀の大軍が攻め寄せると知って、戦を交えることもなく、逃げてしまった。

簡単に攻略を終った黄忠は、定軍山と並び占めた位置を利して、敵状偵察に余念がない。

法正はその資料に基いて兵略を立てた。

「敵がもし攻め寄せて来ましたなら、味方の兵を制して動かず、かれが退いてゆくところを見定めて白旗をかかげ、それを合図として、将軍みずからも山を下って討ってかかり、敵の陣構えの崩れたところを攻め給わば、これ即ち、逸を以て労を待つの計となりましょう。必ず大将を討ちとることも可能です」

黄忠もこの言にうなずいて、早速に明日を期して、まず敵軍の来襲をうながすようにと、山中の随所に旗を立てさせ、兵を動かしたりして、しきりに誘導戦法をはじめた。

三

山を逃げ下った杜襲は、敗軍の状を夏侯淵に報告した。夏侯淵は、対山に敵が陣を張った以上、即刻これを攻めねば、味方の不利であると、出軍の用意を命じた。

張郃はこれを知って諌めて云った。

「あの山を敵が攻略したのは、きっと法正が計でありましょう。将軍よ必ず出給うなかれ」

夏侯淵はこれを駁して、

「なにを申す、黄忠いま対山の頂にあり、日々わが陣の虚実をうかがう。荏苒これを打ち破らざれば、わが軍の頽勢を如何せん」と。張郃はなおも、口を極めて諌めたが、ついに甲斐なく、夏侯淵は半数の兵を本陣に置いて守護を命じ、自らは残りの半数を率いて、黄忠の陣する山に向った。

山麓に押し寄せ、敵陣めがけて罵声をさんざんに浴びせてみたが、黄忠の軍はひっそりと鳴りを静めて、出撃して来る気配もない。

山上からひそかにこの様子を望み見た法正は、魏軍の疲労甚だしく、大半は馬上で居眠りなどしている様子に、折もよしと、さっと白旗をもって合図をすれば、待機の黄忠勢、山上より一度にどっと進撃を開始、鼓を鳴らし、角を吹き喊(とき)をあげ、潮(うしお)の如く大挙して下って行った。

　黄忠もこの一戦を乾坤(けんこん)と思っていた。

眦(まなじり)を決して陣頭に馬首を立て、奮迅(ふんじん)の勢いをもって進めば、魏の兵、乱れて打ちかかるものもなく、大刀一閃、夏侯淵が手もとにおどりかかって、首から肩にかけて真二つに斬って落した。

　魏の勢これを見て、ますます崩れ立ち、右往左往に逃げのびてゆく。黄忠は勝ちに乗じ、さらに攻撃の手をゆるめず、定軍山に攻め上った。

　張郃は諫言の容れられなかったのを残念には思ったが、かくなる上は悔いても及ばず、兵を整えて迎え討ったが、黄忠は、陣式を背後に廻し、二手に別れて攻めまくったので遂に支(ささ)えきれず、本陣に逃げ戻ろうとした。

すると忽然(こつぜん)として、山の傍らから、大将を先頭にした一軍の勢が現れた。驚いた張郃が先頭に掲げた大旗を見れば、趙雲と大書してある。

　趙雲がここに合して攻めてくるようでは、退路をも失うかも知れぬ。一刻も早く、定軍山の本陣へ戻って、陣容を整え、新たな作戦に出なければならぬと、別の路から退こうとした所へ、杜襲(としゅう)が敗軍を率いて逃げてきて、

「定軍山の本陣、ただいま蜀の大将劉封、孟達どもに奪われてしまいました」と報じた。

張郃は気を失うばかりに落胆して、これまでとばかり杜襲を伴って漢水へ命からがら逃げのびて陣を張った。

敗将両名、見るも気の毒な姿である。

杜襲は張郃に向い、

「夏侯淵が討たれた今、この陣に大将軍なきことになります。このままでは人心も動揺する憂いがありましょう。あなたが仮に都督を名乗って、人民の心を安んじたがよろしいと思います」

と忠言した。

張郃もなるほどと賛成し、早速に早馬をもって、急を曹操に告げた。

曹操は報を受けて憮然とし、夏侯淵の死を大いに哭いた。

それにしても戦の初めに、管輅がトを立てた詞を考えれば、

「三八縦横といったのは、すなわち建安二十四年にあたり、黄猪虎に遇うと申したのは、歳すなわち己亥にあたる。定軍の南一股を傷折せんというは、曹操と夏侯淵とは兄弟の如く結ばれていたことを指したに違いない」

曹操は深く感じ入って、

「まことに稀有の神トであった。管輅に人を派して今一度よびよせよ」

と彼を訪ねしめたが、すでに管輅はその地になく、行方も杳として知れぬという報告であった。

趙子龍（ちょうしりゅう）

一

夏侯淵の首を獲たことは、なんといっても老黄忠が一代の誉れといってよい。彼はそれを携えて葭萌関（かぼうかん）にある玄徳にまみえ、さすがに喜悦（きえつ）の色をつつみきれず、

「ご一見を」と、見参に供えた。

玄徳がその功を称揚してやまないこともいうまでもない。即座に彼を、征西大将軍に封じ、

「老黄忠のために賀をなさん」と、その夜、大酒宴を張った。

ところへ、前線の大将張著（ちょうちょ）から注進があった。急使のことばによると、

「夏侯淵が討たれたと聞いた曹操の憤恨は、ひと通りなものでありません。自身二十万騎をひきい、先陣には徐晃（じょこう）を立て、濛々たる殺気をみなぎらして、漢水まで迫ってきましたが、何思ったか、そこで兵馬をとどめ、米倉山（べいそうざん）の兵粮を北山のほうへ移しておる様子です」

孔明は、すぐ情勢を判断して、玄徳に対策を洩らした。

「察するに、曹操は、二十万という大兵を持ってきたため、その兵粮が続かなくなるのをおそれて、あらかじめ食糧の確保に心を用いているものと思われる。要するに、彼の弱点がそこにあることを自ら曝露(ばくろ)しているものでしょう。いま味方の一軍を深く境外へ潜行させ、敵が虎の子にしているその輜重(しちょう)を奪うことに成功したら、それは今次の戦において第一の勲功といってもさしつかえありますまい」

傍らで聞いていた黄忠は、

「軍師。わしに命じられい。ふたたび行って、わしがその事を実現してみせる」と、望んだ。

孔明は冷静な面(おもて)を横に振った。

「老将軍。――こんどの敵の張部(ちょうこう)は、夏侯淵とはちと桁(けた)がいますよ。夏侯淵は単なる勇将。張部はそう単純でない」

黄忠は老いの眼をぎらと光らした。そして、強(た)って、自分にその難命を与えよと云い張った。孔明は彼にさんざん大言を吐かせておいてからようやく承知したが、

「では副将として趙雲をつれておいでなさい。何事も趙雲と、協議のうえで作戦するように」

と、なお黄忠を危ぶむかのような口ぶりでゆるした。

それでも黄忠は勇躍して、席を退いた。趙雲は、漢水まで来ると、黄忠に訊いた。

「将軍、あなたは今度のことを、何の苦もなく引請けてしまわれたが、一体、ご胸中には、いかなる妙計がおありなので？」

「妙計。そんなものはない。ただ事成らねば、死を期しているだけだ。この度ばかりでなく、それが常に老黄忠の戦に臨む心事でござる」

「いや、あなたにそんな危地を踏ませることはできない。先陣はそれがしがする」

「何の、強いて命を乞うた黄忠が先に立つのが当然。足下は副将、後陣につけ」

「同じ君に仕え、同じ忠義を尽さんとするのに、何の主将副将の差別があろう。では、先陣後陣のことは鬮を引いてそれに従おうではないか」

「鬮で？　それはおもしろい」

そこで二人は鬮を引いた。黄忠が「先」を引き、趙雲は「後」を引いてしまった。

「もし自分が、午の刻までに、敵地から帰らなかったら、その時には、援軍を繰りだしてくれ」

黄忠はそう云い残すと、一軍をひきいて敵境深く入って行った。趙雲はそれを見送った後、心もただならぬように、部下の張翼へこう告げていた。

「老将軍が午の刻までに帰らなかったら、自分は直ちに漢水を渡って遮二無二敵の中へ深く駈けこむであろう。その時には、汝はしかと本陣を守り、滅多にここを動いてはならぬぞ」

一方――老黄忠はわずか五百の部下をつれて未明に漢水を渡り、夜明け頃には、敵の糧倉本部たる北山のふもとへ粛々と迫って、山上の兵気をうかがっていた。

「柵はきびしいが、守備は手薄と思われたり。それっ、駈け上って、満山の兵粮へ火を放て」

錆びたる声で、老黄忠は、一令を下した。それを耳にするや否、蜀の兵は朝霧をついて諸所の柵を打ち破り、まだ眠っていたらしい魏兵の夢を驚かした。

二

はるか漢水の東に陣していた張郃は、その朝、北山の煙を見て、

「すわ一大事」

と、仰天した。

にわかに兵を下知して、自身、真っ先に立ち、北山に駈けつけて来てみた頃は、すでに全山の糧倉は、炎につつまれ、諸所の山道や坂路では、黄忠の部下と、ここの守備の兵とが、入り乱れて戦いの最中であった。

「しまった」――と張郃は足ずりして「この上は、小癪(こしやく)な蜀の雑兵を踏み殺し、せめてはその首将たる黄忠の首でも挙げねば魏公に申しわけがない。さなくとも彼黄忠は、夏侯淵の讐(かたき)、討ちもらすな」と、部下を励ました。

山上山下、木も草も燃ゆるなかに、組む者、突きあう者、血みどろな白兵戦は、陽の高くなるまで続けられた。

早くもこのことは、曹操の本陣にも達したし、またそこからも、北山の黒煙がよく見えた。

「徐晃、行け」

曹操はさらに増援を送った。

このとき、すでに巳の刻は過ぎていた。漢水の彼方、今朝から固唾をのんでいた蜀の趙雲は、

「──まだ午の刻にはすこし間があるが、あの黒煙が空に見えだしてから時も経つ。いでこの上は、老黄忠の安否を見届けん──」と腹をすえて、部下の張翼に、

「さきにも云った通り、汝は砦の狭間狭間に弩を張り、敵が迫るまで、みだりに動くな」

云い残すや否、三千の兵をさし招き、野を馳せ、数条の流れを越えて、ひたぶるに北山の黒煙へ近づいた。

「見つけたり。どこへ行く」

とばかり、魏の文聘が手下の慕容烈というもの、大剛を誇って、彼の道をさえぎった。

「うい奴だ。迎えにきたか」

と趙雲は、ただ一突きに、突き殺して、血しぶきの中を、駈けぬけて行く。

「やあ、味方かと思えば、敵の新手か。大将、これへ出よ」

北山の麓まぢかく、重厚な一軍を構えて、こう呼ばわり阻める者があった。自ら名乗るを聞けば、

「われこそ魏の大将焦炳なり」と、いう。

趙雲は前へすすんで、

「先にきた蜀の一軍はどこにいるか」

と、いった。焦炳は、呵々と打ち笑いながら、

「なにを寝ぼけておるか。黄忠を始め、蜀の木ッ端どもは、一兵のこらず討ち殺した。汝もまた、わざわざ骨を埋めに来たか」

云いつつ馬上から鋭い三尖刀をさしのべた。

「ほんとか！」と趙雲は、ありッたけな声で、相手へ吼えかかったかと思うと、

「では、弔合戦の手始めだ」

とばかり、焦炳の胸いたへ、ぶすと槍を突きとおし、大空へ刎ねあげて、

「知らないか、趙子龍がこれへ来たことを」

と魏軍のまん中へ馬を突っ込んだ。

兵か煙か、渦巻く中に、ただひとつ、彼の影のみは、堂々無数の群刃簇槍を踏みつぶしつつ、血しおの虹を撒いて、駈け廻っていた。

そのうちに、張部や徐晃の囲みも、意識せずに突破していたが、誰あって、趙雲の前に馬を立てることはできなかった。

「趙将軍だ。趙将軍だ」

北山のここかしこで、敵の重囲に陥ち、殲滅の寸前にまで追い込まれていた黄忠軍は、彼が救いにきたと知ると、思わず歓呼をあげて、集まってきた。

五百の兵は、三分の一に討ちへらされていた。それでもその中に黄忠の顔が見えた。

趙雲は黄忠の身を抱えんばかり鞍を寄せて、

「お迎えにきた。もう安心されい」と一散に走りだした。

黄忠はなお振り向いてばかりいて、部下の張著が見えないと嘆いた。趙雲はこれを聞くとまた取って返し、べつな囲みからさらに張著を救い出して走りだした。

曹操は高きに登って、その日の戦況を見ていたが、大いに愕いて、

「あれは常山の趙子龍であろう。子龍以外にあんな戦いぶりをする者はない。軽々しく前に立つな」と、急に、陣鼓を打たせて、味方の大衆に、無用の命をすてるなかれと戒めた。

三

たち騒ぐ味方をまとめて、曹操は漢水のこなたに、陣容を革めた。彼自身、陣頭に出た。そして、散々な部下の敗北を、自身の采配によって、取り返そうとするものらしく見えた。

すでに首尾よく黄忠や張著を救いだして、わが城砦へ帰っていた趙雲は、互いの無事

をよろこび、きょうの戦捷を賀して、

「思えば、危うい一戦だった」と、祝杯の用意を命じていた。

ところへ、後詰の張翼が、馬煙を捲いて逃げ帰ってきた。それはいいが、その同勢のあわて方といったらない。われがちに逃げこむや否、

「すわや、たいへんだぞ。諸門を閉めろ。吊橋をあげてしまえ」

と、まるで雷鳴の下に耳をふさぐ女子のように打ち震えていう。

趙雲はまだ杯を持たない間に、この騒動を耳にしたので、

「何事か」と部下に問わせた。

張翼はそこへ来て、祝杯どころではないといわんばかりな顔をして告げた。

「一大事です。曹操が来ました。自身大軍をひきいてやがてこれへ来ます。いやその軍容の物々しさ、何万騎やらただ真ッ黒になって漢水を越えてきます」

すると趙雲は炬のごとき眼をして、張翼の卑怯を叱った。――知らずや汝、むかし長坂の戦に、曹軍八十万の兵を草芥のように蹴ちらし去ったのは誰であったか――と。そして、すぐ張翼のほかの者をも激励した。

「すべての陣門を敵へ開け。射手はみな壕の中に身を伏せろ。旗は潜め、鼓は休めよ。そして、林のように、寂として、たとい敵が眼に映るところまで来てもかならず動くな」

かくて、しばらくすると、まったく鳴りをしずめた城内から壕橋へかけて、戛々と、

ただ一騎の蹄の音が妙に高く聞えた。

見れば、趙雲ただ一騎、槍を横たえてそこに突っ立っている。手をかざして彼方を眺めれば、里余にわたる黄塵の煙幕をひいて、魏の大軍がひたひたとこれへつめよせて来る。

――が、その雲脚の如き勢も、城の間近まで来たかと思うと、ぴたと止って、ただ遠く潮騒に似た喊声が聞えて来るのみだった。

「いぶかしいものがあるぞ、敵の城には」

「人もないようにしんとしておる。大手の門を開け放して」

「誰かひとり濠橋の上に立っているようだが――よもや人形でもあるまいに」

「何か深く謀っているにちがいない。めったには近づけぬぞ」

魏兵の先鋒は、疑心暗鬼にとらわれてそこから進み得なかった。

中軍にいた曹操は、

「何をためらっているか」と、みずから陣前へ出て、かかれかかれとばかり、下知した。

日は暮れかけていた。暮靄を衝いて、徐晃の一隊がわッと突進する。張郃の兵もどっと進む。

だが、橋上の趙雲は、なおびくとも動かないので、徐晃も張郃もいよいよ気味悪く思ったか、急にまた、途中から駒を返そうとした。

すると初めて、趙雲が、

「やあ、魏の人々。せっかく、これまで来ながら、ものもいわぬまに逃げ帰る法やある。待ち給え、待ち給え」と、呼びかけた。

はや曹操までが後から続いてきたので、張郃や徐晃も、ふたたび勇を鼓して、濠ぎわへと馳け向ってきた。――今や、矢頃と見たか、趙雲が下へ向って何か呶鳴ると、とたんに濠の蔭から無数の矢が大地とすれすれに射放して来た。

魏の人馬は、嘘のように、バタバタ仆れた。曹操は肝を冷やして逃げ出した。すでに遅し、蜀の別働部隊は、米倉山の横道に迂回し、また一手は北山のふもとへ出た。振り返れば、魏の陣々はいたるところ火の手である。曹操はいよいよ退却に急だったが、当然、城内から趙雲以下の全軍が追撃して来たため、漢水の流れにかかるや、ここかしこに溺るる者、討たるる者、その数も知れぬほどだった。

次男曹彰

一

横道から米倉山の一端へ出て、魏の損害をさらに大にしたものは、蜀の劉封と孟達であった。

これらの別働隊は、もちろん孔明のさしずによって、遠く迂回し、敵も味方も不測な地点から、黄忠と趙雲たちを扶けたものである。

それにしても、二人の功は大きい。わけて趙雲のこんどの働きには、平常よく彼を知る玄徳も、

「満身これ胆の人か」

と、今さらのように嘆称した。

その後、敵状を探るに、さしもの曹操も、予想外な損害に、すぐ立ち直ることもできず、遠く南鄭の辺りまで退陣して、

(この敗辱をそそがでやあるべき)と、ひたすら軍の増強を急ぎつつあるという。

ここに巴西宕渠の人で、王平字を子均という者がある。この辺の地理にくわしいところから曹操に挙げられて、牙門将軍として用いられ、いま徐晃の副将として、共に漢水の岸に立って、次の決戦を計っていたが、徐晃が、

「河を渡って陣を取らん」というのに、王平は反対して、

「水を背にするは不利だ」と、互いに、意見を異にしていた。

けれど徐晃は、

「韓信にも背水の陣があったことを知らぬか。孫子もいっている。死地ニ生アリ――

と。ご辺は、歩兵をひきいて岸に拒げ。おれは馬武者をひきいて、敵を蹴破るから」

と、ついに浮橋を渡して、漢水を越えてしまった。

一歩対岸を踏んだらば、必ず蜀の勢が鼓を鳴らして来るだろうと予測していたところ、一本の矢すら飛んで来ないので、徐晃は拍子抜けしながらも、敵の柵を破壊し、壕を埋め、さんざんに振舞って、やがて日没に近づくと、蜀の陣地へ対して、ある限りの矢を射た。

玄徳のそばにいて、この日、敵のなすままにさせていた黄忠や趙雲は、

「ははあ、夜に入る前に、徐晃の手勢も退く気とみえます。あのようにむだ矢を射捨てている様子では」と、呟いて、その退路をおびやかすのは今だが、と身をむずむずさせていた。

玄徳も、その機微を察したか、急に令を下して、二人を急き立てた。勇躍した黄忠と趙雲は、やがて薄暮の野に兵をうごかし始めた。

「臆病者めが、ようやく今頃になって、居たたまれずに出てきたな」

徐晃は、蜀兵を見ると、終日の血の飢えを一気に満たさんとする餓虎のように喚きでた。

「まさしく黄忠。老いぼれ、またしても逃げるか」

敵の旗じるしを見て、彼は奮迅した。黄忠の部下は、一時、鼓を鳴らし、喊声をあげ、甚だ旺んに見えたが、もろくも潰えて、蜘蛛の子のように夕闇へ逃げなだれた。

「逃げ上手め、魏の徐晃が、それほど怖ろしいか」

徐晃はわざと敵を辱めながら、どうかして黄忠を捕捉しようと試みたが、そのうちに、いつか背後のほうで、敵のどよめく気配がする。

はっと、驚いて、振り向くと、漢水の浮橋が、炎々と燃えているのだった。不覚不覚、退路を敵に断たれている。徐晃は急に引っ返し、全軍へ向って、

「渡渉退却！」と喚いたが、そのとき河原の草や木は、ことごとく蜀の兵と化し、まっ先に、趙雲子龍。うしろからは黄忠。ひとしく包囲して来て、

「ひとりも生かして帰すな」と、叫びに叫ぶ。

徐晃はようやく危地を切り抜け、ほとんど身一つで、漢水の向うまで逃げてきた。その敗戦の罪を、あたかも副将の罪でもあるかのごとく当りちらして、味方の王平へ罵った。

「なんだって足下は、おれの後詰もせず、浮橋を焼かれるのを見ていたのだ。この報告は、つぶさに魏王へ申しあげるぞ」

王平は黙然と、彼の罵言にこらえていた。けれど彼は、その意見を異にした時から、すでに徐晃の無能を蔑み、魏軍に見限りをつけていたものとみえて、その夜深更自分の陣地に火を放つや、ひそかに脱して漢水を越え、部下と共に、蜀へ投降してしまった。

「招かずして、王平が降ってきたのは、われ漢水を取る*前表である」

と、玄徳は彼を容れて、偏将軍に封じ、もっぱら軍路の案内者として重用した。

徐晃のしたまずい戦は、すべて王平の罪に嫁された。曹操は、忿懣に忿懣を重ね、再度、漢水を前面に、重厚な陣を布いた。

一水をへだてて、玄徳は孔明と共に、冷静にそのうごきを眺めていた。

二

孔明がいう。

「この上流に、七丘をめぐらして、一山をなしている山地があります。蓮華の如く、七丘の内は盆地で、よく多数の兵を匿すことができる。銅鑼鼓を持たせ、あれへ兵六、七百を埋伏させておけば、必ず後に奇功を奏しましょう」

「誰をやればよいか」

「万一、敵に見つかると、一兵のこらず、殲滅の憂き目にあうおそれもあれば、やはり趙雲をやるしかありますまい」

次の日、孔明はまた、べつな一峰へ登って、魏の陣勢をながめていた。この日、魏の一部隊は、渡渉してきて、しきりに、矢を放ち、鉦をたたき、罵詈を浴びせたが、蜀は一兵も出さなかった。

魏兵も、より以上、軽々しく進出はしなかった。夜に入るとことごとく陣に収まり、篝火もかすかに、自重していた。

すると突然真夜半の静寂を破って、一発の石砲がとどろいた。銅鑼、鼓、喊呼などを一つにして、わあっッという声が一瞬天地を翔け去った。

「すわっ、夜襲だぞ」

「いや、敵は見えぬ」

「近くもなし、遠くもない？」

上を下への騒動である。曹操は安からぬ思いを抱いて、四方の闇を見まわしていたが、彼にも何の発見もなかった。

「いたずらに騒ぐをやめよ。立ち騒ぐ兵どもを眠らせろ」

曹操も枕についたが、またまた、爆音がする。鬨の声がする、それが一体、どこでするものか、見当がつかなかった。

三日のあいだ、毎晩である。曹操は士卒がみな寝不足になった容子を昼の彼らの顔に見て、

「これはいかん」

急に、三十里ほど退いて、曠野のただ中に、陣を営み直した。

孔明は笑って、

「曹操も怪にとり憑かれた」といった。夜ごとの砲声や銅鑼は、もちろん上流の盆地にひそんだ趙雲軍の仕業であったことというまでもない。

四日目の夜が明けてみると、蜀の軍は、その先鋒から中軍もみな河を渡り、漢水をうしろに取って陣容を展開していた。

「なに、背水の陣をとったと」

曹操は、疑いもし、かつ敵の決意のただならぬもののあるを覚って、今は、乾坤一擲、蜀魏の雌雄をここに決せんものと、

「明日、五界山の前にて会わん」と、玄徳へ戦書を送った。

戦書、すなわち決戦状である。玄徳もこころよく承知した。次の日、総軍の威風をあらゆる軍楽と旌旗に誇示しながら、蜀は前進した。

たちまち、真紅金繍の燃ゆるごとき魏の王旗を中心に、龍鳳の旗を立て列ね、一鼓六足、堂々とあなたから迫ってくるもの――いうまでもなく魏の大軍だった。

「玄徳。あるや」

鞭をあげて、曹操が馬上からさしまねいている。蜀の陣から玄徳は、劉封、孟達の二人を左右に従えて、騎をすすめた。

「久しや曹操。君はむなしく、今日を以て、死なんとするのか」

曹操は怒って云い返した。

「だまれ。予は汝の忘恩を責め、逆罪をただしに来たのだ」

「この玄徳は、大漢の宗親。笑うべし、汝何者ぞ。みだりに天子の儀を僭す曲者。きょうこそ大逆を懲らしめん」

戦線数里にわたる大野戦はここに展開された。午の刻過ぎるまで、魏の大捷をもって終始した。蜀の兵は、馬ものの具を捨てわれがちに潰走しだした。

「追うな、退き鉦打て」

曹操は急に、軍を収めた。なぜかと、魏の諸将は疑ったが、曹操は、蜀兵の潰走が、ほんとでないとみたので、大事をとったものだった。

ところが、魏が軍を退くと、果然、蜀は攻勢に転じてきた。どうも事ごとに、曹操は、自分の智慧と戦ってその智に敗れているかたちだった。

三

智者はかえって智に溺れるとかいう。――孔明が曹操に対しての作戦は、すべて、曹操自身の智をもって、曹操の智と闘わせ、その惑いの虚を突くにあった。

かくて、曹操が自負していた智謀も、かえって曹操の黒星を増すばかりとなって、ここ甚だしく生彩を欠いた魏軍は、南鄭から褒州の地も連続的に敵の手へ委して、一挙、陽平関にまで追われてしまった。

蜀の大軍は、すでに南鄭、閬中、褒州の地方にまで浸透して来て、宣撫や治安にまで取りかかり、遺漏のない完勝ぶりを示していた。

時に、陽平関の魏軍へ、またしても、味方の兵粮貯蔵地の危急がきこえた。曹操は、許褚を呼んで、

「この際、彼処の兵粮まで、蜀兵に奪われたら一大事である、汝よく兵粮奉行の手勢と力を協せて、危地にある兵粮全部を、後方の安全な地点へ移してこい」といいつけた。

千余騎は、許褚に引かれて、陽平関を出て行った。目的地につくと、兵粮奉行は歓喜して彼を迎え、

「このご来援がなかったら、おそらくあと二日か三日の間には、ここにある兵粮軍需品、すべて蜀の手へ奪られていたに違いありません」と、いった。

嬉しさのあまりか、奉行はすこし許褚を歓迎しすぎた。許褚は宴に臨んで大酔してしまったのである。だが、気概は反対に凛々たるものがあり、奉行が、褒州の境にある敵について注意すると、

「安心しろ。万夫不当の許褚がついて行くのだ。今夜は月もよいから山道を歩くにいい。早々、馬匹車輛を押し出せ」と、促した。

宵に出て、夜半頃、この蜿蜒たる輜重の行軍は、褒州の難所へかかった。すると谷間から、一軍の蜀兵が、突貫して来た。

「敵は下の渓にいる。岩石を落してみなごろしにしろ」

地の利をとって戦う気でいるといずくんぞ知らん、自分たちの頭の上から先に岩や石ころが落ちてきた。

伏兵は、山の上下にいる。寸断された百足虫のように、輜重車は、なだれくだって、谷間のふところへ出た。ここにも待っていた一隊の敵があった。許褚の影を見かけるや否、その敵将は、迅雷一電、

「許褚っ。さあ来いっ」

大矛をさしのべて、許褚の肩先を突いた。

不覚にも許褚は、戦わないうちに、痛手をうけたのみか、どうと馬からころげ落ちた。

張飛の二の矛が、飛龍のごとくそれへ向って、止めを刺そうとした時、張飛の鞍の腰へも、大きな石が一つあたった。馬ははねる。とたんに許褚の部下たちが、切っ先をそろえて立ちふさがる。

危うい中を、許褚は、手下の部将たちに助けられ、辛くも一命は拾い得たが、ために輜重の大部分は、張飛の手勢に奪われて、ほうほうの態で陽平関へ逃げもどって来た。

時すでに陽平関は炎につつまれていた。敗れては退き、敗れては退き、各前線からなだれ来る味方は、関の内外に充満し、魏王曹操の所在も、味方にすら不明だった。

「すでに、北の門を出、斜谷をさして、退却しておられる」

と味方の一将に聞いて、許褚は事態の急に愕きながら、ひたすら主君を追い慕った。

曹操は、その扈従や旗本に守られて、陽平関を捨ててきたが、斜谷に近づくと、彼方の嶮は、天をおおうばかりな馬煙をあげている。

彼は馬上にそれを見、

「やや、あれも孔明の伏兵か。もしそうであったら、我も生きる道はない」と、色を失った。

ところがそれは、彼の次男曹彰が、五万の味方をひきつれて、これへ馳けつけて来たものだった。曹彰は父とはべつに代州烏丸（山西省・代県）の夷の叛乱を治めに行っていたのであるが、漢水方面の大戦、刻々味方に不利と聞き、あえて父の命もまたず、夜を日についで加勢に向ってきたのだった。

「なに、北国の乱も平げた上、さらに、父の加勢にきたというか。ういやつ、ういやつ。勇気はそれだけでも百倍する。もう玄徳に負けるものか」

よほどうれしかったとみえ、曹操は馬上から手をさしのべてわが子の手を握り、しばらくその手を離さなかった。

鶏肋

一

ここまでは敗走一路をたどってきた曹操も、わが子曹彰に行き会って、その新手五万の兵を見ると、俄然、鋭気を新たにして、急にこういう軍令を宣した。

「ここに斜谷の天嶮あり、ここに北夷を平げて、勇気凜絶の新手五万あり、加うるに、わが次男曹彰は、武力衆にすぐれ、この父の片腕というも、恥かしくない者である。こう三つの味方を得た以上は、盛りかえして、玄徳をやぶることも、掌中の卵をつぶすようなものだ。いざ斜谷に拠って、このあいだからの敗辱を一戦にそそごうではないか」

かくて、戦の様相は、ここにまたあらたまって、両軍とも整備と休養を新たにし、第二次の対戦となった。

玄徳は、諸将と共に、陣前に出て云った。

「おそらく曹操は、こんどの序戦に、わが子曹彰を自慢にして出すだろう。そのとき曹彰を迎えて、一撃に討ち、彼の気をくじくならば魏の雑兵何万をころすよりも、この戦局を一変し得るが……。たれが曹彰の首を完全に挙げられるだろうか」

「それがしこそ」

「いや、わたくしが」

ひとしく進み出たのは、孟達と劉封だった。

が――孟達は、劉封も望んで出たので、ちょっと、遠慮する容子を示した。劉封は、玄徳の養子。曹彰は曹操の実子。――これは劉封としてはぜひとも買って出たい名誉の一戦であろうと斟酌したからである。

しかし玄徳は、将に対しても士に対しても、公平を期しているものの如く、劉封がわが家の養子だからといって特に彼ひとりを選ぶようなことはしなかった。

「では、二人に命じる。おのおの五千騎をひきいて、先鋒の左右にひかえ、曹彰が出てきたら思い思いに功名をせい。その働きによって恩賞するであろう」

「ありがとう存じます」

若い二人は勇躍して、おのおの五千騎を擁して、先頭の左右両翼に陣していた。果たせるかな、やがて陣鼓堂々、斜谷に拠っている敵方の一軍が平野へ戦列を布いたかと思うと、ただ一騎、その陣列を離れて、

「玄徳はいるか。魏王の次男曹彰とは我である。父に代って一戦せん。玄徳、これへ出よ」

と、大声あげて、さしまねいている若武者がある。遠目に見ても眩いばかりな扮装は、いうまでもなく曹家の御曹司曹彰にちがいはない。

孟達は、左翼から出ようとしたが、まず養子の劉封にここは譲るべきだと思ってひかえていた。すると右陣の劉封は、父玄徳の威をうしろに負って、これも華やかな鎧甲を誇りながら、たちまち駒を飛ばして出た。

だが、曹彰の前に近づいて、十合とも戦わないうちに、その一騎討ちは、誰の眼にも、曹彰の勝利と分った。劉封の武芸は、とうてい、曹彰の相手ではなかったのである。

孟達は、急に駈け出して、

「封君。その敵は、それがしが引きうけた。お退きあれ」

と、入れ代って、自身、曹彰にぶつかった。

劉封は、一言もいわず、うしろを見せて、逃げ走っていた。曹彰は、孟達の邪魔を、

振りのけながら、

「逃げるのか劉封。養父の玄徳を嘲ってやるぞ。親の顔へ泥を塗ってもいいのか」

と辱めながら追いかけた。

ところが、彼のひきいる魏の手勢が、うしろのほうから崩れだした。驚いて引っ返すと、蜀の呉蘭、馬超などが、いつのまにか斜谷のふもとへ出て、退路を断とうとしているらしい。

曹彰は、父に似て、兵機をみるに敏だった。すでに多少の損害をうけたが、その禍いのまだ致命とならない間に、さっと軍をまとめ、敵将呉蘭の陣中を突風のごとく蹴ちらして、首尾よく斜谷の本陣へ引揚げてしまった。しかもその途中、道をさえぎる敵将の呉蘭を、馬上のまま一閃に薙ぎ払い、悠々迫らず帰ってきた武者ぶりは、さすが豹の子は豹の子、父曹操の若い頃を偲ばせるほどのものがあった。

二

劉封は面目を失った。養父の玄徳にあわせる顔もない気がした。しかし孟達に対しては、

「自分の負けが、よけいぶざまに見えたのは、彼が横から出しゃ張って、曹彰を追いのけたせいもある」と、変な妬みを抱いた。

以来、劉封と孟達とは、なんとなく打ち解けない仲になった。劉封は武勇に乏しいの

みか器量においても玄徳の養子というには多分に欠けているものがあった。

しかし曹操のほうでも、序戦以後は、日ごとに士気が衰えて行った。一曹彰が一劉封に勝ったと一時は歓んでみても全面的には、刻々憂うべき戦況にあったのである。蜀の張飛、魏延、馬超、黄忠、趙雲などという名だたる将は、陣をつらねて、斜谷の下まで迫っていた。

曹彰も、劉封には勝ったが、それ以後の合戦に出るたびごとに、蜀の猛将たちから目のかたきに追いまわされ、手も足も出せなかった。

ここは都に遠い斜谷（陝西省漢中と西安との中間）の地。もしこれ以上の大敗を喫して、多くの将士を失うときは、本国まで帰ることすら甚だ覚つかないことになろう。――曹操も重なる味方の敗色につつまれて、心中悶々たるものがあった。

「兵を収めて、鄴都へ帰らんか、天下のもの笑いになるであろうし、止まって、この斜谷を死守せんか、日ごとに蜀軍は勢いを加え、ついにわが死地とならんもはかり難い……」

こよいも彼は、関城の一室に籠って、ひとり頬杖ついて考えこんでいた。

ところへ、膳部の官人が、

「お食事を……」と、畏る畏る膳を供えてさがって行った。

曹操は思案顔のまま喰べはじめた。温かい盒の蓋をとると、彼のすきな鶏のやわらか煮が入っていた。

喰らえども味わいを知らずであろう。彼は鶏の肋をほぐしつつ口へ入れていた。

すると、夏侯惇が、帳を払って、うしろに立ち、

「こよいの用心布令は、何と布令ましょうか」と、たずねた。

これは毎夕定刻に、彼の指令を仰ぐことになっている。つまり夜中の警備方針である。曹操は何の気なしに、

「鶏肋鶏肋」と、つぶやいた。

鶏の骨をしゃぶっていたので、無意識に云い違えたものだろう。だが、夏侯惇は、曹操の言なので、何か含蓄のある命令にちがいないと呑みこんでしまい、

「はっ」と、そこを退がるや、城中の要所要所を巡って警固の大将たちへ、

「こよいの用心布令は鶏肋との仰せである。鶏肋鶏肋」

と、布令廻った。

諸将は怪しみ合った。鶏肋とはいったいなんのことか？　誰にも解けない。諸人は疑義まちまち、当惑するばかりだった。ときに行軍主簿の楊修だけは、部下をあつめて、

「都へ帰る用意をせい。荷駄行装をととのえて、お引揚げの命を待て」と、急にいいつけた。

夏侯惇はおどろいた。自分が布令たことであるが、実は自分にも分っていないので、早速、楊修に向って訊いた。

「どういうわけで、貴公の隊ではにわかに引揚げの用意にかかられたか」

「されば、鶏肋というお布令を案じてのことでござる。それ鶏の肋は、これを食らわんとするも肉なく、これを捨てんとするも捨て難き味あり、いま直面している戦は、あたかも肉なき鶏の肋を口にねぶるに似たりとの思し召かと拝察いたす。それにお気づきあるからには、わが魏王も益なき苦戦は捨てるに如かずと、はやご決心のついたものと存ずる」

「なるほど」

夏侯惇は感服して、おそらく魏王の肺腑を見ぬいた言であろうと、ひそかにその旨をまた諸将へ告げた。

三

その夜も曹操は、心中の煩乱に寝もやられず、深更、みずから銀斧を引っさげて、陣々の要害を見廻っていた。

「夏侯惇はいないか」

彼はもってのほか愕いた顔している。馳けつけて来た夏侯惇のすがたを見るや否やこう訊ねた。

「諸将の部下どもは、なんでにわかに引揚げの支度をしておるのか。いったい誰が、軍旅の荷駄をまとめよなどと命令したか」

「主簿の楊修が、わが君の御心を察して、かくは一同、用意にかかりました」

「なに、楊修が。――楊修をこれへ呼べ」

斧の柄を杖に立てて、曹操はけわしい眉をしていた。楊修はやがてその前に平伏して、

「こよいの用心布令は鶏肋との仰せ出しなりと伺い、諸人お心の中を測りかねて難儀しておりましたゆえ、それがしがおことばのご意中を解いて、人々に引揚げの用意あってしかるべしと申しました」

と、憚りなくいった。

自分の胸奥を鏡にかけたように云いあてられて、曹操はひどく惧れた。かつ不機嫌甚だしく、

「鶏肋とは、その意味で申したのではない。慮外者め」

と、一喝したのみか、直ちに夏侯惇をかえりみて、軍律を紊せる者、即座に首を打てと命じた。

暁寒き陣門の柱に、楊修はすでに首となって梟けられていた。昨夜の才人も、今朝は鳥の餌に供えられている。

「ああ、儚い哉」

さすが武骨の将たちも、慄然として、曹操の冷虐な感情におぞ毛をふるい、また楊修の才を悼んだ。

実に、楊修の一代は、才をもって彩られていた。しかしその豊かな才も、あまりに曹

操の才能をも越えて、常に曹操をして、怖れしめていたため、かえって、彼の忌み憎むところとなっていた。

かつて、こういう事もあった。——鄴都の後宮に一園を造らせ、多くの花木を移し植えて、常春の園ができあがった。……というので曹操は、一日その花園を見に出かけた。

曹操は、善いとも悪いともいわなかった。ただ帰る折に、筆を求めて、門の額をかける横木へ「活」の一字を書いて去った。

（どういう思し召だろう）

造庭師も諸官の者も、ただ首を傾けて、曹操の意中を惧れあうばかりだった。

そこへ楊修が通りかかった。人々が彼に当惑を告げると、楊修は笑って、

「何でもない事ではありませんか。魏王のお胸は、花園にしては余りにひろすぎるからもっとちんまり造り直せというご註文にちがいない——なぜかとお訊ねか。ははは。門の中に活という文字をかけば、即ち闊となるでしょう」

（なるほど）

皆、感心してすぐ庭を造り直し、再度曹操の一遊を仰ぐと、曹操もこんどはひどく気に入ったらしく、

（たれが自分の心を酌んでこう直したのか）

と、たずねた。——で、庭造りの役人が、

（楊修にて候）

と答えると、曹操は急に黙って、喜ぶ色を潜めてしまった。

なぜというに、楊修の才には、曹操もほとほと感心しながら、余りに、自分の意中をよく読み知るので、その感嘆もいつか妬みに似た忌避となり、遂には彼の才能にうるさいような気持を抱くようになっていたからである。

魏王の位についてからの曹操は当然、次の太子は誰に譲ろうかと、わが子をながめていた。ある時、彼は侍側の臣に命じて、

（明日、長男の曹丕と、三男の曹子建とを、鄴城へ招き呼ぶが、ふたりが城門へ来たら、決して通すな）といいつけておいた。

曹丕は、門で拒まれた。兵隊たちに峻拒されて、やむなく後へ帰ってしまった。

次に曹子建が来た。同じように関門の将士が、通過を拒むと、

（王命を奉じて通るに何人か我を拒まん。召しをうけて行くは弦を離れた箭の如きもので、再び後へかえることを知らぬ）と、云い捨てて通ってしまった。

曹操は聞いて、さすがは我が子だと、大いに子建を賞めたが、後になって、それは子建の学問の師楊修が教えたものだとわかり、がっかりすると共に、

（よけいな智慧をつけおる）と、彼の才に、その時も眉をひそめた。

また楊修は「答教」という一書を作って曹子建に与え、

（もし父君から何か難しいお訊ねのあったときは、これをご覧なさい）

と、いっていた。答教のうちには、父問三十項に対する答がかいてあった。

こういう風に、曹子建には、楊修のうしろ楯があったので長男の曹丕よりは、何事にまれ勝れて見えたが、やがて自分こそ、当然、太子たらんとしている曹丕は、心中大いに面白くなく、事ごとに楊修を父に讒していた。

（父子、世嗣の問題にまで、才気をさし挟むはいかに才ありとも、奸佞の臣たるをまぬかれぬ。いつかは、誅すべきぞ）と曹操の胸には、ひそかに誓っていたものがあったのかも知れない。何にしても、才人才に亡ぶの喩にもれず、楊修の死は、楊修の才がなした禍いであったことに間違いはない。要するに、彼の才能は惜しむべきものであったが、もう少しそれを内に包んで、どこか一面は抜けている風があってもよかったのではあるまいか。

四

けれど、楊修の言は、楊修が死んでから三日とたたないうちに、そのことばの理由ある所以を現わし、魏の諸将をして、「鶏肋」の解釈をふたたび想い起させた。

蜀軍は、その日も次の日も、斜谷の陥落もはや旦夕にありとみて、息もつかず攻めたてていたのである。

ことに、最後の日は、両軍の接戦、惨烈を極めて、曹操自身も、乱軍の中に巻きこまれ、蜀の魏延と刃を交えているうちに、

「斜谷の城中から、裏切者が火の手をあげた」

という混乱ぶりであった。

だが、魏の陣中からあがった火の手は、裏切りがあってのことではなく、蜀の馬超が、斜谷の嶮をよじ登って、ふいに搦手から関内へ攻めこみ、後方攪乱の策に出た結果だった。

しかし城を出て戦っていた魏軍の狼狽はひと通りでない。

「すわ、総くずれだ」と、後方の騒動に前軍も混乱して、まったく統一を失い、収拾もつかぬ有様に、曹操は剣を抜いて味方の上に擬し、

「誰にもあれ、みだりに陣地を捨て、背を見せて退く者は、立ちどころに斬るぞ」と、督戦した。

しかしその姿を見て、蜀の魏延、張飛などが、

「我こそ、彼の首を」と、喚きかかるし、退こうとすれば、部下を督戦して叫んでいる自己の言を裏切るものだし、曹操もまた自縄自縛に陥ってしまうような苦戦だった。

かくと見て、曹操のそばへ、馬をとばして助けにきたのは龐徳だった。剛雄魏延を身にひきうけて、

「いざ、今のうちに、一方の血路をひらいて、早々落ちたまえ」と主の前に立ちふさが

り、魏延の手勢、張飛の部下など、入れ代り立ち代り寄りたかって来る敵を、わき目もふらず防いでいた。

すると後ろであッという声がした。まさしく曹操の発したものである。龐徳はむらがる敵を蹴ちらして、

「如何なされましたぞ」と、曹操のいるところへ駈け戻ってきた。

曹操は落馬していた。のみならず両手をもって、口を抑えていた。遠矢に面を射られて、二枚の前歯を欠いたのである。ために顔半分から両の手まで鮮血にまみれていた。

「軽傷です。お気をたしかにおもちなさい」

龐徳は、彼を馬上に抱えて、乱軍の中から落ちて行った。

すでに斜谷の関城は、全面、焔につつまれ、山々の樹木まで焼けつづけている。

魏軍は完敗した。今さらのごとく楊修のことばを思い出し、

（あのとき引揚げていたら——）と、思うもの、ただ魏の将士のみではなかった。

曹操の面部は腫れあがり、金瘡は甚だ重かった。彼は、その病軀を氈車のなかに横たえ、敗戦の譜いたましく、残余の兵をひいて帰った。

その途中、

「……そうだ。楊修の屍は捨ててきたが、何か遺品はあるだろう。どこかへ篤く葬ってやりたいものだ」

氈車の中で、うわ言のように呟いていた。

さらに、また来ると、途中を邀して待ちかまえていた蜀軍が、曹操の首をとらんと、猛烈に包囲して来た。車はようやく京兆府まで逃げ走ったが、一時は曹操も、ここに死すかと、観念の眼をふさいでいたようであった。

漢中王に昇る

一

魏の勢力が、全面的に後退したあとは、当然、玄徳の蜀軍が、この地方を風靡した。

上庸も陥ち、金城も降った。

申耽、申儀などという旧漢中の豪将たちも、

「いまは誰のために戦わん」といって、みな蜀軍の麾下へ、降人となって出た。

玄徳は、布告を発して、よく軍民の一致を得、政治、軍事、経済の三面にわたって、画期的な基礎をきずいた。

こうして彼の領有は、一躍、四川漢川の広大な地域を見るにいたり、いまや蜀という

ものは、江南の呉、北方の魏に対しても、断然、端倪すべからざる一大強国を成した。

時を観ていた孔明は、折々、諸大将と意見を交わして、

「いまや東西両川の民は、ことごとく君の徳になつき、ひそかにわが皇叔が、名実ともに王位に即かれて、内は民を定め、外には騒乱の賊を鎮め給わんことを、心から希っておる」

と、即位進言のこころを漏らすと、人々も異議なく、

「そうなくてはならない。ぜひ折を見て、亮軍師から皇叔へおすすめを仰ぎたい」

と、同意を表した。

孔明は、諸臣の代表として、法正を伴い、ある時、改まって、玄徳に謁した。そして、

「君にもはや、御齢五十をすぎ給い、威は四海に震い、徳は四民にあまねく、東除西討、いまや両川の地に君臨されて、名実ともに兼備わる。これは単なる人力のみの功績ではありません。天の理法、天の意というものも、思わねばなりません。よろしく君にはこの時に、天に応じて王位にお即きあるべきです」

というと、玄徳は、さもさも驚いたように、その面を左右に振った。

「何をいうぞ、軍師。予は漢室の一族にはちがいないが、なお許都には、皇帝がおわす。いついかなる所にあっても、身は臣下の分を忘れたことはない。もし王位を僭称し、曹操の驕りに倣うような真似をしたら、何をもって、国賊を討つ名分となすぞ」

「いやいや、帝位を称え給うには非ず。漢中王に即かるる分には、何のさしつかえがありましょう。いま宇内二分して、呉は南に覇をとなえ、魏は北に雄飛し、また君のご威徳によって、西蜀漢中の分野ここに定まるとはいえ、なお前途の大統一を思う同気の輩は、我が君が、あまりに世間の誹りを気にかけて、いわゆる謙譲の美徳のみを唯一の道としておいでになると、ついには君の大器を疑い、三軍の心、ために変ずるの憂いがないとはいえません。天ゆるし、地もすすめる時は、隆々の盛運に乗って、君ご自身、さらに雲階を昇って栄位に進み、歓びを、帷幕や三軍の将士に頒つこそ、また国を旺にする大策たること疑いもありません。ねがわくは皇叔一個のご潔癖にのみとらわれず、御心を大にして、天地の欲するままに順応せられんことを」と、極力すすめた。

玄徳はなお容易に肯じなかった。いかに臣下や両川の民がそれを望んでも、あきらかに天子から勅命がない以上は、自称し僭称するものである。そういうことは自分は嫌いだといって、飽くまでしりぞけた。

けれど孔明以下、法正も張飛も趙雲もたびたび、進言して、玄徳の積極性をうながしたため、ついに彼もそれを許容することになり、ここに文官の譙周が表を作った。そして使いは、許都の天子のもとへその表を呈し、玄徳が漢中王に即くことを正式に奏した。

建安二十四年の秋七月。

沔陽（陝西省・漢中の西方）に式殿と九重の壇をきずいて、五色の幡旗をつらね、群臣参列のうえ、即位の典は挙げられた。

同時に、嫡子劉禅の王太子たるべき旨も宣せられた。

許靖をその太傅とし、法正は尚書令に任ぜられた。

軍師孔明は、依然、すべての兵務を総督し、その下に、関羽、張飛、馬超、黄忠、趙雲の五将をもって、五虎大将軍となす旨が発布され、また魏延は、漢中の太守に封ぜられた。

二

即位の後、玄徳は、ふたたび表をもって、その趣を天子に奏した。

先に都へ使いを立てて、捧げた表は、諸葛孔明以下、蜀臣百二十人の連署をもって奉上したものであり、後のは、劉備玄徳の認めたものである。

表はいずれも長文で、辞句荘重を極めている。朝廷はその秋ただちに、劉備玄徳にたいして、

「漢中王領大司馬」の印綬を贈った。

「なに、むかし蓆を織っていた凡下が、ついに漢中王の名を冒したというか。憎むべき劉備の不遜、あくまで、この曹操と互角に対峙せん心よな」

魏王曹操が、ために大きく衝動をうけたことは、いうまでもない。

「起てよ、わが百万の鉾刃。——何ぞ、蜀の傍若無人なる。彼をして無事に、漢中王の

名を僭称させておいては、身禁門を擁護する曹操として、何の面目やある」

魏王は、獅子吼した。

時に大議事堂に満つる群臣の中から起って、

「否とよ大王、一旦のお怒りに駆らるるは、上乗に非ず、すべからく蜀の内部に衰乱の兆すを待って、大挙、軍を向け給え」と、いさめた者がある。

諸人が、何人かと見れば、司馬懿、字は仲達、近ごろ曹操の側臣中、彼ありと、ようやく認められてきた英才である。

曹操はじろと見て、

「――うむ、それもよかろう。しかし仲達、蜀の衰亡を、ただ拱手して待つわけでもあるまい。汝にいかなる計があっていうか」

「さればです。臣の察するに、呉の孫権は、先に妹を玄徳に嫁し、のち取り返して、以後、絶縁のままになっているものの、その心中には、歯をくいしばるの恨みをのんでおりましょう。――いま魏王の御名をもって、使いを呉に立て、呉が荊州を攻むるならば、魏は呼応して、呉を援け、また玄徳の側面を突かん――と、利害をあきらかにおすすめあれば、孫権のうごくこと、百に一つも間違いはありません」

「呉を。……そうか、呉をしてまず、戦わせるか」

「荊州の危うきときは、漢川も危殆に瀕し、漢川を失えば蜀もまた窒息のやむなきに至りましょう。いずれにせよ、長江波高き日は、玄徳が一日も安らかに眠られない日です。彼は両川の兵をあげても、荊州の急を救わんとするでしょう。かかる状態を作っておいてから、わが魏の大軍がうごくにおいては、兵法の聖がいっているごとく、必勝を見て戦い、戦うや必ず勝つ、の図にあたりましょう」

「善言善言」

仲達の考えは容れられた。使者には満寵が選ばれた。彼はたびたび、呉へも行っているし、外交官として聞えがある。

さてここに、呉の孫権も、遠く魏蜀の大勢をながめ、呉の将来も、決して今日の安泰を、明日の安泰としていられないものを自覚していた。

ところへ、魏使が着いた。

孫権はまず張昭にたずねた。張昭は答えていう。

「おそらく修交を求めてきたのでしょう。ともあれ会ってごらんなさい」

孫権はそれに従った。満寵を引いて、主賓の座を分ち、礼おわって、来意をたずねた。満寵はつつしんで使いの旨をのべ、

「魏と呉とはもとより何の仇もなく、ただ孔明の弄策に災いされ、過去数年の戦いを見たものです。その結果、利を獲たものは、実に、呉でもなく魏でもなく、いまや蜀漢二川の地を占めている玄徳ではありますまいか。——魏王曹操も、非をさとり、貴国と長く唇歯の誼みを結んで、共に玄徳を討たんという意思を抱いておられます。ねがわくは、相侵すなく、両国の修交共栄の基礎がここに定まりますように」と、魏王の書簡を

孫権の座下に呈した。

三

使者の満寵は、やがて歓迎の宴に臨んだ。曹操の書簡を見てからの孫権は甚だ気色が麗しい。満寵はひそかに、

（この外交は成功する）と、信じていた。

彼は酔って客館にさがった。だが、呉宮の殿堂は、深更まで、緊張を呈していた。重臣はみな残って、孫権を中心に、

（魏の申し出にどう答えるか）と、その修交不可侵条約の求めにたいして、検討評議にかかったのである。

「もちろん魏の大望は、天下を統一して、魏一国となすにあるので、これは曹操の詐りにきまっておるが、さればといって、明らかに彼の申し出を拒み、魏の重圧を一方にひきうけて、蜀の立場を有利にさせ、呉の兵馬を消耗しては面白くない」

これは顧雍の説だった。

そのほか有力な呉人の国際観も、たいがい同じ見解をもっている。

要するに、不和不戦、なるべく魏との正面衝突は避け、他をもって戦わせ、そのあいだにいよいよ国力を充実し、起つ機会を充分にうかがうべし——という意見である。

諸葛瑾が、一策を唱えた。

「ひとまず使者の満寵はお帰しあって、呉よりも改めて、一使を魏に派遣されたらいかがです。そのあいだに別な使者を荆州へ送るのです。いま荆州の守りは、例の関羽ですが、これに我が君より書簡をつかわし、大勢を説いて、呉に協力させまする。もし関羽だに承知して、呉に与するなら、断然、魏を拒んで、曹操と一戦なすも、決して、呉は敗るるものではありません」

張昭が中途で訊ねた。

「もし関羽が断ったら？」

「そのときは、直ちに魏の申し入れを容れ、相携えて荆州を攻め取るばかり」

「妙変、臨機、大いによろしい。けれど諸葛兄、それはほとんど、後者にきまっていよう。玄徳の信任も篤く、忠誠無比といわれる関羽が、一片の書簡に変じて、呉に協力しようとは思われん」

「さよう。単なる外交では望みはありますまい。けれど彼は情にもろい豪傑です。私の計とは、婚姻政策です。関羽には一男一女がありますから、呉の世子にその娘を迎えたいがといったら、親心として、大よろこびで応じてくると考えますが」

孫権は諸葛瑾の案にうなずいた。さしずめ、瑾を使者として、荆州へつかわそう。そして一方、魏の曹操にも、使いを立て、まず双方の機変を打診してみた上としても、呉が態度を定めるのは遅くもあるまい——ということに議をまとめて、次の日、満寵にはしかるべき礼物と答書を与えて、魏へ送り帰した。

魏の船が出ると、すぐ後から瑾の乗っている船が出た。その船は荊州へ着いた。

孔明の兄とは知っているが、呉の使者として来たと聞くと、関羽は出迎えもせず、悠然、これを待って対面し、

「何です。ご辺の用向きは」と、応対まことに武骨だった。

瑾は不快とも思わない。むしろ武弁で正直な関羽の人柄に敬慕をおぼえながら話した。

「将軍のお娘御も、もう妙齢とうかがいましたが、主人孫権にも一男あり、呉の人はみな、好世子とたたえております。いかがでしょう、ご愛嬢を、呉の世子に嫁がせるお心はありませんか」

聞くと、関羽は、毛ぶかい顔をゆがめて、さも卑しむように、瑾の口もとをながめ、

「ないなあ、そんな気は」と、膠なく、いった。

瑾がかさねて、

「なぜですか」とたたみかけると、関羽は勃然と、髯の中から口を開き、

「なぜかって、犬ころの子に、虎の娘を誰がやるかっ」と、吐き出すように云った。

瑾は頸をすくめた。それ以上、口をあくと、関羽の剣がたちまち鞘を脱して来そうな鬼気を感じたからであった。

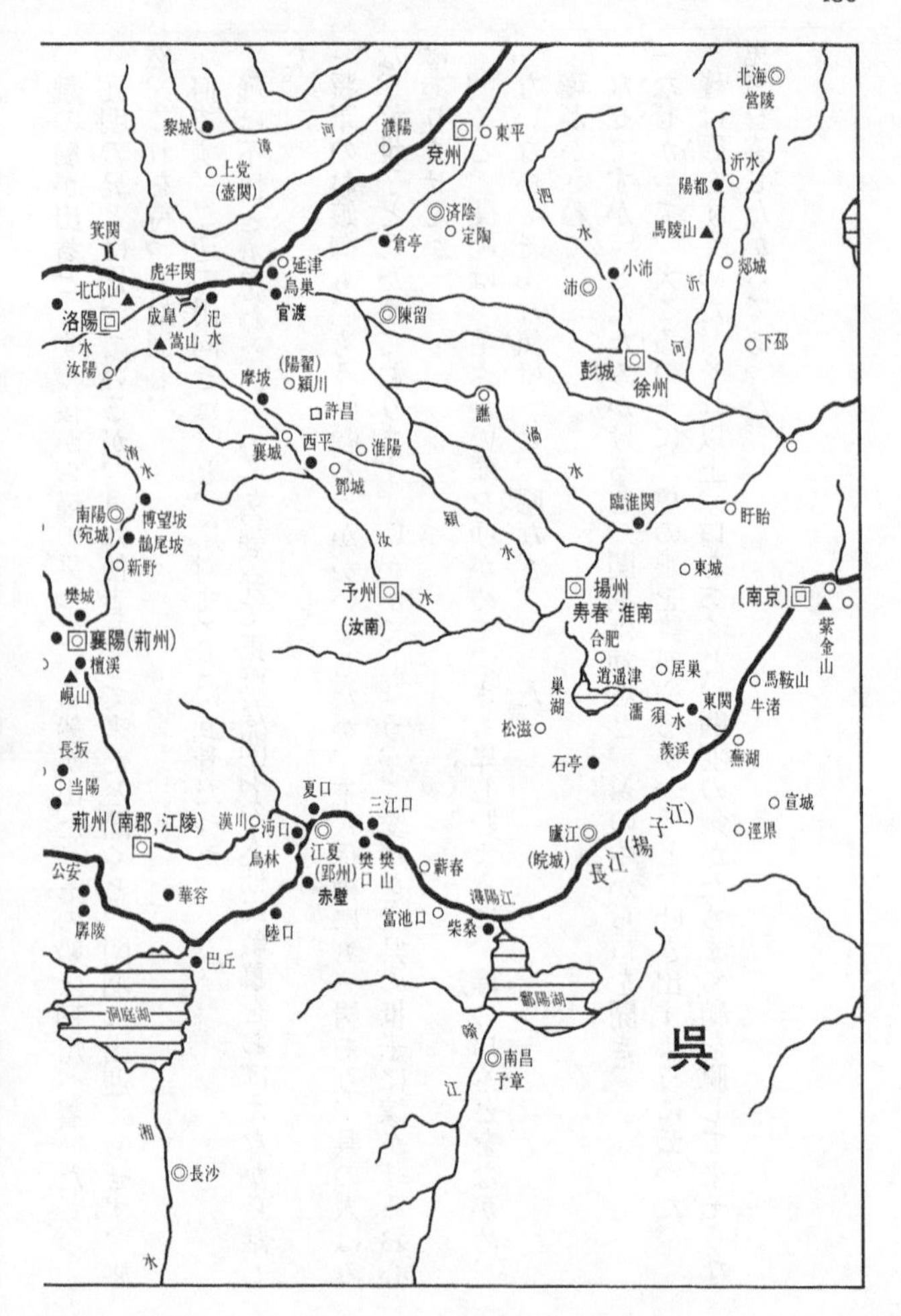
北海
営陵
黎城
河
濮陽
東平
兗州
上党
(壺関)
沂水
陽都
泗
水
済陰
定陶
倉亭
馬陵山
箕関
延津
烏巣
小沛
郯城
虎牢関
北邙山
洛陽
成皐
汜水
官渡
沛
沂
陳留
水
嵩山
河
下邳
汝陽
(陽翟)
潁川
摩坡
彭城
徐州
許昌
譙
渦
西平
淮陽
襄城
鄧城
水
南陽
(宛城)
博望坡
鵲尾坡
新野
潁
汝
水
臨淮関
盱眙
東城
樊城
予州
水
(汝南)
揚州
寿春 淮南
〔南京〕
紫金山
襄陽(荊州)
檀溪
峴山
合肥
逍遥津
居巣
馬鞍山
巣湖
濡須
水
東関
牛渚
松滋
羨渓
蕪湖
長坂
当陽
石亭
夏口
三江口
宣城
荊州(南郡,江陵)
漢川
沔口
江夏
(郢州)
烏林
樊口
樊山
蘄春
廬江
(皖城)
江(揚子江)
長
涇県
公安
華容
赤壁
潯陽江
富池口
柴桑
孱陵
陸口
巴丘
洞庭湖
鄱陽湖
贛
南昌
予章
江
呉
湘
長沙
水

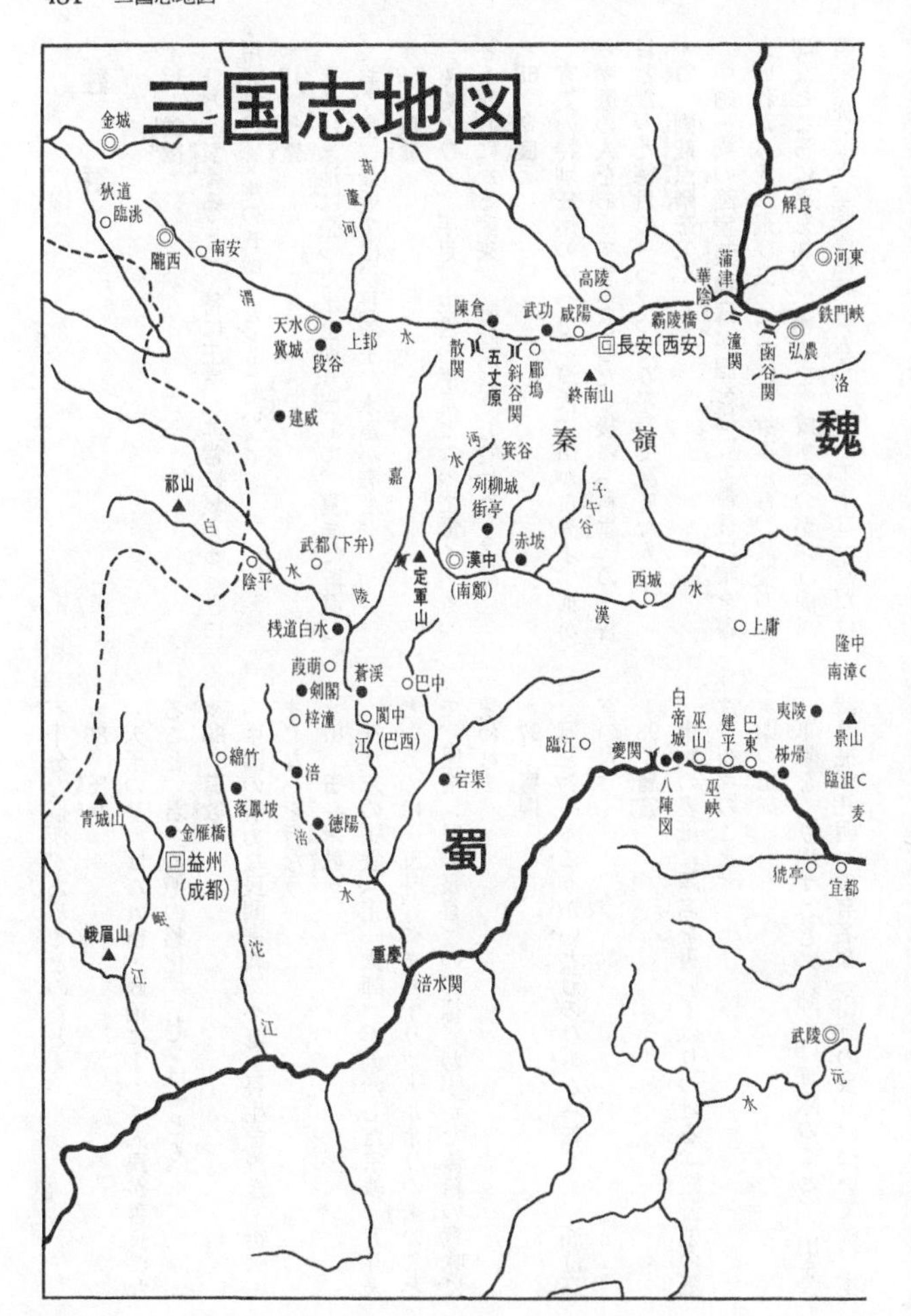
三国志地図
金城
狄道
臨洮
隴西
南安
渭
水
天水
冀城
上邽
段谷
建威
祁山
白
水
陰平
武都(下弁)
陳倉
武功
咸陽
高陵
長安〔西安〕
散関
五丈原
斜谷関
郿塢
終南山
秦
嶺
箕谷
列柳城
街亭
赤坡
子午谷
漢中
(南鄭)
定軍山
嘉
陵
江
西城
漢
上庸
解良
河東
蒲津
華陰
覇陵橋
潼関
函谷関
弘農
鉄門峡
洛
魏
隆中
南漳
栈道白水
葭萌
蒼渓
剣閣
巴中
梓潼
閬中
(巴西)
綿竹
涪
落鳳坡
宕渠
徳陽
涪
水
蜀
臨江
白帝城
巫山
建平
巴東
夷陵
景山
夔関
八陣図
巫峡
秭帰
臨沮
麦
猇亭
宜都
青城山
金雁橋
益州
(成都)
峨眉山
岷
江
沱
江
重慶
涪水関
武陵
沅
水

註解

＊17 **式微**
ひどく衰えること。特に王室が非常に衰えるときに用いる。「文学の式微」などともいう。

＊17 **氷室**
真冬に氷池に張った氷を切り出して、夏まで貯蔵しておく室。最近では、長屋王の氷室が有名。

＊59 **股肱**
もともとひじ。手足。主君の手足となって働く、もっとも頼りになる家来。「股肱の臣」などという。

＊68 **孝廉**
官吏の特別任用の一つで、漢代に州から秀才、郡から孝廉の人をあげて官吏とした。後に「科挙」の一科目となった徳目の一つ。つまり孝行で廉直な人。

＊81 **画龍点睛を欠く**
中国・梁の画家張僧繇が龍を描いて最後に睛を書きいれたら天に飛び去ったという故事から、最後の大切なところに手を加えて物事を完成するのが「画龍点睛」。従って「画龍点睛を欠く」は、大事な一点だけ不十分な個所があることのたとえ。

＊85 **王化**
天子のりっぱな人格・政治によって人民が善良になること。君主の徳の感化。「おうけ」とも。

＊86 **道教**
中国の有力な民間宗教。不老・長生を説き、祈禱・まじないを行なう。

＊87 **五斗米教**
後漢末の張陵（正一大師）が創始した宗教。五斗米というのは、五斗、つまり十リットル余りの米のことで、県令（県の長官）の俸禄。わずかな俸給の意味に使われる。

＊97 **簪纓**
冠をとめるこうがいと冠のひもから転じて、高位高官の人。

＊98 **題簽**
書物の表紙に題名を書いてはりつける、短冊型の紙片や布片のこと。

＊134 **出師**
軍隊をくり出すこと（「師」は軍隊のこと）。出兵。諸葛亮（孔明）の有名な「出師の表」については、本

文に後述。

＊135 **鼎** 古代中国で、食べ物をにるのに使った三本足の金属器。帝位の象徴。「鼎の軽重を問う」「鼎の沸くが如し」などという。

＊143 **龍（隆）車に向う蟷螂の斧** 蟷螂（カマキリ）が斧をもって隆（龍）車（高大な車、戦車など）に向うから転じて、弱者が強敵に反抗してもとてもかなわないたとえ。

＊150 **巧言令色** じょうずにしゃべり、顔色をやわらげて、人にこびへつらうこと。「巧言令色、鮮し仁」などという。

＊176 **定業** 前世からきまっている報い。前世からの約束ごと。

＊203 **夕星** 長庚とも書き、古くはゆうつづとも。夕方、西の空に見える金星。宵の明星、太白星。

＊214 **年より（寄）の冷や水** 本来は、老人が冷水を浴びる意で、老人に似合わない元気のいい振る舞いや、高齢にふさわしくない危ないことをするのを、ひやかしたりするときにいう。

＊260 **傍（岡）目八目** 傍から他人の碁を見ていると、打っている人より八目も先を見越すという意味から、局外から観察する者の方が、当事者よりかえって物事の真相や利害得失をはっきり見わけることができるたとえ。

＊362 **天数** 天からあたえられた寿命。天寿。天の数（一・三・五・七・九の奇数）。天の道。自然のなりゆき。天文。

＊451 **前表** 事の起る前ぶれ。前兆。先表。前にかかげた表。すでに示してある表。ぜんひょう、ぜんびょうとも。

＊470 **金瘡（創）** 刃物などでできたきず。きりきず。かたなきず。

＊473 **宇内** 天地の間。あめがした。天下。世界。

太刀の雪

北方謙三

細い刀背から鍔にかけて、微かに雪がつもるほど動かずに……。

三十三間堂における、武蔵と吉岡伝七郎の決闘。その時の、武蔵の太刀の描写である。正眼に構え合った二人の、柔と剛。伝七郎の腕にはめりめりと音をたてそうな力が見え、武蔵の腕は押すと動きそうなほど柔らかく見える。そして、雪の、徐、破、急。

武蔵の太刀の刀背から雪が落ちた時、背後から迫った太田黒兵助とともに、吉岡伝七郎は朱に染っている。

なんという、張りつめた静寂であろう。読む者を、刀背に雪をつもらせたままの太刀が、すでに斬っている。そのあとにくる、一瞬の動。まさに、読者は二度斬られると言っていいだろう。

はじめて『宮本武蔵』を読んだ時から、刀背に雪をつもらせた太刀は、ぼくの頭に焼きついていた。

真剣による決闘シーンは、日本文学における個と個の闘争描写の源流ではないのだろうか。少なくとも、現代を舞台にハードボイルド小説を書いているぼくには、闘争描写の原点があると思えるのである。

拳銃が一般的なリアリティを持たない日本では、肉体と肉体のぶつかり合いで、拳銃の迫力を凌ぐしか方法がない。だから、闘争場面には、いつも細心の注意を払って書いている。痛み、血、敗北感。そういうものの描写が、とりたてて難しいとは思わない。

難しいのは、動きなのだ。主人公が一歩踏み出す。その一歩に、どれだけの迫力を与えられるか。下手をすれば、ボクシングの観戦記のようになってしまう。ぼくは、肉体のぶつかり合いを書く時は必ずと言っていいほど、刀背に雪をつもらせた太刀を思い浮かべる。動には、絶対的に『静』が必要なのだ、と教えられたことで、三十三間堂の決闘は、数多ある闘争シーンの中で、ぼくにとっては特別なものになっているのである。

（作家）

解説「三国志」「三国志演義」と吉川「三国志」(二)

立間祥介(慶応義塾大学教授)

前の巻で述べた「全相三国志平話」は、本国の中国ではとうに散逸してしまい、現代になってわが国で同じ版元から出た四種の「平話」とともに発見されたものである。

中国ではこの手の通俗読物は知識階級の読むものではないとされていたから、蔵書家にも無視され、紙屑として歴史のなかに埋没してしまったのである。一方、わが国では、内容はどうであれ、貴重な舶載物であることに変りはない。それでかえって今日まで残ったもので、このような例はほかにもある。

「三国志平話」を含む五種の「平話」の扉にはすべて「建安虞氏新刊」の六字がはいり、題名にも「新刊全相」とことわってある。建安はいまの福建省建甌県の旧称で、宋・元・明三代にかけて通俗書の出版が非常に盛んだったところ。虞氏のような版元も何軒もあったのだろう。虞氏の刊行したものは、「三国志平話」のほか、「武王伐紂書平話」(周王朝創業物語)・「楽毅図七国春秋平話後集」(戦国時代の兵法家孫臏を主人公とした戦記物語)・「秦併六国平話」(秦始皇帝物語)・「前漢書平話続集」（漢帝国創業物語）の四種が残っているだけだが、おそらくこれらが出版されたときには、一連の「歴史物語叢書」として、大々的に売り出されたものだろう。しかも、わざわざ「新刊」を強調しているところを見れば、これ以前にも同種のものが出ていたことは想像に難くない。七百年も前に、現今のわが国の出版業界にも似たきびしい出版競争が行なわれていたわけである。

ところで、これらの作品には、著者の名はいっさいはいっていない。たとえ講釈師の口演台本であるにせよ、正史にもとづいた歴史物語を書けるのだから、当然、学問をした人のはずである。しかし、先にも触れたようにこの手のものは、正統な学問をした者の読むべきものでないとされていた当時のこと、著者が名を出すことは絶対になかった。この事情は後になっても変らず、たとえば「水滸伝」のような大文学作品の作者ですら、施耐庵といわれてはいるものの、本当のところはわかっていないのが実状である。とはいえ、「平話」の作者たちの見当がまったくつかないわけではない。

中国で大衆芸能が発展した宋代以来、それらの芸人のために口演台本を書く一群の人びとが生まれ、これらの作者グループは「書会」と呼ばれた。「書会」のおこりは、国家試験受験生が模擬答案（作文）を持ち寄って検討しあう集まりだった。そのなかの好事家が戯作に手を染めたのがはじまりで、やがて受験生くずれの戯作者の集まりができた。これがいわゆる「書会」のはじまりといわれる。ただし今日残る「平話」類を見たかぎりでは、固有名詞の宛て字など相当ひどいもので、作者たちが仮りに国家試験を受けたところで合格はおぼつかなかったのではないかと思われる。

それはともかく、このような「平話」類、今日のわが国の状況にあてはめていえば「大衆文学」の一種の文運隆盛時代であった元代は、また「元曲」の名で知られる演劇の全盛時代でもあった。そして、この「元曲」にも多くの「三国志」劇が書かれている。たとえば、「元曲」の代表的作家関漢卿には「関張双赴西蜀夢」・「関大王単刀会」の二篇があるし、「水滸」劇の作者として有名な高文秀にも「劉先主襄陽会」・「周瑜謁魯粛」があるという具合で、今日、題目だけ残っているもので四十余、シナリオの残っているもの二十種近くという盛況である。このなかには、「平話」にない話もあって、「平話」以後にも「三国志」の物語があいついで作られていたことがわかる。

これらの戯曲は「三国志平話」のなかの一場面を拡大したもので、三国時代の生起から終焉までを見せるいわゆる通し狂言のようなものはなかったようだ。当時の人びとはおそらく講談などですでにそれを知っていたものだろう。「三国志」の物語は当時すでにそれほどまで広まっていたのである。

こうして発展してきた「三国志」の物語を「三国志平話」の骨子にもとづいて整理し、正史によっておおいに補充訂正を加えて完成されたのが「三国志演義」であった。今日残っている版本でもっとも古いものは、明の嘉靖元年（一五二二）刊行のもので、これには羅貫中という作者の名がはいっている。

羅貫中（名は本）は元の末から明の初めにかけて活躍した作家で、ほかにも「隋唐志伝」・「残唐五代史」・「三遂平妖伝」などの長篇小説のほか、歴史劇三篇が残っている。「三国志演義」は全二十四巻、一巻を十節に分けて二百四十節、各節に一句の標題（たとえば第一節には「天地を祭り桃園に義を結ぶ」）がついている。また各巻首に、「晋平陽侯陳寿史伝、後学羅本貫中編次」と題され、第一巻冒頭には「三国志宗僚」と題する登場人物の一覧表がついている。これは正史の体裁にならったもので、従来、民衆のものであった「三国志」物語を知識人の読物たらしめようとした「勝国末の村学究」（胡応麟）羅貫中の壮大な意図をしめすものといえる。彼はこの改編作業にあたって「後漢書」・「三国志」・「晋書」その他の史書を用い、「三国志平話」に十倍する大長篇小説を完成した。あつかわれた期間は、後漢霊帝の末年（一八四）から晋の武帝の太康元年（二八〇）にいたる九十六年間、事件でいえば、黄巾の乱から呉の滅亡までである。

この「三国志演義」は明代を通じて三百年あまり読みつがれ、清の初めにもう一度大幅な改訂が加えられた。このたびの改訂者は、毛綸・毛宗崗父子で、彼らはあらためて正史によってそれまでの刊本の誤りをなおし、二百四十節から成っていたものを、二節を一回とする百二十回（回は章にあたる）に改め、各回の題もそれまでの二節分を一つの対句（たとえば、第一回は「桃園に宴して三豪傑義を結び、黄巾を斬って英雄始めて功を立つ」。吉川「三国志」でいえば、「桃園の巻」の「黄巾賊」の章から「檻車」の章までにあたる）に改めた。これは一般に「毛宗崗本」と呼ばれているが、羅貫中の原作に手を加えることなく、従来のはなはだしい誤りを訂正して読みやすいものとなったので、以来、これが定本となって、今日まで読みつがれてきている。

吉川「三国志」は昭和十四年八月から五年間をついやして十九年九月に完結した。前記毛宗崗本の完成は清の康熙十八年（一六七九）ごろと推定されているから、吉川『三国志』は実に二百数十年振りに出現した新版といえる。吉川氏は本書の序文で、〝少年の頃、久保天随氏の演義三国志を熱読〟したと書いている。この久保天随の「新訳演義三国志」は東京の至誠堂書店発行の「新訳漢文叢書」に収められたもので上下二巻、明治四十五年六月に上巻、同じ大正元年十月に下巻が出た。前記毛宗崗本による忠実な訳書である。吉川氏はまた同じところで、〝原本には「通俗三国志」「三国志演義」その他数種あるが、私はそのいずれの直訳にもよらないで、随時、長所を択って、わたくし流に書いた〟と述べているが、吉川氏が執筆にあたって主として参考にしたのは、久保天随の訳書ではなく、「通俗三国志」であったようである。

「通俗三国志」は、羅貫中の「三国志演義」の本邦初訳本である。訳者は京都天竜寺の僧、義轍・月堂兄弟で、湖南文山の筆名を用い元禄二年（一六八九）から五年にかけて刊行したもの。明治以降、「帝国文庫」・「有朋堂文庫」・「通俗二十一史」などの叢書に収められた。

吉川氏はこの「通俗三国志」によりながら、文字通り「わたくし流に、主要人物には、自分の解釈や創意をも加えて書いた」（序文）わけだが、冒頭、「桃園の巻」の劉備・関羽・張飛三人の登場のくだりなど原典からはおよそ想像もつかない「創意」に満ち、読者を一気に「三国志」の世界に引きいれる素晴らしい書き出しで優に原典を凌ぐものといえる。中国の長篇小説は概してテンポがのろい。読み慣れた者にとっては、それも魅力のひとつなのだが、わが国の一般読者にとってはなかなか馴染めないところがある。それに、古いものだけに亡霊の出現など怪奇的要素も多分に含まれている。吉川氏は、現代の作家の眼からこうした冗長（じょうちょう）さをはぶき、不必要な怪奇性を除き、適確な加筆によって原典のともすれば類型化しがちな人物像にふくらみをあたえ、千数百年前の戦乱の中国大陸に生命を燃焼させた人びとを、現代に見事によみがえらせたのであった。

吉川英治歴史時代文庫の表記について

吉川英治歴史・時代文庫の表記は著作権者との話合いで、児童作品を除き、次のような方針で行っております。

一、作品は新かなづかいを原則とする。ただし、引用文は原文のままとする。

二、送りがなは改定送りがなに準拠する。ただし、原文が許容されている送りがなを使用している場合は本則によらず、そのままとする。

（例）引揚げる。打明ける。

また、辺の場合など、ヘンかアタリか、親本のルビを基とし、ルビなく、どちらともとれるときは、辺のままとする。

三、原文の香気をそこなわないと思われる範囲で、漢字をかなにひらく。ただし、作品別、発表年代別に慎重を期する。

（例）然し→しかし　但し→ただし（接続詞）
噫→ああ　呀→あっ（感動詞）
迄→まで　位→くらい（助詞）
凝っと→じっと　猶→なお（副詞）
儘→まま（形式名詞）
例外の場合
御机→お机（御身→御身(おんみ)）（接頭語）

四、会話の『　』は「　」にする。

五、くりかえし記号　ヽ　ゝ　〱　々々は原則として使用しない。

なお、作品中に、身体の障害や人権にかかわる差別的な表現がありますが、文学作品でもあり、かつ著者が故人でもありますので、作品発表時の表現のままにしました。ご諒承ください。

吉川英治歴史時代文庫　38

三国志（さんごくし）㈥

一九八九年五月十五日第一刷発行
二〇一四年二月三日第六十一刷発行

著者――吉川英治（よしかわえいじ）

発行者――鈴木　哲
発行所――株式会社講談社
東京都文京区音羽二―一二―二一
郵便番号一一二―八〇〇一
電話　出版部　〇三―五三九五―三五一〇
　　　販売部　〇三―五三九五―五八一七
　　　業務部　〇三―五三九五―三六一五

カバー・表紙印刷――豊国印刷株式会社
本文印刷・製本――株式会社講談社

定価はカバーに表示してあります。
落丁本・乱丁本は購入書店名を明記のうえ、小社業務部あてにお送りください。送料は小社負担にてお取替えします。なお、この本の内容についてのお問い合わせは講談社文庫出版部あてにお願いいたします。

1989 Printed in Japan　ISBN4-06-196538-7

吉川英治歴史時代文庫　全80巻　補巻5

*平成二年十月　全巻完結